COLLECTION « BEST-SELLERS »

KATHY REICHS

PETITE
COLLECTION D'OS

nouvelles

Traduit de l'américain
par Natalie Beunat

**Robert
Laffont**

Titre original : THE BONE COLLECTION
© 2016 Temperance Brennan L.P.
Traduction française : Éditions Robert Laffont, S.A., Paris, 2017

ISBN 978-2-221-21506-7
(édition originale : ISBN 978-1-5011-5529-1 Simon & Schuster, Toronto)
Publié avec l'accord de Simon & Schuster, Toronto.

À Fred Weber
14 juillet 1945-21 avril 2016

La cruauté des os

Chapitre 1

J'étais cramponnée au montant métallique d'un Mule 4×4 qui, à chaque seconde, effectuait de brusques embardées et des bonds spectaculaires. Le moteur grondait, et la structure tout entière cliquetait comme un vieux bombardier de la guerre de Corée. Malgré le ciel couvert, il faisait encore chaud pour un mois d'octobre. J'ai soufflé vers le haut de mon visage pour tenter, en vain, de décoller une mèche de cheveux de mon front, puisqu'il était hors de question que je lâche la barre du véhicule tout-terrain à quatre roues motrices à laquelle j'étais désespérément agrippée.

L'image que j'avais en tête de l'implantation d'une communauté d'artistes à la campagne, c'était plutôt des routes nombreuses et bien entretenues. Le chemin que nous empruntions consistait à traverser une forêt dense, trouée çà et là par les pylônes de lignes à haute tension, et truffée de pistes en terre battue se perdant dans des sous-bois touffus. La Caroline du Nord prenait ici des allures de parc jurassique.

Mais je n'étais pas là pour entrer en communion avec la nature, ni pour stimuler la créativité de mon hémisphère droit. J'étais venue pour récupérer un cadavre.

Je m'étais pourtant organisé une super journée à Charlotte : d'abord, faire mon jogging sur la Booty Loop, la piste dédiée aux joggeurs et aux cyclistes dans le quartier de Myers Park, puis aller déjeuner avec mon amie Anne, me promener ensuite dans les rues de NoDa, le quartier des galeries d'art au nord de Davidson Street. J'avais à peine fini de lacer mes Nike que mon patron me prévenait par téléphone.

— Mais c'est samedi ! avait râlé Anne en apprenant le changement de programme. Ça peut pas attendre ?

— T'as envie de discuter en détail de la décomposition des corps juste avant le repas ?

— Ils ont pas des flics pour se charger de ce genre de truc ?

— C'est mon job, Anne. (En tant qu'anthropologue judiciaire rattachée au Bureau du médecin légiste du comté de Mecklenburg, je considérais que des restes humains non identifiés étaient de mon ressort.) Un péroné, un tibia et deux vertèbres ont été découverts il y a quelques semaines à Mountain Island Lake. Les policiers croyaient alors qu'il pouvait s'agir d'une personne portée disparue, Edith Blankenship.

— J'ai entendu parler d'elle aux infos. Une étudiante, c'est ça ?

— Une jeune diplômée de l'UNCC.

C'est l'acronyme de l'Université de Caroline du Nord à Charlotte, mon autre employeur.

— Et ce n'est pas elle ?

— Le test sur le gène amélogénine atteste que les os sont ceux d'un homme.

— J'adore quand tu racontes des cochonneries.

— Je n'ai toujours pas identifié le gars.

L'inconnu était dans une boîte de carton à mon labo sous la référence ME422-13. J'avais demandé qu'on procède à un balayage au sonar de la crique près de laquelle les os s'étaient échoués. Peut-être que ça ne valait plus trop la peine à présent. Mais ça ferait moins de paperasses à remplir. Maigre consolation.

Anne ne m'avait pas félicitée pour ma contribution professionnelle au service de l'État.

— Le type qui a trouvé les os pense en avoir découvert d'autres.

— Et il faut que tu ailles récupérer le reste de monsieur Tibia Péroné.

Long soupir de désespoir.

— Il se peut que j'aie le temps de te rejoindre ensuite.

— N'oublie pas de te laver les mains, hein ?

Puis mon amie avait raccroché.

Le 4×4 a brusquement viré à gauche avant de foncer au milieu des arbres par une saignée invisible depuis la route. J'ai presque failli être éjectée du véhicule, tête la première. Le gars au volant a crié par-dessus son épaule, avec une pointe d'accent dans la voix :

— Pas trop secouée ?

— Ça va.

Mon chauffeur se définissait comme un «artiste cowboy». C'était son expression, pas la mienne. Il s'appelait Emmett Kahn et m'avait accueillie une heure plus tôt avec un grand sourire tout en me broyant la main.

Je lui donnais une soixantaine d'années. Des cheveux hirsutes couleur de jais, le teint mat, des yeux noirs aux paupières lourdes et des favoris de la taille d'une côte de bœuf. Marchand d'art florissant, Kahn possédait en outre une propriété de cent vingt hectares à travers laquelle notre cher Mule 4×4 poursuivait sa course folle.

— J'ai surnommé cet endroit «Carolitalie» parce que mon terrain a la forme d'une botte. Nous fonçons droit sur les orteils. Vous connaissez l'histoire de Mountain Island Lake ?

J'ai fait un signe de dénégation, mâchoires serrées. À force de tressauter comme ça, j'étais sûre que mes plombages auraient besoin d'être remis en place au moment où nous atteindrions notre but.

— Le lac a été créé en 1929 pour faire fonctionner des centrales hydroélectriques. Il est alimenté par la rivière Catawba et est le plus petit des trois lacs artificiels du comté de Mecklenburg.

— Énorme.

Tout ce que j'étais capable de produire comme paroles se résumait à un vocabulaire digne de l'âge des cavernes. Grand pays. Conduite secouée. Tempe ballottée.

— Voilà pourquoi j'ai un gardien. Skip gère la sécurité de mon domaine.

D'un mouvement de tête, Kahn a désigné l'homme sur le siège passager. Ce dernier me paraissait taillé dans un seul bloc. Un dos carré, des épaules carrées et une coupe en brosse… tout aussi carrée. Il portait des lunettes de soleil aviateur qui dissimulaient son regard, mais je n'avais pas le moindre doute sur le fait qu'il était de mauvaise humeur.

— Skip est flic. Il travaille pour le comté de Gaston. Ça permet de mettre de l'huile dans les rouages, vous voyez ce que je veux dire ?

Le Mule a bondi, nous offrant une vue dégagée sur la ligne d'horizon. À l'est se profilaient des nuages bas, anthracite et gorgés d'eau.

— Je croyais qu'on était dans le comté de Mecklenburg, ici, ai-je réussi à crier à un moment où la piste était moins cahoteuse.

— La frontière du comté passe au milieu du lac. Mon domaine s'étale de part et d'autre. Mon Skip, il savait que Mecklenburg employait une dame comme vous et il m'a conseillé de vous appeler.

Malin, le Skip.

Le CMPD, le service de police de la ville de Charlotte, avait communiqué l'info au MCME, le Bureau du médecin légiste du comté de Mecklenburg, puis à mon patron, et enfin… à moi.

— En fait, je travaille pour le Bureau du légiste.

— Vous êtes coroner ?

— Anthropologue judiciaire. J'étudie les cadavres qui sont trop avancés pour une autopsie classique.

— Comme les corps flottants.

L'expression utilisée par Kahn suggérait qu'il regardait un peu trop les séries policières.

— Oui. Et aussi ceux réduits à l'état de squelette, ceux qui sont momifiés, décomposés, démembrés, brûlés et mutilés.

— Ah, j'ai vu ça à la télé. Vous déterminez l'âge de la victime, si c'est un homme ou une femme, un Noir ou un Blanc, comment elle est morte, ce genre de trucs, hein ?

— C'est exact.

— Vous y arrivez en vous basant juste sur trois ou quatre os, c'est ça ?

— Les fragments d'os, c'est toujours plus difficile. C'est super que vous en ayez trouvé d'autres.

Un pneu arrière a fait gicler un caillou contre un énorme rocher.

— Hé ! On est bientôt arrivés ? ai-je demandé.

Soit Kahn n'avait pas entendu ma question, soit il avait choisi de ne pas y répondre.

14

— Alors plus on retrouve d'os, plus on a de chances d'attraper le meurtrier ?

— Si c'est un meurtre.

J'avais des doutes. La couche superficielle externe corticale de monsieur Tibia Péroné était lisse et blanchie. Trop lisse et trop blanchie. J'étais à peu près sûre que ces os reposaient là depuis des décennies. J'aurais parié que c'était une tombe à l'abandon. La Caroline du Nord fait preuve d'un assouplissement des lois en matière d'enterrement privé. Dans les Appalaches, il n'était pas rare que Papi finisse au fond du jardin aux côtés de sa vieille Range Rover.

— Tous les os ont-ils été découverts au même endroit ? ai-je beuglé pour couvrir le rugissement du moteur.

— Les quatre premiers ont été rejetés sur Arch Beach. Vous voulez qu'on fasse un détour par là ?

— Une autre fois. (Un grondement de mauvais augure provenait des nuages gris.) Et ce que vous avez trouvé aujourd'hui, c'est où ?

— Au bout de la botte, en face de Mecklenburg.

— Donc sur la rive opposée de la péninsule, ai-je précisé.

— Il y a eu une crue de la rivière la semaine dernière et le niveau du lac s'est élevé de quatre mètres cinquante. Toute la pointe était inondée, alors le sac a bien pu dériver d'un côté ou de l'autre. Skip inspectait les dégâts quand il l'a repéré, accroché à un tronc d'arbre. Ça puait. Ensuite il m'a téléphoné.

Un sac ? Puer ? Une connexion neuronale s'est mise en branle dans mon cerveau.

— Je croyais que vous aviez découvert des os.

Kahn m'a lancé un regard radieux par-dessus son épaule.

— Vous avez insisté en disant de vous appeler si on trouvait autre chose. Alors on l'a fait. On n'a touché à rien pour pas vous polluer la scène de crime.

Décidément, ce gars regardait trop de séries télé.

Mon léger malaise a laissé place à un agacement certain. Est-ce que tout cela n'était rien d'autre qu'une quête futile ? Un monumental gaspillage de mon samedi ?

Kahn a donné un brusque coup de volant, et le Mule a fait un angle de quatre-vingt-dix degrés, avant de dévaler une butte en cahotant et de s'arrêter pile à quelques mètres de l'eau. Quand le moteur s'est éteint, le silence m'a paru assourdissant.

— On est arrivés.

J'ai sauté du véhicule et inspecté les environs.

Nous étions sur une langue de terre montrant toutes les traces d'une récente submersion. Le sol sablonneux était ridé, les galets et les coquillages éparpillés, la végétation maculée de boue.

J'ai interrogé Skip du regard. Il a fait un geste en direction du lac.

Je suis descendue vers l'eau. Mes cheveux se prenaient dans les branchages. Kahn et monsieur Loquace se tenaient en retrait sur le monticule.

Un poisson mort gisait sur la rive boueuse, ses entrailles boursouflées ayant transpercé son ventre. De manière assez surprenante, peu de mouches avaient été séduites par l'opportunité de ce repas gratuit. Où étaient-elles ? Parties se nourrir ailleurs ? Effrayées par la tempête imminente ?

J'ai parcouru des yeux le tronc d'un pin à moitié émergé de l'eau, et là, je l'ai vu : un énorme sac en toile bleue de trois mètres de long dont la surface grouillait de mouches.

Je me suis retournée vers mon compagnon bavard.

— Vous n'avez pas touché à ce sac ?

— Non… (Ainsi, Skip pouvait parler.) L'odeur m'a suffi.

— Vous l'avez découvert quand ?

— Y a deux, trois heures.

J'ai enfilé une paire de gants à usage unique. Mes connexions neuronales s'en donnaient maintenant à cœur joie dans mon cerveau. Odeur ? Des mouches sur de vieux os ?

Je portais fort heureusement des bottes de pluie, ce qui m'a permis d'entrer dans le lac. Les deux hommes m'observaient en silence.

Chacun de mes pas était difficile parce que la boue agissait comme une ventouse. Le haut de mes bottes arrivait maintenant à la surface de l'eau qui commençait d'ailleurs à se déverser dedans. J'avais les chaussettes à présent trempées et les pieds gelés.

De la flotte à mi-cuisse, je me suis rapprochée du sac, et j'ai eu droit à une bouffée de la charmante odeur.

16

L'espoir qui me restait de contempler des aquarelles en compagnie d'Anne s'est instantanément envolé.

Les mouches. La puanteur. Quelque chose ne collait pas.

J'ai observé le sac en me posant toutes sortes de questions. Devais-je ou non appeler des renforts ? Devais-je le ramener vers le rivage, puis téléphoner au labo ?

Au loin, les lourds nuages sombres chargés d'électricité crépitaient et les grondements de tonnerre augmentaient en volume.

Au diable les procédures ! Pas question que je laisse la foudre me griller les fesses.

J'ai pris plusieurs photos avec mon iPhone, puis je me suis penchée sur le sac en le poussant, mais je n'étais pas assez stable pour parvenir à libérer la chose.

Je me suis approchée davantage. Une nuée de Calliphoridae a reflué vers mon visage et mes cheveux. J'ai tiré d'un coup sec sur les poignées du sac pour les dégager des branches auxquelles elles étaient accrochées. Un plouf a retenti.

J'ai rapatrié le colis vers le bord aussi vite que me le permettaient mes pas dans des bottes gorgées d'eau. Des mouches vertes visiblement agacées virevoltaient dans mon sillage.

Skip m'a aidée à extraire le sac du lac et à le traîner sur la rive boueuse, puis à le hisser sur le monticule. De l'eau suintait de la toile et, sur un côté, elle s'échappait carrément par une déchirure d'une quinzaine de centimètres.

De retour sur la terre ferme, j'ai pris plusieurs autres clichés. J'ai descendu ensuite la fermeture Éclair tout en dissipant un essaim de mouches désabusées. Celles-ci ont alors opté pour le poisson : sushi *al fresco* ! Un crâne est apparu, me fixant de ses orbites vides et rondes, comme s'il était surpris par cette soudaine lumière. De longs cheveux étaient collés sur sa face comme des algues sombres.

Le cadavre était habillé. Sous les vêtements détrempés, je pouvais discerner des ligaments et des tissus mous verdâtres.

Pourtant cette vision n'était pas ce qui m'a glacée d'effroi.

Les jambes étaient légèrement fléchies, et les os, des tubes sous le jean sale.

Les jambes.

Deux jambes.

En aucun cas, il ne pouvait s'agir de monsieur Tibia Péroné.

Chapitre 2

Skip m'a aidée à charger le sac sur le Mule 4×4. Le trajet risquait de l'endommager à cause des secousses, mais je n'avais aucune envie d'attendre. Des éclairs zébraient le ciel pour de bon.

Le voyage du retour a été morose, même Kahn n'a pas prononcé un mot. Une fois au niveau des clôtures, j'ai pu capter assez de réseau pour téléphoner.

Tim Larabee, le médecin légiste en chef du comté de Mecklenburg, et donc mon patron, s'est montré aussi surpris que moi vu qu'il m'avait envoyée là-bas pour récupérer des os.

Larabee m'a demandé si je pouvais transporter le sac dans mon coffre. Pas question. Je l'avais fait une fois, déjà. Résultat : l'odeur avait persisté dans ma voiture jusqu'à ce que je la vende. Ou bien était-ce seulement dans mon esprit ? Quoi qu'il en soit, je n'allais pas répéter l'expérience.

Mon patron m'a promis une fourgonnette de transport.

Nous l'avons attendue parmi de drôles de cabanes — style chalets suisses. Kahn m'a expliqué qu'il s'agissait de studios destinés à accueillir des artistes invités, mais je n'y ai pas vu âme qui vive. Skip se tenait coi.

Au bout d'une vingtaine de minutes, Kahn nous a priés de l'excuser ; il devait passer un coup de fil. Prévoyait-il d'avertir son avocat ? Skip m'a tenu compagnie, muet comme une carpe comme à son habitude.

— On dirait qu'ils n'ont pas fait preuve d'imagination pour le nom de Mountain Island Lake, ai-je dit en tentant un début de papotage avec lui.

— La montagne, c'est l'île au milieu, a-t-il répondu en pointant son menton vers le lac.

— Ça doit être profond.

— Cent quatre-vingt-dix-sept mètres de profondeur. Le lac a une surface de treize kilomètres carrés et un pourtour de quatre-vingt-dix-huit kilomètres.

Deux phrases : Skip était vraiment en pleine forme.

— Ça fait beaucoup pour un lac.

— Les habitants de Charlotte boivent beaucoup d'eau.

— La rumeur qui court ces temps-ci, c'est qu'ils pourraient se mettre à l'eau en bouteille.

Visiblement, Skip n'était pas tellement fan de mes blagues.

— Chaque année, on remorque cinq ou six cadavres. Le plus souvent, des plaisanciers ivres, sans compter ceux qu'on ne retrouve jamais.

Sérieux ? Je crois que je vais me mettre à l'Evian…

Kahn nous ayant rejoints, je me suis adressée à lui.

— Combien de gens environ ont accès à cet endroit ?

— Seulement ma famille, mes invités et Skip. Nous avons actuellement deux artistes en résidence. Nous changeons le code de la barrière quand on y pense, mais pour être franc, le domaine est vaste et… en quelque sorte… poreux.

— C'est clôturé ?

Kahn a oscillé sa main, façon de dire couci-couça.

— Nous avons une clôture commune avec les gens de Duke Energy. C'est ainsi depuis belle lurette, et peu de personnes le savent, hormis moi.

— La centrale thermique Riverbend ?

Je l'avais aperçue en passant en voiture : de gigantesques cheminées en briques, des convoyeurs à chaîne, un réseau de fils électriques. L'ensemble semblait tout droit sorti d'un film postapocalyptique.

— Ouais, c'est une vieille centrale à charbon construite en 1929 au moment où a été créé le lac artificiel. Riverbend a été mise en service pour fournir un surplus d'électricité quand la demande était trop forte. Le site est tellement délabré et mal entretenu que les riverains sont enragés. Et la situation a empiré depuis que Duke Energy l'a carrément fermé il y a quelques mois. Des associations d'écolos crient au scandale parce que des infiltrations de cendre de houille

19

polluent le lac. Ils veulent les poursuivre en justice pour obliger Duke à colmater les fuites. On verra bien ce que ça donnera.

— Ça signifie que n'importe qui a accès à la péninsule ? Au bout de la botte ?

Mon intuition, c'était qu'on avait affaire à quelqu'un qui s'était débarrassé du corps en le jetant à l'eau. Mais il faudrait vérifier.

Kahn a haussé les épaules.

— Bien sûr. Il suffit d'enlever les pancartes DÉFENSE D'ENTRER. À une époque, le coin était un territoire très prisé par les Hells Angels, alors on a encore droit aux motards qui sillonnent les pistes comme des fous, au grand plaisir des plaisanciers. Enfin, vous voyez le genre…

— Avez-vous relevé récemment des indices d'entrée par effraction ?

Kahn ne m'a pas répondu et s'est tourné vers Skip.

— Je peux te laisser ici ?

Skip a hoché la tête en signe d'assentiment.

— OK, alors téléphone-moi dès que la camionnette sera arrivée. (Puis il s'est adressé à moi.) Laissez-moi vous montrer quelque chose.

Avant que je puisse répliquer, Kahn avait déjà contourné une cabane pour s'engager sur un sentier à peine visible s'enfonçant dans le sous-bois. Je l'ai suivi.

— Dans ma propriété, à Carolitalie, on essaie d'intégrer l'art à la nature. (Kahn m'expliquait les choses tout en marchant d'un pas alerte.) Partout, à travers cette région, se trouvent des installations vivantes. La beauté réside dans des lieux inattendus.

— Ah…

Je ne pigeais pas un traître mot de ce qu'il me racontait.

À environ quatre mètres cinquante, il a tendu son bras au-dessus de nos têtes.

— La beauté réside dans les arbres.

Une capsule faite de métal et de Plexiglas était arrimée à plusieurs grosses branches d'un chêne, à trois mètres du sol.

— Laissez-moi deviner… un vaisseau spatial ?

— Un vaisseau dédié à la contemplation de l'espace. Pour toute personne aspirant au calme et à la méditation.

La structure en verre permet à la lumière de pénétrer largement, mais le côté bulle favorise la concentration sur son être intérieur.

— Ah...

L'art contemporain, c'est pas mon truc.

Kahn s'est avancé vers un monticule couvert d'épines de pins et équipé d'un hublot et d'une porte de réfrigérateur. Il l'a ouverte sans un mot et m'a invitée à jeter un coup d'œil à l'intérieur.

Une sorte de nacelle ancrée dans le sol maintenait une table ronde ceinturée d'un banc. Le reste du mobilier était en plastique, d'un blanc d'hôpital.

— Ici, trois personnes peuvent survivre sous terre pendant des jours. Il en existe treize semblables un peu partout sur le terrain. Treize, c'est le nombre associé à la révolte, à l'apostasie, à la désagrégation, à la révolution.

Le fantasme absolu du parfait survivaliste.

— Ça fait un moment maintenant, mais j'avais remarqué que quelqu'un squattait certains de ces abris.

— Vous avez une idée de qui il s'agit?

— Avez-vous déjà entendu parler du sabotage écologique?

— L'écoterrorisme?

Kahn a hoché la tête en caressant son menton.

— Le type avec qui vous devriez causer fait partie de ce groupuscule de tarés. Il s'appelle Herman Blount. En août dernier, Blount a publié des vidéos sur les réseaux sociaux où il menaçait de faire sauter la centrale de Riverbend. Puis il a disparu des écrans radars.

— Et vous croyez que Blount a l'intention de poursuivre son combat par chez vous?

Kahn a acquiescé, l'air sombre.

— S'il existe une personne capable de commettre des actes violents, c'est bien lui.

Chapitre 3

Quand je suis arrivée tôt lundi matin au MCME, le Bureau du médecin légiste du comté de Mecklenburg, Mme Flowers était déjà à son poste, à l'accueil. Comme à son habitude, elle portait une robe à fleurs, et ses cheveux, parfaitement coiffés, lui faisaient une sorte de casque de couleur pêche.

Je l'ai saluée d'un signe de la main, j'ai glissé mon badge d'accès au biovestibule qui conduit aux salles d'autopsie et à nos bureaux. Un «biovestibule» est ce que vous pourriez appeler un couloir à trois cent millions de dollars. Bon sang !

Nos locaux sont de construction récente, réalisés selon les règles de l'art et certifiés LEED, ce qui fait qu'ils ont encore cette odeur particulière d'intérieur de voiture neuve. Après avoir travaillé pendant des décennies dans notre ancien MCME décrépit, rénové à coup de matériaux bon marché, tout le monde ici adore notre nouvelle piaule.

Je me suis dirigée vers la salle d'autopsie numéro quatre, une des deux qui est munie d'un système de ventilation spécial pour s'adapter aux cadavres les plus odorants : les décomposés, les flottants, les corps en putréfaction. Les cas que je traite.

Alors que j'effectuais un détour par mon bureau pour ranger mon sac à main dans le tiroir qui ferme à clé, Larabee est apparu sur le seuil. Mon chef adore faire du jogging pendant son temps libre. Beaucoup. Les heures passées à marteler le bitume l'ont rendu aussi maigre et hâlé qu'Ichabod Crane dans *Sleepy Hollow*.

— Alors, comment ça s'est passé à Mountain Island Lake ?

— Il a fallu braver la tempête, ai-je dit en me redressant.

— Joe m'a raconté qu'il pleuvait des cordes sur le chemin du retour et que les bourrasques de vent ont failli déporter la fourgonnette.

Joe Hawkins est le vétéran des techniciens d'autopsie du labo. Il est à l'emploi du MCME depuis la nuit des temps.

— Je n'ai pas vu son nom sur le panneau des présences. Il est où ?

— Il n'est pas là, il a une conjonctivite aiguë. Ça t'ennuie de travailler seule ?

— Ça m'ennuie moins qu'une conjonctivite aiguë. Où sont mes os ?

— Dans la chambre froide. Joe a réalisé les premières photos et les radios, puis a tout laissé sur la civière.

— Week-end chargé ?

— Pas si mal. Une victime poignardée, une autre électrocutée et un meurtre-suicide. Rien qui puisse te concerner.

Dans notre étrange corporation, cette liste correspond à l'appréciation « pas si mal ».

— Tiens-moi informé, a-t-il lancé avant de disparaître.

J'étais soulagée de savoir que je n'aurais pas d'autres affaires à traiter. J'ai attrapé un formulaire que j'ai fixé sur l'écritoire à pinces, puis je suis allée me changer dans les vestiaires avant de me diriger vers la chambre froide. J'espérais que 48 heures au frais auraient diminué la puanteur. Mais je savais que c'était illusoire. L'odeur redeviendrait forte assez vite.

J'ai poussé la civière jusqu'à la salle numéro quatre. J'ai sorti d'un tiroir une paire de gants en latex que j'ai enfilés et j'ai posé sur ma tête les lunettes de protection. J'ai placé un masque en papier sur mon visage et un tablier en plastique autour de mon cou et de ma taille. Ravissante.

Le plafonnier était allumé, le ventilateur ronronnait : j'étais fin prête.

Joe avait fait du bon boulot dans la disposition des os tout en les laissant à l'intérieur des vêtements. Après tant d'années à me servir d'assistant, il savait exactement comment je travaillais.

Le squelette était étendu sur le dos, avec les membres légèrement évasés. Posture Savasana. Ça peut sembler bizarre, mais c'est ce terme de yoga qui m'est venu à l'esprit. Ils l'appellent aussi la posture du cadavre.

La masse de cheveux s'était détachée du crâne pendant le transport et reposait près du corps, entremêlée de végétation pourrissante et d'autres déchets lacustres.

J'ai allumé le négatoscope. Les radios de Joe ne m'ont rien révélé de particulier.

Je suis revenue à la civière pour examiner les restes de la victime. L'eau ne pardonne pas dès qu'il s'agit des morts. Les boursouflements sont monstrueux et l'odeur est pestilentielle. Mais cette phase était passée depuis longtemps, ne laissant que des os et quelques lambeaux de chair putride.

Cependant cette personne avait été un être humain. J'ai ressenti l'habituelle pointe de chagrin. Sans doute à cause des cheveux ; ils m'évoquent chaque fois ce geste naturel de les brosser, ou bien de les glisser derrière l'oreille, ou de les sentir flotter au vent.

Assez étrangement, mes pensées ont dérivé sur le yoga. Mon cerveau m'envoyait l'image d'un cours que j'avais suivi récemment.

— Soyez centrés, avait recommandé notre professeur, l'esprit est puissant.

J'ai promené mon regard le long du squelette. J'étais centrée. Un nom. Je devais lui donner un nom.

J'ai noté l'heure sur le formulaire : 8 h 38.

J'ai chaussé mes lunettes de protection et ajusté le masque. Puis j'ai démarré l'examen.

J'ai d'abord observé les vêtements à la loupe, repérant quelques poils épars, sans doute d'origine animale. Je les ai prélevés et placés dans une éprouvette.

Puis, à l'aide d'une paire de ciseaux, j'ai découpé en son centre le tee-shirt vert olive sur toute sa longueur, à l'endroit où était imprimé le slogan RAPACES HEUREUX POUR TOUJOURS. Les deux pans de coton sont retombés de chaque côté de la cage thoracique. Le jean m'a demandé plus d'efforts, mais les morceaux de tissu ont fini eux aussi par s'affaisser sur la surface en acier inoxydable. Quand j'en aurais terminé avec les os, je me concentrerais sur les vêtements.

L'inventaire d'un squelette révèle chaque élément présent. C'était étonnant, étant donné la brèche dans le sac.

Les bords de la suture pariétale étaient peu proéminents, la courbure de l'os frontal suggérait une arcade sourcilière lisse et la mastoïde était petite. Très certainement une femme. Les caractéristiques pelviennes semblaient corroborer celles du crâne.

La boîte crânienne était assez longue et étroite. L'arête du nez descendait bas et l'ouverture était large. J'ai entré mes mesures dans un programme appelé Fordisc 3.0. Chaque donnée m'orientait vers une origine afro-américaine.

Déterminer l'âge requiert un examen plus minutieux. À la naissance, notre squelette n'est que partiellement complet. C'est durant l'enfance et l'adolescence qu'apparaissent d'autres extrémités sur les os. Des composants de nos vertèbres fusionnent alors avec le bassin.

Les clavicules sont les dernières à se souder à l'endroit où elles sont rattachées au sternum. Je les ai examinées toutes les deux. Chacune présentait sa capsule au niveau de l'articulation sterno-claviculaire, mais une ligne légèrement ondulée m'indiquait que l'ossification remontait à peu de temps avant la mort.

J'ai alors vérifié les os des bras et des jambes, le bassin, là où les deux moitiés se rejoignaient au niveau du pubis, et enfin les côtes, là où elles étaient rattachées au sternum par le cartilage.

Pour confirmer mon estimation du squelette, j'ai sorti d'une minuscule enveloppe les radios dentaires prises *post mortem* et je les ai placées sur le négatoscope.

Érosion minimale sur toutes les surfaces occlusales. Racines totalement formées sur toute l'arcade dentaire. Chaque indicateur de l'âge était fiable : il s'agissait d'une jeune adulte.

La mesure du fémur indiquait que la victime était de taille moyenne, et les attaches musculaires suggéraient une corpulence entre petite et normale.

J'ai donc noté toutes ces informations sur le formulaire.

Une femme noire. Âge : entre 23 et 27 ans. Taille : entre un mètre soixante-cinq et un mètre soixante-douze.

J'ai recherché la fiche de la personne disparue que les flics nous avaient envoyée en même temps que les quatre premiers os.

Edith Blankenship collait avec le profil selon plusieurs paramètres.

J'ai détaché la photo et regardé son visage.

Une fille aux cheveux noirs et bouclés me souriait. Elle portait le mortier à pompon de la nouvelle diplômée. Sans être belle, elle n'avait pas pour autant le physique ingrat. Elle était juste ordinaire. Mais sa façon de tendre sa mâchoire en avant et son regard franc dénotaient une certaine pugnacité et une grande confiance en elle.

Les chaînes d'infos nous avaient abreuvés de cette même photo pendant une bonne semaine. Jusqu'à ce qu'un crime plus récent n'accapare l'attention des autorités chargées de faire respecter la loi… Jusqu'à ce que les actualités se concentrent sur les inondations dans le Midwest. Alors l'intérêt pour la pauvre Edith Blankenship avait diminué jusqu'à se résumer à des feuilles à moitié déchirées agrafées sur les poteaux de téléphone dans les quartiers nord-ouest de Charlotte.

L'affaire Edith Blankenship avait été brièvement relancée par les os de Mountain Island Lake. Ceux qui enquêtaient sur sa disparition étaient convaincus que le dossier serait transmis à la section des homicides de la police ou, mieux, classé dans la catégorie affaires résolues. Je venais d'anéantir leurs espoirs.

Edith avait-elle finalement été retrouvée ?

Mon cerveau s'en tenait à l'estimation du temps écoulé depuis le décès, l'IPM, intervalle *post mortem*.

J'ai vérifié la date. La dernière fois qu'Edith Blankenship avait été aperçue vivante remontait au 8 septembre.

L'automne avait été exceptionnellement chaud pour la saison, même pour la Caroline du Nord. La déchirure dans le sac avait donné accès au corps à des poissons, des tortues, et autres charognards aquatiques. Ça, conjugué à tout un éventail de bactéries, et le job avait été fait.

À première vue, je me disais que le degré de décomposition semblait correspondre à une immersion début septembre. Mais il fallait que je vérifie.

Je me suis redressée, j'ai remué mes épaules puis effectué quelques rotations avec les bras. Alors que mon ventre gargouillait, toutes mes pensées me ramenaient encore au yoga.

26

La pendule au mur indiquait maintenant 13 h 03. Mon estomac criait famine.

J'ai ôté mon masque et balancé mes lunettes de protection sur le comptoir. J'ai enlevé mes gants et mon tablier que j'ai roulés en boule, puis j'ai tenté un panier dans la poubelle à ordures médicales. Victoire.

Après m'être rapidement lavé les mains, je suis retournée à mon bureau. J'étais en train de fantasmer sur un immense sandwich quand mon téléphone fixe a sonné.

L'idée de laisser le répondeur s'enclencher m'a évidemment traversé l'esprit.

J'ai décroché.

Erreur.

Chapitre 4

— Merci, hein, de m'avoir refilé ce corps flottant.

Erskine Skinny Slidell de la Section des homicides de Charlotte-Mecklenburg n'avait pas apprécié que je fasse appel à lui un samedi. Je m'étais vite planquée derrière la fourgonnette de transport, le laissant débattre de questions de juridiction avec le si bavard policier Skip. Ç'avait dû être le combat du siècle : Dirty Harry contre Barrière en Béton.

— Avec plaisir.

— Alors, vous vous êtes bien amusée avec Unabomber ?

— Avez-vous retrouvé Herman Blount ?

— Oh oui… Ce crétin ressemble à Saddam Hussein en train de pointer le nez hors de son trou. Je l'ai laissé mariner dans son jus pour qu'il ait le temps de repenser au bon vieux temps où il enlaçait les arbres. Ensuite je l'ai longuement cuisiné.

— J'aurais adoré être là.

— Comment ça se fait que je suis pas surpris ?

Le Law Enforcement Center est situé dans les quartiers résidentiels de Charlotte, dans East Trade Street. Cela m'avait pris à peine une dizaine de minutes pour venir en voiture.

Skinny m'avait accueillie au deuxième étage, à côté d'une porte marquée : DIVISION DES CRIMES VIOLENTS. Derrière, c'était le Service des homicides et des attaques à main armée. Blount était dans la troisième salle d'interrogatoire, celle au bout du couloir.

— Monsieur Birkenstock-et-pois-chiches a passé six semaines sous terre. Ça pue le diable.

Venant de Skinny, c'était une véritable déclaration solennelle.

— C'est quoi son histoire ?

— Le gars a une dent contre les centrales à charbon. Contre les centrales hydroélectriques. Et aussi contre l'exploitation forestière, l'exploitation minière, l'élevage industriel, les pesticides, le commerce de la fourrure, l'expérimentation animale, les zoos, les cirques, les rodéos, McDonald's…

— Vous l'avez déjà interrogé ?

— Cet abruti n'a pas fermé sa gueule une seule seconde depuis que je lui ai botté le cul hors de son trou à rats. Il arrête pas de répéter en boucle des trucs sur les cendres de houille, l'arsenic et qu'à cause de ça, les poissons auraient des difficultés à forniquer.

— Croyez-vous que Blount soit une réelle menace ?

— Votre copain artiste avait raison au sujet des vidéos publiées sur les réseaux sociaux, a dit Slidell en secouant la tête de dégoût. Le bonhomme est louche, ça se voit sur son visage.

J'ai fait un geste de rotation de la main, pour lui indiquer de laisser faire les commentaires sur Kahn.

— Blount a mis sur YouTube un paquet de vidéos qui montrent comment bricoler soi-même sa bombe. Le gars est mûr pour l'Oscar de la meilleure stupidité.

— Est-ce qu'il a un casier ? ai-je demandé en me notant mentalement d'aller visionner les méthodes de sabotage préconisées par Herman Blount.

— Une kyrielle de délits mineurs. Entrée par effraction. Vandalisme. Destruction de biens d'autrui. Il y a huit ans de ça, on l'a arrêté pour avoir planté plein de clous dans des arbres, afin de lutter contre l'abattage. Il a eu affaire aux agents du FBI. Son exploit a causé 400 000 dollars de dommages à l'équipement de la compagnie forestière. L'espèce de taré avait laissé ses empreintes partout sur les clous.

— On lui doit des attaques contre des personnes ?

— Les flics du comté d'Iredell l'adorent pour deux attentats réalisés avec une bombe artisanale qui n'a pas causé de morts. L'une avait été placée dans un ranch d'élevage de chinchillas, l'autre dans une société qui volait des chiens et les refilait à des chirurgiens débutants pour qu'ils apprennent à tailler et à découper. Le gars est aussi glissant qu'une anguille, il leur a filé entre les doigts. Ça ne va jamais beaucoup plus loin.

— C'est juste un premier examen, mais je peux vous dire que les os dans le sac semblent bien être ceux d'Edith Blankenship.

— Sans blague ?

— De sexe féminin, Noire, dans la vingtaine. Pour en être tout à fait certaine, je dois encore vérifier les empreintes dentaires.

— Des indices d'un quelconque traumatisme ?

— Non. Mais je me doute bien qu'elle ne s'est pas enfermée toute seule dans ce sac avec l'idée d'aller se baigner.

— Vous pensez qu'on a voulu se débarrasser d'elle dans le lac ?

J'ai hoché la tête.

— Attention, ça ne signifie pas automatiquement qu'il y a eu meurtre. Elle a pu faire une overdose, ou avoir eu un quelconque accident, ses copains paniquent et la jettent à l'eau.

— Peut-être, ai-je répondu, dubitative.

— Pourquoi le corps a-t-il refait surface ?

— Quand un cadavre se décompose, la cavité corporelle se remplit de méthane généré par les bactéries dans le ventre. Les ballonnements, plus les inondations, ont sans doute fait remonter le sac.

— Doc, votre conversation est toujours un ravissement.

— Un tueur expérimenté aurait perforé le ventre et les intestins, puis aurait lesté le sac pour qu'il reste au fond. Blankenship, c'est du boulot d'amateur.

Skinny a ouvert la bouche pour commenter, je ne lui en ai pas laissé le temps.

— Avez-vous découvert quelque chose qui relierait Blount à Blankenship ?

— Ils sont tous les deux du style « Sauvons la planète ». (Slidell a sorti un carnet de notes à spirales de sa veste, a léché son pouce pour ensuite tourner les pages.) Blankenship était étudiante à la maîtrise en sciences environnementales à l'UNCC. Avant ça, elle travaillait pour Impact Watch, un organisme à but non lucratif qui évalue les conséquences du

30

développement sur la vie sauvage dans la partie occidentale de la Caroline du Nord. Leur QG se situe à Mount Holly.

— C'est sur la route de Mountain Island Lake. (J'ai froncé les sourcils. Skinny a fait pareil.) Qui a signalé sa disparition ?

— Sa grand-mère. (Slidell a parcouru ses notes.) Ada Wilkins. Blankenship vivait avec elle. Un matin, elle est partie à l'école et n'ai jamais rentrée.

— Qui a hérité de l'affaire ?

— Hoogie Smith. Il dit que Blankenship était une solitaire. Pas de job d'étudiante, pas de petit copain, pas de meilleure amie. Père absent, mère décédée. Smith a remonté le peu de pistes qu'il avait. Il a interrogé quelques-uns de ses professeurs, Ada Wilkins, certains de ses voisins. Wilkins a reconnu que sa petite-fille avait fugué une fois après la mort de sa mère. La petite n'avait pas de carte de crédit, ni rien de la sorte. Alors tout le monde a pensé qu'elle en a eu assez et s'est tirée ailleurs.

— Et son cellulaire ?

— On l'a localisé dans un immeuble près de l'UNCC le jour de sa disparition. Ensuite, plus aucun signal.

Je savais ce qui arrivait quand une piste s'essoufflait. La chemise contenant les éléments du dossier de Blankenship avait rejoint la pile où se trouvaient les autres dossiers de personnes disparues. Elle serait enterrée sous d'autres chemises au fur et à mesure que la pile augmenterait.

Slidell a désigné de son pouce humide la salle d'interrogatoire numéro trois.

— Je ne veux pas effrayer ce crapaud. Vous regarderez depuis la salle deux.

J'ai suivi ses directives. Je m'y suis installée, bras croisés sur la table.

Quelques secondes plus tard, un petit écran de contrôle s'est allumé et un grésillement timide s'est déversé d'un haut-parleur accroché au mur.

Blount a levé les yeux vers Slidell quand celui-ci a pénétré dans la pièce. Il ne ressemblait pas à ce que j'imaginais. Un visage taillé au couteau, des yeux d'un bleu cobalt, des cheveux blonds, style surfeur. Sans sa barbe un peu miteuse, il ressemblait davantage à un quart-arrière évangéliste qu'à un écoterroriste.

De plus, Blount avait visiblement passé beaucoup de temps au gymnase. Des épaules carrées. Des bras de la taille d'un poteau. Des abdos d'enfer sous son chandail à manches longues.

Slidell a pris place de l'autre côté de la table sur laquelle il a déposé une chemise en carton. Il en a retiré une à une les feuilles, les a disposées avec soin et les a lues lentement. Ou du moins, il a fait semblant de les lire. Je connaissais par cœur le petit jeu auquel il se livrait. Déstabiliser la personne en la faisant poireauter.

— Je n'ai rien fait. Vous n'avez rien contre moi. Vous ne pouvez pas me garder.

Slidell a continué comme si Blount n'avait pas ouvert la bouche. Au bout d'interminables minutes, Skinny a croisé ses doigts et placé ses mains sur la petite bouée qu'il lui sert de taille.

— Voici ce que je me demande, Herman. Ça ne vous gêne pas, j'espère, que je vous appelle Herman?

Blount lui a lancé un regard furieux.

— Je me demande pourquoi un gars qui n'a rien à cacher se planque sous terre?

— Chaque jour, les lignes à haute tension provoquent des cancers parmi la population. Si je vais vivre sous terre, c'est pour permettre à mon corps de faire une pause face au bombardement continu des radiations électromagnétiques.

— Hummm…, a marmonné Slidell en acquiesçant comme s'il y réfléchissait intensément.

— C'est une manière pacifique de répondre à la menace.

— Alors pourquoi avez-vous saboté des sociétés de service public? Parce qu'elles vous font frire les couilles?

— Je n'ai rien saboté. Mais si ça devait arriver, ce serait un pur acte d'auto-défense. La centrale thermique Riverbend empoisonne les gens en déversant des cendres de houille dans les réserves d'eau potable. Il faudrait agir pour que cela cesse.

Les yeux de Blount brillaient d'excitation, soit parce qu'il était transporté par une ferveur fanatique, soit parce qu'il était simplement en plein délire psychotique. Fascinant. Edith avait-elle succombé à ce regard hypnotisant?

— Vous avez jamais pensé porter plainte? a déclaré Slidell, se prenant pour la voix de la sagesse.

— Les tribunaux sont inefficaces. Les membres du gouvernement sont des vendus. Les polluants maintiennent les gens dans un état léthargique.

— Les explosifs, c'est sûr, ça les réveille. (Skinny a consulté une note du dossier.) Comme dans le ranch d'élevage de chinchillas, à Destin, ou encore aux labos Arnett?

— Je ne suis pas votre gars, je n'ai jamais été inculpé.

— Vous avez été arrêté pour avoir planté des clous dans un arbre.

— Une erreur de jeunesse. C'est fini, ce temps-là.

— Et toutes ces compagnies que vous avez dénoncées sur les réseaux sociaux? Elles se sont fait sauter toutes seules, par magie?

— Il semble que je ne sois pas le seul à partager ces points de vue.

Blount soutenait le regard de Slidell, en le fixant avec des yeux calmes, posés. Mais ses lèvres pincées trahissaient une émotion refoulée. De l'angoisse? De la rage?

— Un flic a perdu un pouce en désamorçant la bombe d'Arnett.

— Un bien petit sacrifice en comparaison avec tous les animaux qui y sont torturés.

— Et qu'en est-il d'Edith Blankenship? Un petit sacrifice, elle aussi?

L'enchaînement du tac au tac était destiné à prendre Blount au dépourvu. J'ai observé son visage avec attention. Aucune réaction.

— Qui ça?

— Une étudiante à l'UNCC.

Blount a haussé ses épaules musclées.

— Peut-être que vous l'avez rencontrée à Impact Watch. Elle faisait les photocopies de votre manifeste? Vous savez écrire, n'est-ce pas, Herman?

Blount n'a pas mordu à l'hameçon.

— Impact Watch est constitué de valets du pouvoir. Le gouvernement leur tapote le crâne en leur faisant croire qu'ils prennent en compte leurs revendications. Les problèmes continuent, rien n'est jamais réglé.

— C'est ce qui s'est passé? Edith est devenue un problème que vous deviez régler?

— Vous l'avez retrouvée ?

— Qui a dit qu'elle avait disparu ?

— Je lis les journaux.

— Vous étiez où le 8 septembre ?

— Je refuse de vivre selon le diktat d'un agenda.

— Laissez-moi vous rafraîchir la mémoire, Herman. (Skinny s'est penché au-dessus de la table jusqu'à ce que son visage soit à trois centimètres de celui de son interlocuteur.) Le 8 septembre, vous téléchargiez vos réflexions sur la meilleure façon de démolir la centrale Riverbend.

Blount s'est instinctivement reculé.

— J'avais une comparution devant le tribunal ce jour-là. Dans le comté de Buncombe. C'est à plusieurs heures de voiture de là. Vous n'avez qu'à vérifier.

— Vous pouvez en être certain, on va pas se gêner. Qui vous a aidé à réaliser la vidéo ?

— Un trépied.

Slidell a saisi une autre feuille du dossier d'un geste brusque.

— Vous et Blankenship, vous avez versé de la pâte à rôder les soupapes dans les moteurs ? En mai dernier, un petit délit de fuite à l'exploitation forestière du Belvédère ?

Blount a secoué la tête avec une déception feinte.

— Vous autres, vous ne comprenez rien. Nous sommes une armée. Nous rendons coup pour coup. Vous ne pouvez pas espérer vous débarrasser de nous. Vous ne nous impressionnez pas. (À présent, c'était lui qui tendait sa mâchoire en avant. Il a presque murmuré la phrase d'après.) Nous sommes partout.

Slidell n'a pas cillé. Ça m'étonnait de lui. À partir de maintenant, je savais qu'il allait jouer le rôle du mauvais flic.

— Blankenship était-elle l'une de vos sbires ?

— Blankenship et les gens de son espèce n'ont pas le cran pour jouer dur. Les manifs et les pétitions n'empêcheront jamais la destruction. Il faut de l'action.

— Donc Edith n'était pas d'accord avec vos positions radicales. Elle vous a menacé de vous dénoncer. Alors vous l'avez descendue.

— Elle m'aurait dénoncé pour quoi ? Pour savoir me servir d'un couteau ? Pour savoir traquer une proie ? Pour savoir dépecer les animaux que je mange? Ce sont des techniques de base, détective. (Blount s'est calé au fond de sa chaise, un bras sur le dossier.) Juste la lutte pour la survie.

Slidell a fait claquer sa langue en pointant un index vengeur.

— Vous avez été dans l'une des meilleures universités, pas vrai? L'Ivy League?

— Dartmouth. Et alors?

— Bombes artisanales 101. C'est compris dans leur élégant curriculum, ça? C'est ce qu'ils vous apprennent? À faire tout exploser?

De nouveau, il a secoué la tête d'un air blasé.

— J'ai appris que se méfier du gouvernement et croire en la liberté d'expression ne sont pas des crimes. J'ai appris que l'humanité doit se préparer à affronter l'extinction de sa race parce que nous consommons notre terre. Il faut protéger la nature à tout prix.

— Discours pompeux pour un gars qu'on a sorti d'un terrier.

— Je ne suis pas responsable des crimes d'autrui, même si je les applaudis à tout rompre. (Son regard halluciné paraissait désormais froid comme la pierre.) Vous n'avez rien dans le dossier qui me relie à cette fille, on le sait bien tous les deux. Sinon, je serais déjà en état d'arrestation.

— Peut-être que oui, peut-être que non. Mais je suis sûr d'un truc, espèce de petit sac à merde arrogant. (La voix de Slidell était glaciale.) Je vais trouver ce lien entre elle et toi. À partir de maintenant, oublie tes histoires de rayons nocifs et de chapeaux en aluminium. À partir de maintenant, c'est moi ton pire cauchemar.

Slidell a lentement rangé les feuilles dans la chemise et est sorti de la salle d'interrogatoire d'un pas martial.

Chapitre 5

— Quel est votre sentiment? ai-je demandé à Slidell tandis qu'il remontait le couloir, agacé.

— Le gars est un illuminé, mais je peux pas l'arrêter juste parce qu'il est fou.

— Croyez-vous qu'il mente?

— Bien sûr qu'il ment. Tout le monde ment. Mais à propos de quoi? À vous de me le dire. Il faut que je le pousse à bout.

— Est-ce que vous pouvez le retenir sous le coup d'une inculpation pour violation de propriété? (Slidell m'a lancé son regard, genre je suis pas magicien.) Sinon il ira se terrer quelque part et vous le perdrez.

— Je ne le perdrai pas.

Je savais que Slidell ne pouvait pas le garder indéfiniment en détention sans motif. Et qu'il avait mis en place une filature. Cependant, c'était frustrant.

— J'ai un mauvais pressentiment à propos de ce gars-là.

— C'est un imbécile, mais il n'est pas stupide. Il sait que je vais vérifier pour le comté de Buncombe. Son alibi tiendra.

— Le 8 septembre est le jour de la disparition d'Edith Blankenship. Nous ne savons pas quand elle est morte.

Un long silence s'est installé.

— J'ai besoin de plus d'éléments, a déclaré Slidell. Trouvez-moi la cause et le moment de son décès.

— J'y travaille.

De retour au MCME, j'ai avalé un sandwich au thon que j'ai dissous avec un Coke Diète, puis je me suis à nouveau costumée pour retourner à la salle d'autopsie numéro quatre. Les os étaient tels que je les avais laissés.

Règle générale : une semaine d'exposition à l'air équivaut à deux semaines sous l'eau. Mais une grande quantité de variables entrent en jeu.

J'ai contacté les services météo. Mes souvenirs étaient exacts. La région du Piedmont de Caroline du Nord avait connu un automne particulièrement chaud.

J'ai passé un coup de fil à la société Duke Energy. Les rejets de la centrale thermique Riverbend avaient fait grimper la température dans Mountain Island Lake à des niveaux supérieurs à la normale. L'eau était raisonnablement saturée d'oxygène. La vie aquatique était abondante.

J'ai passé en revue mes connaissances sur le processus de décomposition sous l'eau. La peau se dilate, déformant le corps en vingt-quatre heures. En une semaine, les parties molles se décomposent et commencent à se détacher.

Le fait que le corps ait été emballé avait ralenti le processus. Mais le sac qui contenait Edith était déchiré.

Compte tenu de ces conditions, et de l'état du cadavre, j'estimais à environ quatre semaines le temps écoulé depuis le décès.

En ce qui concernait Edith Blankenship, ça concordait avec la date où elle avait été aperçue vivante la dernière fois.

J'ai donc reporté cette info sur le formulaire, puis je me suis concentrée sur la cause de la mort.

À nouveau, j'ai démarré par la boîte crânienne. Pas d'entrée ni de sortie d'impact de balle. Pas de fractures linéaires, pas de fractures avec enfoncement de la partie fracturée, pas de fractures radiales. Aucune trace de coupures, d'entailles, de piqûres.

L'os hyoïde à présent. C'est un petit os en forme de « U » situé au-dessus du larynx, dans la partie antérieure du cou, sous la base de la langue. Celui d'Edith ne portait aucune des lésions qui auraient pu indiquer une strangulation. Je ne voyais rien.

Ça n'est guère étonnant. Chez les individus encore jeunes, l'élasticité des os permet à l'os hyoïde de supporter des compressions sans se briser.

J'ai poursuivi l'examen au microscope, en réglant la mise au point. Rien sur le côté droit de l'os. J'ai regardé sur le côté gauche.

Et là je l'ai vue. Une minuscule fissure dentelée courait le long de l'os.

Je me suis redressée, mon rythme cardiaque s'est accéléré.

Edith Blankenship avait bel et bien été étranglée.

Je me suis imaginé les derniers instants de la jeune fille. Son corps s'arc-boutant, ses mains griffant ce qu'elle pouvait, son besoin désespéré de respirer.

Christ.

Je me suis calmée pour me concentrer sur les os plus longs, les côtes.

Le bassin. En procédant à l'examen, j'ai eu un autre choc. Une petite masse grise était collée contre l'os iliaque droit, côté ventre. Je l'ai dégagée avec mon index.

Alors que je la sondais, la coque tout autour s'est fendue en deux, révélant un méli-mélo de petits os. Et une unique dent.

J'étais stupéfaite. Edith était-elle enceinte?

Non, impossible. Les morceaux, minuscules, étaient complètement détachés les uns des autres. La moitié du maxillaire inférieur était trop oblongue. La clavicule bien trop incurvée. Et la dent, quoique minuscule, était formée.

J'ai placé ma découverte sous le microscope. J'ai attrapé les os un à un avec une pince.

Était-ce une tumeur? Un tératome qui se serait développé de manière anarchique?

Les tératomes sont des tumeurs complexes possédant certaines composantes cellulaires d'un des trois types de cellules par lesquelles un embryon se différencie : les cheveux, les dents, les os. Plus rarement, un organe entier comme un œil ou une main.

J'ai réalisé la complexité de la situation.

Au diable.

Perplexe, j'ai ramassé tout l'assemblage que j'ai disposé sur un plateau en inox. Puis, je suis revenue à la civière.

L'os iliaque gauche présentait la même tache sombre, similaire à la première.

Je me suis redressée, en échafaudant mentalement des scénarios.

J'avais déjà autopsié des victimes de sadiques sexuels. Je n'ignorais rien de la cruauté dont est capable l'être humain.

Edith avait-elle subi des tortures ? Est-ce qu'un salaud de détraqué avait introduit de force cette obscénité dans son corps ? Comment on disait, dans le jargon ? Hamsterophilie ?

Une idée a soudain germé dans mon esprit. *Psitt.*

Quoi ?

Mon regard a erré de l'évier aux placards, et ensuite à tout cet acier inoxydable qui m'entourait. Puis de retour à la civière. J'ai observé le squelette. Les habits détrempés et découpés qui pendaient juste en dessous.

Frustrée, j'ai massé mes tempes.

Psitt.

Les vêtements d'Edith ?

J'ai remonté un pan du tee-shirt en lambeaux et je l'ai reposé doucement sur ses côtes. J'ai lu les lettres à moitié effacées.

Évidemment.

J'ai soulevé les jambes et les os iliaques, j'ai dégagé le jean et découpé ses poches arrière. Il y avait d'autres masses grises. Je les ai ouvertes et vidées.

— Bingo.

J'ai ôté un de mes gants pour appeler Slidell. Il a immédiatement décroché.

— J'ai trouvé quelque chose.

— Quoi ?

— Venez voir par vous-même. Maintenant.

J'ai raccroché.

J'aurais pu le lui expliquer au téléphone. Avoir Skinny sur place, à la morgue, était une perspective mille fois plus réjouissante.

Chapitre 6

La porte s'est ouverte. Slidell est entré à grandes enjambées et a balancé une enveloppe sur le comptoir. Une forte odeur corporelle a envahi la pièce, rivalisant presque avec mon Parfum de corps flottant.

— Laissez-moi vous dire un truc. Ce gars-là, Chou, c'est un véritable imbécile.

J'ai plaint le malheureux dentiste, Dr Chou. La journée avait mal commencé pour lui.

Sans émettre le moindre commentaire, j'ai allumé le négatoscope pour y examiner les petites radios issues du dossier dentaire d'Edith que Slidell venait d'apporter. J'ai placé les radios *post mortem* réalisées par Joe à côté. Sur les petits carrés noirs de chaque catégorie, des chapes blanches et cotonneuses surmontaient deux molaires. Des plombages. J'ai comparé leur positionnement en bouche, leurs formes, et la configuration des racines. Identiques.

— On aura besoin de la confirmation officielle d'un odontologiste, mais je parierais ma chemise que ce sont les mêmes.

Slidell a acquiescé d'un hochement de tête, le visage déjà gris et moite. Malgré des décennies à travailler au bureau des homicides, la salle d'autopsie lui faisait toujours cet effet.

— Bon, qu'est-ce que je dois voir de si important ?

Je lui ai montré ma petite collection d'os lilliputiens.

Il les a contemplés, puis a écarquillé les yeux.

— Des rats, ai-je dit.

Il a grommelé quelque chose que je n'ai pas compris, avant de reporter son regard sur le plateau en inox.

— Et aussi des campagnols, et peut-être quelques souris. (Je lui ai indiqué les masses grises, à présent éventrées.) Les os viennent de ça.

— Et c'est quoi?

— Des boulettes de régurgitation.

— Et c'est quoi, bordel?

— C'est plutôt *à qui* ça appartient. Venez avec moi.

Je l'ai conduit à mon bureau pour lui montrer un site animalier sur mon ordinateur portable.

— Le Carolina Raptor Center? a murmuré Slidell, l'air dubitatif. Comme pour les aigles et les faucons?

— Exactement, un centre dédié aux rapaces. Ce sont des carnivores remarquables, ils dévorent leur proie en entier — les os, les organes, la chair. Un peu comme vous à une soirée barbecue.

— Très drôle, doc.

— Merci. Les chouettes sont différentes des autres rapaces. Elles ne peuvent pas digérer la fourrure, les dents, les os, les griffes et les plumes.

— Vous en venez au fait?

— Lorsque ces matières non digérables passent par le système digestif, le gésier les compacte en une boulette que la chouette régurgite.

— Vous êtes en train de m'expliquer comment dégueulent ces bestioles?

— J'ai trouvé deux boulettes de régurgitation dans la cavité pelvienne d'Edith Blankenship au niveau des poches de devant de son jean.

Slidell n'a pas dit un mot.

— Elle avait quatre autres boulettes dans sa poche arrière. J'en déduis qu'elle étudiait très certainement les chouettes.

— Et elle aurait été en contact avec ce centre pour rapaces?

J'ai hoché la tête.

— Vous savez où c'est situé?

— Mountain Island Lake.

— OK, 9 heures pile demain matin. Je viens vous prendre chez vous.

Slidell était en avance de vingt minutes. J'ai abandonné mes Cheerios et versé mon café dans une tasse de voyage.

Se couvrir de latex de la tête aux pieds serait recommandé avant de monter dans la voiture de Skinny, à l'image de la tenue que je porte avant de pénétrer dans la salle d'autopsie numéro quatre. Des emballages de fast-food, des sacs en papier graisseux, des mégots jonchaient le plancher. Je me suis glissée dans l'habitacle avec précaution, minimisant ma proximité avec tous ces détritus.

Nous avons emprunté la route 16, en direction nord. Bientôt, les tours d'habitation et les immeubles de bureaux ont cédé la place à des maisons de banlieue et à des centres commerciaux, puis à des champs, avec, çà et là, un atelier d'entretien auto, une église ou un resto-grill.

Quarante-cinq minutes plus tard, Slidell quittait l'autoroute pour s'engager sur une route à deux voies. Rien d'autre que des boisés, des pâturages et la rive du lac. De temps à autre, on apercevait des rampes de mise à l'eau pour bateaux ou un cheval craintif dans un pré.

Tout à coup a surgi une pancarte indiquant notre destination. Slidell a viré à gauche et est allé se garer dans un stationnement en gravier. Il a éteint le moteur. Un panneau mettait en garde le visiteur : « Site sous protection d'alarmes électroniques — Vidéosurveillance — Attention, serres aiguisées. »

Le Carolina Raptor Center était un endroit clair et spacieux, décoré de photos et de sculptures en lien avec le sujet. Une reproduction d'aigle pendait du plafond, et des paniers débordaient de produits dérivés destinés aux touristes — des faucons pèlerins en peluche, des porte-clés à l'effigie d'une chouette, des tee-shirts portant des slogans comme « Hululons ensemble » ou « Sauvons les rapaces ». Sur un mur, une affiche verdoyante décrivait le cycle de vie de la buse à queue rousse.

— Bonjour ! nous a lancé une septuagénaire au rouge à lèvres rose fuschia. Je m'appelle Doris. En quoi puis-je vous aider ?

Doris ressemblait à un personnage de *L'univers impitoyable de Gary Larson*. Mêmes lunettes œil de chat, mêmes cheveux gris bouffants, même gilet torsadé. Courte et costaude. Un vrai canon.

Slidell a brandi son badge de flic.

— Oh mon Dieu! (La femme a posé une main recouverte de taches de vieillesse contre son cœur, puis a regardé alentour comme si une équipe d'intervention d'urgence allait débarquer.) Y a-t-il un problème?

— Vous êtes Doris qui? l'a questionnée Slidell.

— Kramer. Doris Kramer.

Il a retiré une photo de la poche intérieure de sa veste.

— Reconnaissez-vous cette femme?

— Bien sûr. C'est Edith. (Doris a froncé les sourcils.) C'est vraiment un mystère qu'elle ait disparu du jour au lendemain. Je n'aurais pas cru ça d'elle.

— Elle venait souvent ici? ai-je demandé.

— Plusieurs étudiants du professeur Olsen travaillent sur leur projet au centre. Il vient avec son groupe tous les mardis après-midi. Edith aimait tellement nos oiseaux qu'elle restait parfois en tant que bénévole à l'hôpital.

— L'hôpital?

— Plus de sept cents rapaces orphelins ou blessés sont hébergés ici chaque année. Et nous sommes un des rares centres du Sud-Est qui aide à la réintroduction du pygargue à tête blanche. (Son visage s'est illuminé une seconde, puis Doris est redevenue sérieuse.) C'est terrible, toutes ces magnifiques créatures qui sont heurtées par des voitures ou électrocutées sur les lignes à haute tension.

— Des lignes à haute tension? ai-je répété.

— Électrocutées? a répété Slidell.

Doris a acquiescé de manière très solennelle.

— Parce que l'envergure de leurs ailes est si large qu'ils peuvent toucher deux lignes en même temps. Ça lui brisait le cœur à la petite Edith. Elle restait assise des heures dans notre salle des urgences avec les rapaces blessés. Elle faisait aussi partie de l'équipe des ambulanciers qui se déplace chaque fois qu'on leur signale un de nos amis à plumes en difficulté. Mais la plupart du temps, elle s'occupait de nos résidents.

— Des résidents? a grogné Slidell sur un ton qui m'indiquait que sa patience s'émoussait à vitesse grand V.

— Oui, nous hébergeons une centaine d'oiseaux qui ne peuvent être rendus à la nature à cause de blessures graves ou d'amputations. Nos visiteurs peuvent découvrir vingt-trois sortes d'espèces en longeant les grilles de notre sentier des rapaces.

— Que faisait Edith au juste ? ai-je demandé.

— Elle nettoyait les cages, remplissait les mangeoires, réalisait les contrôles de santé sur nos pensionnaires. (Doris s'est esclaffée, un petit rire nerveux entre le hoquet et la toux.) Cette fille préférait les oiseaux aux gens, je vous assure ! En particulier les chouettes. C'était sa passion. (Son sourire s'est effacé.) Je veux dire *est* sa passion. Oh mon Dieu ! Comme tout cela est perturbant…

Un couple est entré, accompagné d'un chiot, un Beagle. Doris a bondi sur place comme si quelqu'un lui avait envoyé une décharge de Taser.

— Je suis désolée ! Les chiens sont strictement interdits ici !

Elle est alors sortie de derrière son comptoir avec une vélocité dont je ne l'aurais pas cru capable pour son âge, et a raccompagné manu militari les contrevenants à la porte.

J'ai donné un petit coup de coude à Slidell pour lui signaler un tableau d'affichage au-dessus d'un nid si énorme qu'il aurait pu accueillir une famille de ptérodactyles. Une annonce punaisée proclamait : « Combattez Duke Energy — Apprenez à vivre sans réseau. » Le contact était : herman-blount2@gmail.com.

Doris est revenue derrière le comptoir, lèvres pincées.

— C'est quand même fou ! On a placé des pancartes partout. Les gens ne comprennent-ils pas que les chiens sont hostiles aux oiseaux ? (Elle a soulevé son bras pour nous montrer une trace en arc de cercle dont la couleur aubergine détonait sur sa peau pâle.) Un chien m'a mordue la semaine dernière. Vraiment, comment faire confiance à ces sales bêtes ?

— Edith connaissait-elle un homme du nom d'Herman Blount ? ai-je dit avec la ferme intention de recentrer l'interrogatoire.

— Oui.

Elle était sur la défensive.

— Vous ne l'aimez pas beaucoup ou je me trompe ?

— Je ne peux pas le prendre en défaut sur son amour des animaux. Bien que ce ne soit pas très malin de sa part d'être le propriétaire d'un rottweiler, sachant que c'est le pire ennemi de tout oiseau. Cet homme est un peu trop... comment dire... extrémiste, à mon goût. (Elle a écarquillé les yeux.) Herman aurait-il fait quelque chose de mal ?

Slidell a éludé la question.

— Blount était-il proche de Blankenship ?

— Une fois, il nous a rapporté une chouette rayée qui était blessée. Edith l'a aidé à la soigner. Mais la pauvre bête n'a pas survécu. Edith et Herman étaient exaltés, ils voulaient obliger les compagnies électriques à rendre leurs lignes à haute tension plus sécurisées envers les oiseaux. Euh... si vous le rencontrez, vous comprendrez... Ce jeune homme n'a pas froid aux yeux.

Doris a fait une mimique du style «vous voyez où je veux en venir»...

— Passaient-ils du temps ensemble ? ai-je repris.

— J'en sais rien. (Elle a haussé les épaules.) Je ne m'occupe pas des affaires des autres.

Skinny est donc monté à l'assaut.

— Blankenship était-elle capable de violence ?

— Comme quoi ?

— Comme saboter des lignes à haute tension ? Faire exploser des trucs ? (Doris a détourné le regard.) Quoi ? a-t-il insisté.

— Je n'aime pas dire du mal, mais cette fille aurait fait n'importe quoi pour protéger un rapace.

— Avez-vous la moindre idée de ce qu'elle pourrait être devenue ? l'ai-je questionnée d'une voix douce.

Doris m'a regardée d'un air absent.

— Le moindre petit détail pourrait nous être précieux, ai-je continué avec un sourire dont j'espérais qu'il l'encouragerait.

— Ne jugez point, afin que vous ne soyez point jugé, a-t-elle marmonné.

— Si quelqu'un lui a fait du mal, notre devoir est d'amener cette personne en justice.

Doris a soupiré.

— Coucher avec un homme marié n'apporte jamais rien de bon.

Pas du tout ce à quoi je m'attendais. Même chose pour Slidell.

— Edith avait une aventure?

— J'en ai trop dit, a soufflé la vieille dame en s'appuyant sur le bord du comptoir.

— Il me faut un nom, a ordonné Slidell en sortant son carnet à spirales.

— Edith ne l'a mentionné qu'une fois, et lors d'une confidence. Ils avaient eu une altercation et elle en était toute bouleversée. Je pense qu'elle venait de comprendre qu'il ne quitterait jamais sa femme.

— Un nom! a aboyé Skinny.

— Elle fréquentait son professeur, le Dr Jack Olsen.

Chapitre 7

Slidell lui a encore posé deux ou trois questions, puis nous sommes retournés à sa Ford Taurus. Il a appelé le département de biologie à l'UNCC tout en quittant le stationnement en trombe. À la tournure qu'a prise sa conversation, j'ai compris qu'il n'avait pas obtenu ce qu'il espérait.

J'étais excitée à la suite des révélations de Doris. J'avais envie de suivre immédiatement cette piste. Mais Slidell avait une autre cible en vue.

Quelques minutes après avoir quitté Rapaceville, Skinny s'est garé en face d'un immeuble cubique, orné d'une enseigne représentant un souriant cochon sur la toque d'un chef cuistot. Lancaster Barbecue. Je n'ai jamais bien pigé pourquoi les restos-grills utilisaient des sourires d'animaux comme publicité, et précisément ceux figurant sur leur carte.

Y entrer, c'était quitter le Kansas pour atterrir au pays d'Oz, l'extérieur terne cédant la place au merveilleux monde de la NASCAR. Des enseignes au néon, des pompes à essence anciennes, tout un attirail ayant trait à des voitures de collection ornait les murs, y compris le plafond. Un milliard d'heures de courses automobiles étaient diffusées en boucle.

Je n'avais pas besoin de lire le menu. Sandwich de porc braisé, *hush puppies* — ces délicieuses boulettes de maïs frites — et salade de chou. Le classique en Caroline du Nord. Slidell était sur la même longueur d'onde que moi.

On nous a servis pile au moment où son téléphone s'est mis à sonner. Il a écouté, a répondu oui à plusieurs reprises. Je l'ai vu griffonner une adresse sur une serviette en papier.

— Olsen termine son cours à 14 heures, et d'habitude rentre directement chez lui. (Il a fourré ensuite son téléphone dans sa veste. Qui était en polyester marron, ce qui était un excellent choix vu la sauce barbecue qui avait déjà giclé dessus.) Je me disais qu'on pourrait y faire un saut et avoir une petite conversation avec ce monsieur.

J'ai jeté un coup d'œil à ma montre. Midi et quelques.

— Ça me va.

— Vous connaissez ce crétin ?

— Seulement de réputation. Nous ne nous sommes jamais rencontrés.

Slidell a essuyé le gras qui coulait sur son menton. Menton et double-menton.

— Les départements qui travaillent sur les choses vivantes ne se mélangent pas à ceux qui étudient les choses mortes, exact ?

— Seulement s'il y a de la nourriture gratuite.

Les règles de fonctionnement d'une faculté universitaire lui échappaient totalement et je n'étais pas d'humeur à me lancer dans une formation accélérée.

— Alors, c'est quoi le genre de ragots sur ce prof ?

— Un gars sérieux. Un battant. Aucune rumeur de coucheries avec ses étudiantes, si c'est à ça que vous faites allusion.

— Que pensez-vous de ça ? Blankenship et lui ont une aventure. Elle le menace de tout balancer à sa femme. Il la zigouille.

— En dehors du témoignage de Doris Kramer, nous n'avons aucune preuve qu'Edith et Olsen aient été amants.

Slidell a émis une sorte de gargouillis en se raclant la gorge.

— La strangulation, c'est très différent que de verser un poison dans la tasse de thé de votre patron, ou de tirer sur quelqu'un, ai-je ajouté. C'est une affaire personnelle, vous tuez avec vos mains. Donc je suis d'accord avec vous, il faut creuser l'angle du crime passionnel. Cependant, moi, je pencherais plutôt pour Blount.

— Si Blount et Blankenship sont devenus amis à cause des oiseaux, pourquoi l'aurait-il assassinée ?

— Elle aurait pu changer ses positions, menacer de le dénoncer pour une action avec laquelle elle aurait été en désaccord ? Ou bien c'était un accident, qui sait ?

Avec les homicides, il faut être précis. Le meurtre, ce n'est pas un cambriolage, une escroquerie ou un viol. Avec ces crimes-là, l'enjeu est clair. Une enquête pour meurtre pose toujours la question du mobile.

Le commentaire suivant de mon acolyte prouvait qu'il lisait dans mes pensées.

— Pour un meurtre, c'est simple : amour ou argent.

— Peut-être que leur passion commune pour les rapaces a fait naître l'amour entre eux ?

— De qui diable vous parlez, là, de Blount ou d'Olsen ?

Skinny venait de marquer un point. J'avais lancé cette phrase comme une boutade.

— De mon point de vue, la réponse la plus facile est souvent la bonne, a-t-il renchéri.

Un autre point. Il venait de citer, sans le savoir, un principe de parcimonie qu'on appelle le rasoir d'Ockham et qui établit que l'hypothèse la plus simple est habituellement l'hypothèse correcte.

— Et qui serait… ? ai-je marmonné en aspirant le fond de mon soda à la paille.

— Les hommes mariés adorent s'envoyer des jeunes chéries. La jeune chérie exige plus. La jeune chérie finit dans un lac.

Bien que je sois d'accord avec ce bon vieux Guillaume d'Ockham, l'étroitesse de vue de Slidell m'agace.

Je n'avais aucun doute sur le fait qu'un membre émérite d'une faculté puisse tuer. Mais Blount me filait la chair de poule. J'avais senti dans son regard bleu cobalt quelque chose de malsain.

Nous avons réglé l'addition et repris la route pour Charlotte. Au lieu de continuer vers les quartiers résidentiels, Slidell a coupé par l'autoroute 85 en direction de l'université, avant de s'arrêter devant une maison proprette en briques, dans une rue ombragée bordée d'autres maisons proprettes en briques.

Dans l'allée, un homme grand au visage pâle, aux cheveux châtains épars, et portant des lunettes à double foyer, rondes, à monture d'écaille, sortait un porte-documents d'une Volvo qui semblait dater de l'âge des cavernes. Il nous a dévisagés tandis que nous descendions de la Taurus.

— Jack Olsen ? a demandé Slidell en brandissant immédiatement sa plaque. Police de Charlotte-Mecklenburg.

Le visage d'Olsen s'est crispé dans un mélange de peur et de soulagement. Il semblait inquiet mais heureux que l'attente soit terminée.

— Avez-vous retrouvé Edith ? a-t-il murmuré, tout en se déplaçant un peu sur le côté, peut-être pour occulter la vue sur ses fenêtres. Ou *de* ses fenêtres.

— Edith est morte. (Skinny a opté pour la méthode brutale.) On a repêché son corps à Mountain Island Lake.

Les jointures d'Olsen sont devenues pâles alors qu'il serrait son porte-documents contre sa poitrine.

— Elle s'est noyée ?

— Elle a été étranglée et fourrée dans un sac en toile.

Les longs doigts d'Olsen tremblaient sur le cuir de la mallette.

— Blankenship était votre étudiante ?

C'était davantage une affirmation qu'une question.

Olsen a hoché la tête en déglutissant.

— Vous avez l'air bien secoué pour quelqu'un qui n'était que son prof, a balancé Slidell.

Olsen s'est alors tourné vers moi, intrigué. Ses drôles de lunettes lui faisaient un regard de chouette.

— Qui est cette femme ?

— Calamity Jane. Contentez-vous de me répondre, monsieur Olsen, a dit Slidell.

— Je… Je… Ben oui, je suis bouleversé. Edith était une de mes plus brillantes étudiantes. Une personne très chaleureuse.

Sa voix a chevroté sur la dernière phrase.

— C'est pour ça que vous l'avez tuée ? Elle ne voulait plus être si… chaleureuse ?

Ça me paraissait impossible, mais le visage d'Olsen est devenu encore plus blême.

— Mon Dieu, non ! Que voulez-vous insinuer ?

— Edith vous a menacé de tout raconter à madame ?

— Ce n'était pas ce genre d'histoire, a-t-il protesté sur un ton à peine audible.

— Vous vous la tapiez au bureau, c'est ça ? Porte fermée à clé, téléphone décroché ?

Olsen a lancé un coup d'œil par-dessus son épaule. Plus angoissé par sa femme que par une accusation de meurtre ?

— J'ai commis une terrible erreur, je suis sincèrement désolé. Mais je n'ai pas assassiné Edith. (Regard suppliant.) Je l'aimais bien.

— Qui aime bien châtie bien.

— Nous avions rompu. (Ses chuchotements se transformaient en dénégations aiguës.) D'un commun accord.

— Les profs incarnent la confiance, ai-je renchéri. Franchir cette ligne n'est jamais équitable.

— Edith était une grande fille, pas une étudiante de première année. (Ligne de défense.) J'ai peut-être brisé mes vœux de mariage, mais pas ceux de mon éthique professionnelle.

— Elle vous faisait confiance.

— C'est elle qui m'a séduit ! (Couinement pathétique.) Elle me téléphonait à n'importe quelle heure, quémandant de l'aide pour un oiseau blessé ou malade. On était souvent ensemble… tard le soir… seuls… et alors des choses qui ne devraient pas arriver arrivent…

De nouveau, bref coup d'œil en arrière.

— Et ces «choses qui arrivent» ont duré longtemps ? s'est enquis Slidell.

— Neuf mois. Mais c'était déjà fini quand elle a disparu. Je ne l'avais pas revue pendant des semaines, ensuite, elle a rompu. Je pense qu'elle était tombée amoureuse de quelqu'un d'autre.

— Exact, a ricané Slidell. Où étiez-vous le 8 septembre ?

— Il faudrait que je vérifie mon agenda.

— On pourrait interroger votre épouse ? ai-je suggéré.

Olsen a plaqué son porte-documents contre lui tel un bouclier. De qui avait-il peur ? De sa femme ou de nous ?

— C'était quel jour de la semaine ?

— Mardi.

Le visage d'Olsen s'est illuminé.

— Le mardi, j'enseigne de 8 h 30 à 13 heures. Ensuite, soit je suis de permanence au bureau, soit je rentre chez moi. Bon, si vous avez terminé…

— Ouais ? Un témoin affirme que vous êtes présent au centre pour rapaces tous les mardis après-midi.

Derrière ses verres à double foyer, les yeux d'Olsen se sont fermés tandis que son index se dressait, comme pour mimer la concentration.

— Bien sûr! En septembre, on a les séances de travaux pratiques là-bas, alors que maintenant on fait de l'observation sur le terrain à l'ARC, un centre de réintroduction animale. Les lundis. J'avais oublié.

— Notre témoin ne se souvient pas vous avoir vu le 8. Pas plus que Blankenship, d'ailleurs. Notre témoin dit que vous avez tous les deux disparu.

Skinny ne lâchait pas le morceau.

— Votre témoin, ce ne serait pas Doris Kramer, par hasard?

— D'après vous?

Il a soufflé bruyamment, en surjouant l'exaspération.

— Nous n'avions pas *disparu*. Nous arpentions la forêt à la recherche de boulettes de régurgitation. Edith étudiait l'impact de l'urbanisation sur les comportements de chasse de la chouette. Elle testait sa théorie selon laquelle la destruction de leur habitat naturel oblige les chouettes à fréquenter les zones urbaines, avec pour conséquence de sérieux dangers pour elles.

Slidell l'a lorgné un long moment.

La pomme d'Adam du professeur ne cessait de monter et de descendre.

— Je ne vais pas me laisser harceler, vous savez. J'ai répondu à toutes vos questions. Dois-je envisager d'appeler mon avocat?

— Vous croyez avoir besoin d'un avocat? a répliqué Slidell sans le quitter des yeux.

— Jack! a crié une femme d'une voix cassante.

Nous nous sommes retournés tous les trois d'un seul bloc.

Une petite Asiatique d'une trentaine d'années se tenait sur le seuil de la maison. Elle portait des mules à talons et, à ses pieds, se tenait un énorme berger allemand faisant la moitié de sa taille. Agacée, la femme tirait sur la laisse du molosse.

— Tu comptes le sortir quand, ce foutu chien?

Une voix cassante de sergent instructeur dans les Marines.

— J'arrive dans une seconde, ma puce ! (Demi-tour vers nous.) Je vous en prie… (Regard suppliant.) Je n'ai rien fait de mal…

— Va falloir expliquer ça à Puce.

Slidell a pivoté sur lui-même, direction la Taurus. Je l'ai suivi.

Nous avons roulé un bout de temps en silence. Puis Skinny a engagé la conversation.

— Suis-je la seule personne sur cette planète qui ne possède pas un chien ?

— Moi, je n'en ai pas.

— Vous avez ce bâtard brun qui ressemble à un ours.

Slidell faisait allusion au chow-chow pure race de mon ex-mari.

— Boyd appartient à Pete.

— Ah bon ? Et vous en êtes où en ce moment ?

Il était hors de question que j'aborde ma situation matrimoniale avec Skinny. Ou que j'évoque le fait que mon ex s'apprêtait à épouser une blonde trentenaire dont la taille de bonnet était plus volumineuse que celle de son QI.

— Je l'aime bien ce chien, il est pas bête…

— Humm…

Un bon moment plus tard.

— Ce policier canadien, il est toujours dans vos filets ?

Dossier classé. Définitivement. Je n'avais pas vu Andrew Ryan depuis des semaines, ni n'avais eu la moindre nouvelle. Pas besoin d'un dessin pour comprendre le message.

Une fois encore, mon silence n'a pas découragé Skinny.

— C'est un bon gars.

— Il est pas bête…

— Waouh ! On dirait que j'ai touché une corde sensible…

— Est-ce qu'on pourrait se recentrer sur notre affaire ? Que pensez-vous d'Olsen ?

— Un crétin terrorisé par son petit bout de femme.

Difficile d'affirmer le contraire.

— On ne peut pas lui en vouloir. Puce a l'air bien jalouse et bien coriace. Du genre à régler elle-même le problème Blankenship si elle avait eu vent d'une aventure extra-conjugale.

— Je ne crois pas. Cette femme ne serait même pas capable d'étrangler un chihuahua.

— N'importe qui peut étrangler un chihuahua, a rétorqué Slidell en tournant à droite. Vous en pensez quoi, alors ? Vous réfléchissez comme ces comiques, vous.

Je *réfléchissais*, oui, mais pas comme une universitaire. Comme une anthropologue judiciaire.

— Ramenez-moi au labo.

— D'accord, Miss Daisy.

Mon cerveau ne s'est pas soucié de la référence qu'il venait de faire à *Miss Daisy et son chauffeur*. D'ailleurs, c'est un film où il ne se passe pas grand-chose. Mon cerveau était occupé à mouliner une autre idée qui venait juste de surgir.

Chapitre 8

Une heure plus tard, j'avais enfilé mes gants en latex et j'observais les os étalés. La fracture sur l'os hyoïde établissait clairement la strangulation comme cause du décès. Après avoir clarifié ça, mon attention avait été ensuite attirée par les boulettes de régurgitation. Maintenant, je devais me concentrer à nouveau sur les os.

J'ai examiné les cervicales une à une, d'abord à l'œil nu, puis au microscope.

La C1 et la C2 étaient intactes. Aucune coupure, aucun creux, aucune fissure, aucun blocage sur les surfaces articulaires. La C3 racontait une tout autre histoire.

La troisième vertèbre cervicale de la victime montrait une compression sur les bords antérieur et supérieur, et une fêlure à l'endroit où l'apophyse transverse droit touche les ligaments. Bien. Mais ce n'est pas ça qui m'a coupé le souffle.

Encastré dans la fracture se trouvait un filament rouge. Je l'ai extrait avec une pince et placé dans un petit flacon en plastique.

Bon sang ! Devais-je téléphoner à Slidell ? Pas encore.

Retour à l'étude des vertèbres.

De la C4 à la C6, aucun signe de traumatisme.

Cela collait. À l'état normal, l'os hyoïde est situé sous la C3. Le fait que toutes les vertèbres aient été épargnées à l'exception de celle-ci suggérait une marque de ligature au cours de l'étranglement.

Puis j'ai examiné la dernière cervicale et la première dorsale. Toutes deux avaient subi des dommages sur l'apophyse épineuse, qui sont les protubérances osseuses sur chaque vertèbre, bien visibles tout le long du dos d'une personne vivante. Ces deux apophyses étaient brisées et déplacées vers le bas.

J'ai fermé les yeux. J'ai visualisé les marques de ligature enroulée autour de la gorge d'Edith. Le mouvement de sa tête. Son torse.

J'ai ouvert mes paupières d'un seul coup. Vite le petit flacon.

J'ai foncé téléphoner à Slidell.

— Vous avez peut-être vu juste à propos d'Olsen, ai-je déclaré.

— C'est pas trop dur de l'admettre, doc ?

— L'autre Olsen.

Pause.

— L'épouse ?

Je lui ai expliqué ce que j'avais constaté à partir de l'examen des os. En des termes aussi simplifiés que possible.

— Et ?

— Edith a été étranglée, vraisemblablement par derrière. Que le traumatisme soit limité à la vertèbre C3 nous indique que la ligature était mince, par exemple une corde ou une ficelle.

— Mais vous m'avez dit que d'autres parties du dos avaient été abîmées.

— Exactement. Si son assassin était de même taille qu'elle, voire à peine plus grand, le traumatisme se serait effectué de façon horizontale, de l'avant vers l'arrière. (Je simplifiais à l'extrême.) La présence de dégâts plus bas tout du long de la colonne, et la nature des blessures constatées suggèrent que la partie supérieure de son corps a été tirée à la fois en arrière et vers le bas. Avec une grande brutalité.

Pas de réaction.

— Quelle était la taille d'Edith ? lui ai-je demandé.

Remue-ménage de paperasse au bout du fil.

— Attendez… J'ai son permis de conduire. Elle mesurait un mètre soixante-treize. (Il a aspiré bruyamment une goulée d'air.) Nous recherchons donc quelqu'un de petit.

— Blount et Olsen font au moins 1,80 m chacun.

Slidell s'est raclé la gorge de sa manière si caractéristique.

— Il y a autre chose. J'ai découvert une fibre rouge emprisonnée dans la fracture de la C3. Je vais l'envoyer au labo, mais je suis à peu près certaine que c'est du nylon.

Nouveau silence perplexe.

— Le nylon est un composant courant des laisses pour chien, ai-je ajouté.

Cette fois, il a allumé.

— Puce tenait son berger allemand en laisse.

— Exact, une laisse rouge.

— Ouais ?

— Ouais. Une laisse constitue une ligature parfaite, ai-je confirmé, par évidence.

— Je ne sais pas. Cette femme, elle pesait combien ? Cent grammes ?

— Il suffit d'une pression de cinq kilos sur la carotide pendant dix secondes pour tuer une personne. La rage, l'adrénaline et l'avantage de la surprise, tous ces éléments combinés, et c'est l'arme fatale.

— Une femme trompée, hein ? (À la façon qu'il a eu soudain de respirer, j'ai senti qu'il allait m'annoncer une mauvaise nouvelle.) Blount s'est évanoui dans la nature.

— Je croyais que vous ne le lâchiez pas d'une semelle.

— Mes gars l'ont perdu au cours de la filature en voiture, du côté de Sample Road.

— Ils l'ont perdu ?

— Cet imbécile s'est garé, puis a piqué un sprint dans le bois. Hé, mes gars, c'est pas Daniel Boone.

— Sample Road, c'est dans le coin du centre pour rapaces.

— Ouais. Même si Blount n'a pas liquidé Edith, ce crétin est forcément coupable de quelque chose.

— Vous allez lui remettre la main dessus ?

— On mettra tout en œuvre pour l'épingler. En attendant, je vais m'occuper des Olsen. Je vais les placer dans des salles d'interrogatoire séparées, et on verra bien ce qu'ils ont à nous raconter.

— Tenez-moi au courant.

Une fois le téléphone raccroché, je suis allée prendre le flacon et j'ai appelé un technicien pour qu'il l'envoie illico au labo de la police. Puis j'ai passé un coup de fil un peu mielleux aux types spécialisés en cheveux et fibres afin d'essayer de négocier un délai ultra rapide, mais sans trop d'espoir.

Ensuite j'ai tourné en rond dans le labo comme une lionne en cage. Je n'avais pas retravaillé sur le cas de l'inconnu de Mountain Island Lake depuis la découverte d'Edith dans son sac. Pourquoi ne pas m'y remettre ? C'était le même lac après tout. Il y avait peut-être un point commun.

J'ai retiré la boîte de carton de l'étagère, sachant que j'obtiendrais peu d'infos à partir de deux os de la jambe gauche et d'une paire de vertèbres. Mais j'aime bien les défis.

Les deux vertèbres provenaient du bas de la colonne vertébrale. Une lombaire et une thoracique. Les traces sur chacune d'elles étaient plus avancées que je m'y attendais, étant donné la qualité de l'os. C'était de l'arthrite chez un individu d'âge moyen. C'était intéressant mais pas non plus renversant.

J'ai examiné le tibia et le péroné. Un adulte sans aucun doute. L'os cortical était dense et sain. Les surfaces articulaires montraient une faible usure. Un trouble du modelé osseux sur la malléole latérale suggérait un traumatisme qui avait été soigné. Non pas une fracture, mais quelque chose altérant simplement la surface de l'os. Une brûlure ? Une infection qui s'était propagée d'une blessure au niveau des tissus mous ?

J'élaborais différents scénarios fantaisistes pouvant expliquer mes observations, quand le téléphone a sonné.

— Brennan à l'appareil.

— Je soupçonne Mme Peacock dans la salle de billard avec le chandelier.

C'était Frank du labo de la police. Un petit rigolo.

— Sans blagues, tu as eu le temps de regarder ma fibre ?

— Non, mais j'ai un résultat sur tes poils.

Sur le coup, je n'ai pas fait le rapprochement. Puis je me suis souvenu des poils collectés lors de l'examen premier des vêtements d'Edith.

— Des poils de rongeur, exact ?

— Certains, oui. D'autres sont des poils de chien.

— De chien ?

— Les six prélevés sur le jean sont assurément des poils de chien.

— D'un berger allemand ?

Se pouvait-il qu'on ait enfin un peu de chance ?

Sa réponse n'était pas du tout celle à quoi je m'attendais !

Chapitre 9

Allez, allez…

Pas de réponse. J'ai été redirigée sur la boîte vocale de Slidell. J'ai laissé un message. Puis tonalité de fin d'enregistrement. J'ai pianoté sur le comptoir.

Débat intérieur.

Au diable.

J'ai fait une recherche sur Internet pour trouver le numéro de la police de Gaston. J'ai expliqué pourquoi j'appelais, en regrettant de ne pas avoir le nom de famille. Déclics successifs avant d'être mise en relation avec un répondeur.

Une voix que j'ai reconnue comme étant celle de Skip me demandait de laisser mes coordonnées.

J'ai raccroché et j'ai recommencé à pianoter sur le comptoir. J'étais fébrile. Prête à l'action.

Les poils de chien sur Edith provenaient de deux races, rottweiler et cocker anglais. Herman Blount avait un rottweiler. Et Blount était injoignable.

J'étais trop énervée pour tenir en place. J'ai enlevé mes vêtements de travail et les ai troqués contre une tenue de ville. Après avoir laissé un message un peu moins poli à Slidell, j'ai foncé à ma voiture.

Tout en roulant sur la désormais familière route vers Mountain Island Lake, je réfléchissais à la manière de retrouver Blount. Il était hors de question que j'arpente la forêt en fouinant dans des terriers pour humains. Je ferais une enquête dans le voisinage pour connaître ses habitudes, les lieux où il aimait traîner. Je commencerais par le centre pour rapaces.

J'ai passé mentalement en revue tous les faits établis. Edith Blankenship était en contact avec Blount. Blount était un homme séduisant, charismatique au sens d'hypnotique, façon Charles Manson. Blount et Edith partageaient une passion pour les oiseaux et une haine pour les sociétés d'énergie qui leur causent des blessures. Olsen croyait qu'Edith avait un nouvel amant dans sa vie.

Blount chérit sa liberté. Serait-il capable de tuer quelqu'un qui la menace ? Ou bien l'histoire se résumait-elle à une querelle d'amoureux ? Un accident ? Une action d'éco-terrorisme qui aurait mal tourné ?

D'autres facteurs pouvaient coller avec le traumatisme de la colonne vertébrale de la victime. Blount aurait pu s'accroupir au moment de l'attaque. Ou peut-être cela s'était-il déroulé sous terre, là où Edith, tentant de regagner la surface, en aurait été empêchée par une corde encerclant son cou. J'avais peut-être été trop rapide dans mes conclusions à assumer que la différence de taille évacuait une hypothèse.

De façon irrationnelle, j'ai ralenti en arrivant vers Sample Road. J'ai scruté la forêt qui s'étalait de chaque côté de la bande d'arrêt d'urgence. Comme si j'essayais de repérer Blount sautant et bondissant entre les arbres tel Bigfoot. Je n'ai évidemment rien vu. Pas même un écureuil. Trop de rapaces dans le coin, j'imagine.

Arrivée au centre, je me suis garée près d'un totem en forme d'aigle et suis entrée dans le bâtiment. Une adolescente blonde assurait la permanence à l'accueil.

Il y a deux catégories de mâcheurs de gomme au monde. Ceux qui se claquent les mâchoires avec des bruits de succion et qui font éclater la bulle, bouche grande ouverte. Et ceux qui détestent le son de ces mastications. Blondie et moi appartenions à des camps opposés.

Je suis allée droit au but.

— Je cherche Doris Kramer.

— Elle est pas venue aujourd'hui. (Bulle qui éclate.) Bizarre… elle vit, genre, quasiment ici.

— Connaissez-vous Herman Blount ?

— Je l'ai vu. (Grand sourire. Mâchoire fonctionnant comme une scie circulaire.) Je l'aime bien.

— Quand ?

— Avec Doris. La semaine dernière. Deux fois. Il avait l'air, genre, intense.

— Aucune idée de l'endroit où je pourrais le trouver ?

— Non. J'lui ai jamais parlé. (Claquement.) Doris pourrait vous dire.

— Savez-vous où elle habite ?

— Plus haut, sur Sample Road, environ deux kilomètres d'ici. Vous pouvez pas rater sa boîte aux lettres, elle ressemble à un aigle.

Blount avait été aperçu pour la dernière fois de ce côté-là. Doris était absente, fait plutôt inhabituel.

J'ai remercié la jeune fille. Si Doris était tombée sur un indice reliant Blount au meurtre d'Edith, elle était en danger. Si ce n'était pas le cas, elle pourrait me conduire à lui.

J'ai donc repris Sample Road, cette fois en roulant au pas, guettant la fameuse boîte aux lettres. Dès que je l'ai aperçue, j'ai bifurqué dans sa direction.

Au bout de huit cents mètres d'une allée défoncée et envahie de végétation, je suis passée devant une boîte aux lettres miteuse qui n'avait pas été repeinte depuis l'entrée en fonction d'Hoover. Je me suis garée près d'une Corolla sur laquelle un autocollant disait LES AIGLES M'ADORENT, puis je suis descendue de voiture.

Trois marches usées menaient à une véranda meublée d'une table en plastique et d'un fauteuil affaissé qui dévoilait ses entrailles. J'ai gagné la porte, tous les sens en alerte. Étant donné l'apparence si soignée de Doris, ce contexte sordide me gênait. Elle devait donner le change devant les visiteurs du centre.

Il y avait un papier sur la sonnette indiquant « Ne marche plus, SVP, frappez ». C'est ce que j'ai fait. Aucune réponse. J'ai attendu un moment et j'ai frappé à nouveau, plus fort. Toujours rien. Je me suis souvenue de la Corolla et de l'autocollant. J'étais quasiment certaine que la voiture appartenait à Doris. Mon inquiétude a augmenté.

Il fallait que je réfléchisse. C'est alors que j'ai entendu ce qui ressemblait à un aboiement étouffé.

Doris n'aimerait pas ça. C'est bizarre, mais c'est pourtant ce que mon cerveau m'a envoyé comme info.

En contournant la maison, à une centaine de mètres, je me suis approchée d'une sorte de grange qui se dressait sur une étendue d'herbe sèche.

Cette remise penchait dangereusement, se détachant presque de ses fragiles fondations. Les planches étaient usées par les intempéries et les parties métalliques attaquées par la rouille.

À droite de cette grande cabane, la terre était ondulée en une douzaine d'endroits. J'en ai eu la chair de poule. J'ai fait fi de ma paranoïa. Les creux étaient trop modestes pour être des tombes.

Toutefois, j'ai continué à avancer avec précaution, évitant les branches sèches qui auraient pu craquer sous mes pas. J'ai même maintenu les clés au fond de ma poche pour éviter qu'elles cliquettent.

J'étais tout près désormais de la plus proche des portes de la construction à l'abandon. Je n'ai pas frappé ni appelé avant de tourner la poignée. J'ai juste tiré le battant qui a grincé sur ses gonds.

J'ai scruté l'intérieur, plongé dans la pénombre.

Devant le spectacle atroce, mes mains se sont aussitôt portées à ma bouche. J'ai senti le goût de la bile sur ma langue et je me suis mise à trembler de tous mes membres.

Chapitre 10

La puanteur a immédiatement envahi mes narines. Une très forte odeur d'excréments et d'urine m'a sauté au visage et a imprégné jusqu'à ma peau.

J'ai respiré une goulée d'air frais avant de passer la porte. Aussitôt, la cabane a bourdonné de glapissements, de gémissements, de hurlements et d'aboiements.

Mon cerveau réagissait lentement comme s'il refusait d'analyser ce que mes sens me communiquaient.

Des rangées de cages étaient alignées contre toute la longueur du mur de la grange. Sur deux niveaux. Trente. Quarante. Peut-être cent cages.

Dans chacune d'elles, il y avait de trois à huit chiens entassés, les yeux revêches, le museau desséché à force d'être en contact avec du grillage de poulailler rouillé. Beaucoup présentaient sur leur ventre des tumeurs qui pendaient comme des fruits trop mûrs.

Mon cœur s'est serré de chagrin.

J'avais lu des articles sur ces endroits et, par principe, j'y étais opposée. Mais jamais je n'en avais vu en vrai. Des usines à chiots. Des chiens qui vivent dans de minuscules prisons, dans des conditions sanitaires épouvantables. Une existence sans joie, sans amour, sans espoir.

J'ai examiné les cages. Des cockers, des yorkshires, des rottweilers, des labradors. Les chiens de grande taille étaient enfermés dans des cages d'un mètre de haut, leur laissant à peine l'espace pour se tenir sur leurs pattes ou se retourner.

Doris Kramer n'était pas une victime, c'était un monstre.

Mon dos ruisselait de sueur. La température là-dedans devait avoisiner les 35 degrés Celsius. Comment une créature, quelle qu'elle soit, aurait-elle pu supporter une telle chaleur ?

Sachant que les aboiements révéleraient bientôt ma présence, j'ai voulu prendre mon iPhone. Il n'était pas dans ma poche.

La panique m'a submergée. J'avais oublié mon cellulaire dans la voiture. Il ne manquait plus que ça !

Je me suis forcée à rester calme. Ne pas ouvrir les cages à la volée pour laisser les chiens s'enfuir.

S'ils en étaient encore capables. Étant donné leur état lamentable, beaucoup ne pourraient pas courir bien loin.

Je me suis répété en boucle que Slidell était en chemin. Il allait écouter mon message et suivre mes indications. Mais quand ?

Je me suis collée à deux centimètres de la première rangée de cages, en murmurant des sons réconfortants, apaisants. Des mots aussi.

Les chiens surveillaient le moindre de mes mouvements, les mouches virevoltaient bruyamment autour de leurs oreilles et de leur pelage. Ils étaient méfiants et se reculaient instinctivement au fond de leurs prisons grillagées dans lesquelles je ne voyais ni eau, ni nourriture. Les excréments avaient maculé chaque parcelle et formaient partout de petits monticules infâmes, y compris sur le sol en béton.

J'étais révoltée. Je respirais tant bien que mal entre mes dents serrées tout en traversant la large cabane au parterre répugnant. Les chiens me suivaient du regard, à la fois tristes, effrayés et pleins d'espoir aussi.

La puanteur était si forte qu'elle irritait mes yeux et mes muqueuses nasales. Et tandis que je m'enfonçais dans la pénombre de la grange, une autre odeur s'est mêlée aux relents de crottes, d'urine et de fourrure sale. Une odeur que je pourrais reconnaître entre mille.

À l'extrémité de la première rangée, des chiots morts étaient entassés à même le ciment. Sentant poindre une menace, une quantité astronomique de mouches vertes se sont soulevées du tas dégoûtant en un nuage noir bourdonnant.

Horrifiée et désemparée, j'ai fait un pas de côté et là, j'ai trébuché.

En regardant mes pieds, j'ai découvert un bras poilu et musculeux relié à un corps d'homme poilu et musculeux. Sous sa tête s'étalait une inquiétante mare de sang. Herman Blount avait les paupières closes et la bouche ouverte. Sa blessure au front saignait abondamment le long des tempes et des cheveux.

Je me suis agenouillée pour appuyer mon index et mon majeur contre sa gorge. J'ai senti battre son pouls, faiblement, mais il vivait encore.

Avait-il fait la même macabre découverte que moi ? Ou était-il impliqué dans ce trafic, sous le couvert d'ami des animaux ?

Malgré les aboiements, j'ai perçu une espèce de raclement. Un chien ? Autre chose ?

Paniquée, j'ai embrassé la grange du regard. Il y avait une brouette, une pelle, une étagère remplie de sécateurs, d'écuelles en métal, un fusil à tranquillisants, une boîte de fléchettes orange.

Près de l'étagère, au mur, des laisses étaient accrochées à des patères. Une tache de couleur au milieu de l'entrelacs de cordes a attiré mon attention.

Encore des raclements... N'était-ce pas plutôt des bruits de pas ?

J'ai retenu mon souffle. Trente secondes. Une éternité.

Les chiens se sont déchaînés et il m'était désormais impossible de distinguer ce bruit inquiétant parmi le vacarme.

Je me suis plaquée contre le mur et j'ai vu une laisse rouge parmi les autres.

Mes synapses se sont embrasées.

Doris Kramer possédait une usine à chiots. Edith Blankenship avait dû la découvrir en se baladant dans la forêt. Et Doris ne mesurait pas plus d'un mètre soixante.

Il fallait que je prévienne Slidell. Mais comment ? Je ne pouvais pas abandonner Blount.

La frénésie des pauvres bêtes m'empêchait de me concentrer.

Si la blessure de Blount était grave, il ne tiendrait pas longtemps.

Le porter jusqu'à ma voiture ? Impensable... Il pesait trop lourd.

J'ai perçu du coin de l'œil un bref mouvement, tel un rai de lumière soudain occulté.

J'ai brusquement tourné la tête et j'ai capté un bout de cardigan tandis qu'une forme semblable à un serpent se jetait sur moi.

J'ai porté mes mains à ma gorge une demi-seconde avant que le serpent ne s'enroule.

Mon cerveau en ébullition a intimé l'ordre de protéger ma trachée-artère. Des neurones dans mon cortex ont balancé un contre-ordre : *protège les carotides.*

Près de mon oreille, j'ai entendu une respiration rauque. J'ai reniflé une odeur de sueur rance et d'eau de toilette bon marché.

Un torse râblé s'est plaqué brutalement contre ma colonne vertébrale. La sangle mortelle cisaillait le dos de mes mains et mordait sans pitié la chair tendre de mon cou.

Ma vision s'obscurcissait de petits points noirs et mes poumons réclamaient de l'oxygène.

Mes neurones ont hurlé une autre injonction.

Réagis selon d'autres règles !

Plus rapide que l'éclair, je me suis laissée tomber en m'accroupissant d'un coup. Le brusque changement d'angle a fait vaciller mon adversaire. Alors qu'elle basculait vers l'avant, j'ai repoussé la sangle puis roulé sur mon dos en déployant violemment mes deux jambes. Une de mes bottines a heurté un os avec un son mat.

Un cri de bête sauvage.

Doris a chuté sur le béton.

Les chiens sont devenus fous.

Je me suis redressée et j'ai arraché la sangle qui pendait sur mes épaules.

La brutalité de l'attaque et ma colère froide ont balayé en moi tout réflexe de fuite. J'avais envie d'en découdre et de la faire payer pour les pauvres animaux terrifiés qui assistaient à la scène.

J'ai dégluti pour calmer mon rythme cardiaque et le feu de ma gorge.

— Vous les traitez pire que des déchets, c'est ça ? (J'ai avalé une grande goulée d'air.) Combien de chiots avez-vous tués, pauvre folle ?

— Vous m'avez fait très mal à la jambe.

Elle se frottait le tibia.

— Les flics sont en route. (Prions pour que ce soit vrai…) Vous allez vous retrouver en taule pour des années.

Elle a ricané.

— Vous les avez tués de sang-froid.

— Un ou deux chiens morts, et alors ? Vous savez combien ça coûte, la cruauté envers les animaux dans cet État ? Une tape sur les doigts et un petit sermon.

Reprenant son équilibre sur ses paumes, Doris s'est lentement remise debout.

Je me suis ancrée dans le sol en collant mes bras le long du corps pour masquer mes tremblements. Elle avait malheureusement raison. Des lois laxistes faisaient de la Caroline du Nord le paradis des usines à chiots.

— Et une accusation pour meurtre ? (La rage rendait ma voix cassante comme du verre.) Vous savez combien vous allez prendre pour ça ?

— Mais de quoi parlez-vous ? a-t-elle répliqué sur un ton moins assuré.

— Edith Blankenship.

J'avais un débit étrangement calme.

Avec une incroyable vélocité, Doris a pivoté sur elle-même et d'un geste a saisi le fusil à tranquillisants que je savais chargé.

— Eh bien, vous allez la rejoindre…

J'ai reculé en vitesse et mon dos a heurté une cage. Ses occupants frisaient la crise d'hystérie.

J'ai levé mes mains en un geste pathétique d'autoprotection, imaginant déjà la fléchette plantée dans ma chair et répandant la drogue paralysante. Je voyais déjà Doris en train de finir sa sale besogne avec la laisse.

Résignée, je considérais le canon avec terreur, quand, soudain, un éclair métallique a jailli sur la gauche de Doris. Mon visage a dû changer, car elle s'est retournée, stupéfaite.

Blount l'a frappée en pleine figure avec une pelle en effectuant un swing parfait. J'ai entendu un affreux craquement, puis Doris s'est affaissée pour ne plus bouger.

Blount s'est redressé, son front mutilé saignait encore. Son regard bleu cobalt a croisé le mien. Les chiens hurlaient à la mort. J'étais à deux doigts de m'évanouir. Trop d'émotions fortes.

— Et si on allait chercher de l'aide pour ces pauvres bêtes ? a-t-il suggéré.

Il n'a pas eu besoin de me le répéter deux fois.

Chapitre 11

Slidell m'a rendu visite quelques jours plus tard. J'étais à la maison, en congé forcé sur ordre de Larabee.

— Jolie écharpe, a-t-il ironisé.

La sangle avait transformé mon cou en un paysage de Monet, tout en teintes jaunes et violacées. J'avais donc caché mes bleus sous un foulard représentant des éprouvettes et des vases à bec, cadeau d'une entreprise qui commercialisait des vêtements pour légistes. Du dernier chic.

— Un souvenir ? a-t-il demandé en désignant le rottweiler qui dormait sur le plancher.

— Pensionnaire provisoire.

Ma voix était rauque et ma gorge encore douloureuse.

Après avoir fui le spectacle d'horreur et appelé la police, Blount avait contacté un réseau de protection animale. Une nuée de volontaires avait investi les lieux dès le départ des flics. Les chiens avaient été confiés à des vétérinaires et à des refuges, ou adoptés par des particuliers. La plupart s'en sortiraient. D'autres non.

Au milieu du chaos, une femelle rottweiler s'était attachée à moi, et je l'avais donc gardée le temps qu'elle ait un endroit où aller. J'étais son foyer d'accueil, en quelque sorte. Je l'avais baptisée Edie, en l'honneur d'Edith. Mon chat Birdie, lui, devait l'avoir surnommée Diablesse incarnée, car il refusait obstinément de sortir de dessous mon lit.

— J'ai un cadeau pour vous au labo, dans la chambre froide.

J'ai froncé les sourcils.

— Il semblerait que Skip ait retrouvé sa langue. Il y a deux jours, il a arrêté un motard qui traversait le domaine des « zartistes » de Kahn. Le petit s'est rendu sans problème vu qu'il était pas loin de faire dans ses culottes. Skip l'a cuisiné et il a avoué qu'il venait jeter un coup d'œil au puits légendaire des Hells Angels, celui des âmes perdues.

Une fois de plus, j'ai froncé les sourcils, en lieu et place d'une question. Histoire d'économiser mes cordes vocales.

— Il semblerait qu'il y a un puits abandonné sur la propriété de Kahn. La rumeur prétend que l'endroit était régulièrement alimenté dans les années 80.

— On y balançait des cadavres ?

— Non, des tricycles. Bien sûr que je parle de cadavres ! J'ai fait signe à Slidell de poursuivre.

— Après avoir écouté le témoignage du petit, Skip est allé voir le fameux puits et, après être descendu, il a creusé, déplacé des roches, et il a trouvé des os.

— Sans blague ?

— Sans blague. Et je suppose que c'est le reste de votre inconnu. Skip pense que les inondations ont charrié les quatre premiers os sur la rive du lac.

— Concernant Edith Blankenship ?

— Votre copine Doris est inculpée de meurtre avec préméditation.

— Elle va comment ?

— Elle n'ira pas danser toute la nuit, mais elle s'en tirera.

— Mobile ?

— Comme je vous l'ai dit, mobile 1 ou mobile 2. Amour ou argent.

C'est incroyable tout ce que vous pouvez obtenir sans avoir à parler. Je n'ai eu qu'à retourner mes paumes vers le ciel avec un air interrogateur.

— Les deux. La vieille peau devenait complètement hystérique dès qu'il s'agissait de volatiles. Ses finances attestent qu'elle faisait des dons à tour de bras à des associations de protection des oiseaux, y compris le centre pour rapaces. Les chiots lui permettaient d'arrondir ses fins de mois. Blankenship s'apprêtait à la dénoncer.

Nous sommes restés silencieux un moment, chacun méditant à l'enchaînement des événements qui avaient conduit au meurtre de la jeune femme.

— Le téléphone d'Edith a été découvert par mon équipe, coincé entre deux poutres au fond de la grange. Brisé en mille morceaux, mais les gars de la police scientifique ont réussi à récupérer des photos à partir de la mémoire. Des chiens, des chenils, des cadavres de chiots. La petite a probablement découvert le pot aux roses, et a voulu photographier les preuves pour pouvoir la dénoncer. Doris l'a surprise chez elle et l'a tuée.

— La laisse?

— Les gars du labo ont prélevé un peu de sang et deux cheveux. Ils procèdent aux analyses ADN, et à des comparaisons avec la fibre rouge que vous aviez prélevée sur la cervicale de la victime. On fera le lien avec Blankenship.

— Doris a balancé le corps toute seule?

Sept mots. Ça m'a fait mal à la gorge.

— Elle est costaude, mais pour ça, il lui fallait tout de même de l'aide. Elle a un fils, retardé mental. Il travaille à mi-temps comme conducteur de chariot élévateur dans un entrepôt. Elle a foutu Edith dans un sac en toile, puis a ordonné à fiston de prendre sa barque et d'aller le balancer au milieu du lac. Elle lui a expliqué que c'était des chiots morts et lui a fait jurer de ne pas descendre la fermeture Éclair pour regarder à l'intérieur.

Doux Jésus.

— Blount?

— Le trou de cul va survivre à ses blessures. Il semblerait que notre petite discussion avec lui l'ait ébranlé. Le gars aimait bien Edith. Ça l'a fait chier d'apprendre qu'elle a été éliminée. Alors notre superhéros s'est senti obligé d'aller fouiner et il est tombé sur la scène d'horreur chez Doris. Tout à fait poétique. La vieille folle lui a filé une raclée à coups de pelle, et c'est avec cette même pelle qu'il lui a rendu la pareille.

— Les Olsen?

— J'imagine que Casanova couvre son épouse de fleurs.

— Elle est au courant?

— C'est pas moi qui le lui ai dit, a-t-il répondu en haussant les épaules.

Bien joué, Skinny.

— Emmett Kahn?

— Il investit dans les clôtures. Oh, j'oubliais… vous allez adorer cette histoire. Il a commandé à l'un de ses copains bohèmes une sculpture de chouette géante. Il a prévu de l'intituler «Essence d'Edith».

Et sur ces paroles, Slidell a pris congé.

Ainsi, il se pouvait que mon inconnu soit un Hells Angel qui aurait fait une chute malencontreuse. Ça collait avec mes observations. De l'arthrite sur la lombaire sans doute due aux nombreuses années à rebondir sur la selle de sa Harley. La plaie à la cheville causée par un pot d'échappement brûlant.

J'ai songé à Edith se promenant en forêt, observant les oiseaux, ramassant une boulette de régurgitation et la glissant distraitement dans sa poche.

Ignorant qu'il ne lui restait qu'une poignée d'heures à vivre.

Mais je ne voulais plus trop penser à des choses tristes aujourd'hui. Et si j'allais faire du jogging sur la Booty Loop? Ou un tour en voiture? Avec cette écharpe? Mauvaise idée. Parlez-en à Isadora Duncan.

Edie a trottiné vers moi et a posé sa gueule sur mes genoux. Je lui ai gratté les oreilles et elle a plongé ses yeux caramel dans les miens.

J'ai repensé au cauchemar qu'elle avait traversé. Je craignais que les souvenirs ne restent ancrés à jamais dans sa mémoire.

Et pourtant, elle trouvait encore la force d'aimer un être humain.

J'ai prié pour ressembler à Edie. Vu mon boulot, je suis bien souvent pessimiste quant à mes congénères, mais j'essaie de croire que le bien finit toujours par contrebalancer le mal.

Soudain, j'ai su ce à quoi je consacrerais mon après-midi. J'ai téléphoné à une amie journaliste au *Charlotte Observer*.

— Y a encore du temps pour une tribune libre avant l'heure de tombée?

— Sur quel sujet?

Je le lui ai expliqué.

— Tu m'envoies ça avant 17 heures, et je ferai mon possible pour que ce soit publié.

Edie sur mes talons, je me suis précipitée dans mon bureau, j'ai allumé l'ordinateur et j'ai tapé le titre.

OPTONS POUR L'ADOPTION
POUR QUE CESSE L'HORREUR DES USINES À CHIOTS

Note de l'auteur

En tant qu'anthropologue judiciaire, je constate chaque jour combien l'être humain fait preuve de férocité envers ses semblables. En tant que propriétaire de cinq animaux abandonnés, je suis désemparée face à la cruauté qui s'exerce envers toutes sortes d'êtres vivants. Il arrive que ces voies se croisent.

Au début de ma carrière, par un lundi ensoleillé de mai, un cas poignant est arrivé à mon labo à Montréal. La police avait découvert un sac en toile de jute sur la rive d'un petit lac au sud du Québec. Il contenait des os et deux briques. Je devais confirmer la nature de ces os : étaient-ils humains ?

Ils ne l'étaient pas. C'était les restes de quatre chiots. Ces créatures sans défense avaient été enfermées dans le sac, lestées et noyées.

La pensée de ces chiots m'a longtemps hantée. J'imaginais leur terreur quand l'eau les entourait. Leurs tentatives désespérées de se sauver.

Je suis une personne tolérante, mais je ne supporte pas la souffrance animale. C'est un péché impardonnable. Et rien n'est plus impardonnable qu'une usine à chiots.

Une usine à chiots est une ferme d'élevage « à la chaîne ». Certaines sont légales, d'autres non. Les lois gouvernementales sont très laxistes, et encore faut-il qu'elles existent. La « récolte » sera élevée en cages. Les femelles seront fécondées aussi souvent que possible, et on s'en débarrasse dès qu'elles ne sont plus fertiles. C'est une existence sans joie, sans amour, sans espoir. Ces chiens sont en mauvaise condition physique, tristes et affamés. Jamais ils ne jouent ni ne courent dans l'herbe.

Chaque année, des milliers de gens achètent à leur insu leur futur compagnon à ces usines à chiots. La plupart sont persuadés que l'animal a été bien traité. Des éleveurs inhumains proposent en ligne à leurs clients ces chiots — ils sont mignons à cet âge — ou par l'intermédiaire d'animaleries. La Humane Society estime que le nombre d'usines à chiots s'élève à dix mille à travers tout le pays. Ces établissements vendent de deux à quatre millions de chiots tous les ans. Là où j'habite, en Caroline du Nord, nous sommes un des États les plus coupables, puisqu'il y a une carence de législation en la matière, sur l'aspect tant sanitaire que commercial.

Vous pouvez apporter votre aide dans la lutte contre la cruauté envers les animaux. Voici huit choses que vous pouvez faire pour empêcher la poursuite de cette horreur que constituent les usines à chiots.

Adoptez un animal de compagnie. Il vous attend dans un des milliers de refuges du pays. Si vous souhaitez une race de chien en particulier, il vous suffit de vous mettre en relation avec une association de sauvetage reconnue.

N'achetez pas un chiot sur Internet, ni dans une animalerie. En achetant un chiot, vous risquez malgré vous de soutenir les exploitants d'usines à chiots. Si vous êtes dans l'obligation d'acheter un chien, merci de vous assurer de l'origine de l'élevage.

Agissez contre les animaleries faisant affaire avec les usines à chiots. Encouragez les gérants d'animaleries à opter pour un modèle plus humain. S'ils refusent, manifestez pacifiquement ou lancez une pétition.

Militez pour des lois plus efficaces. Écrivez à vos élus, au niveau de la ville, du comté, de l'État, pour exiger qu'ils s'emparent sérieusement du problème. La pression de leurs électeurs peut avoir une certaine influence. Inscrivez-vous à l'infolettre de *Voices for No More Homeless Pets*, site qui répertorie les animaux abandonnés et qui vous tiendra informé des actions à mener (support.bestfriends.org).

Plaidez la cause des animaux dans votre entourage. Écrivez au rédacteur en chef de votre journal local pour témoigner des conditions épouvantables dans lesquelles vivent les chiens dans les usines à chiots.

Élisez des candidats qui se préoccupent de la cause animale. Interpellez les candidats pour savoir s'ils ont l'intention de légiférer une fois élus, et ce qu'ils comptent faire pour ces établissements. Faites-leur savoir que vous votez en tant que militant de la cause animale.

Collectez des fonds et militez activement. Organisez une marche, une vente de gâteaux, prenez un stand à une fête locale pour sensibiliser les gens à la nécessité d'une législation, et sollicitez leurs dons.

Ne renoncez pas. La lutte contre les usines à chiots et les éleveurs inhumains durent depuis des décennies. Les choses ne changeront pas du jour au lendemain, mais on a progressé. Si vous informez juste une personne sur les conditions sanitaires déplorables de ces établissements, ou si vous persuadez juste une personne d'adopter un chien plutôt que de l'acheter, alors vous aurez contribué de manière significative à améliorer la situation.

Remerciements

Je dois beaucoup aux personnes suivantes: Rejine et Andreas Bechtler, pour m'avoir accueillie dans leur magnifique propriété; le Carolina Raptor Center, pour avoir apporté des réponses à mes nombreuses questions; Kerry Reichs, ma fille et collègue auteur, pour ses incomparables compétences en recherche documentaire et en commentaires constructifs.

Les os du marais

Chapitre 1

Mars. Printemps timide. L'humidité de la Floride me donnait pourtant l'impression d'avoir débarqué de mon avion pour pénétrer sans transition dans un sauna. Pour la centième fois depuis l'atterrissage, je m'en voulais à mort d'avoir choisi les Everglades pour destination de vacances, même hors saison. Mes cheveux pendaient lamentablement comme pour me rappeler ce choix stupide.

À cet instant-là, je ne pouvais pas imaginer que cette coiffure triste et terne serait bientôt le cadet de mes soucis. Que mon lieu de séjour se transformerait rapidement en un univers macabre et terrifiant. Mais pour le moment, je crevais de chaleur et j'étais contrariée.

Le Daniel Beard Research Center avait été un centre de missiles durant la guerre froide, et il en avait gardé le charme militaire, malgré le flamant rose fluo rajouté sur sa façade. Grâce à cette couleur audacieuse, impossible de rater le logo du parc national. En passant les portes, j'ai applaudi des deux mains l'air conditionné. Mais, poussé au maximum, il m'a instantanément donné la chair de poule, rendant ma peau moite de sueur et ma queue de cheval encore plus moche.

J'ai traversé la zone réservée au public pour me diriger vers l'accueil des professionnels. Derrière un bureau miteux, une femme ne m'avait pas lâchée du regard. Des cheveux pâles, un visage pâle, des lèvres rosées. Elle arborait la mine austère propre aux gens qui prennent leur rôle très au sérieux. Le South Florida Natural Resources Center nécessitait donc un contrôle d'accès aussi strict ?

83

— Dr Tempe Brennan, ai-je déclaré sur le ton le plus enjoué possible. Je viens voir le Dr Robbin.

— Je ne vous ai pas sur ma liste de visiteurs.

Elle ne m'avait pas quitté des yeux, pas même pour consulter sa fameuse liste.

J'ai affiché mon sourire le plus charmeur. Sans aucun effet.

J'ai continué à sourire obstinément jusqu'à ce qu'elle craque.

— La dame aux oiseaux est dans le labo B.

Elle a brandi une planchette à pince. Après avoir signé et fixé une petite caméra pour la photo, j'ai obtenu mon badge de visiteur. J'ai emprunté un couloir, sentant dans mon dos le regard du cerbère de l'accueil. Une signalétique en forme de flèches indiquait le laboratoire B. Une fois devant, j'ai aperçu à travers un hublot une petite brune penchée sur une table en acier inoxydable.

J'ai cogné au hublot : la femme a relevé la tête et m'a regardée en plissant les yeux. M'ayant reconnue, elle a abaissé son masque, découvrant un large sourire. Était-elle heureuse de me voir ou juste amusée par mon apparence lamentable ? Elle m'a fait signe d'entrer d'une main gantée.

Le labo sentait le ranci et les produits chimiques. Une odeur familière qui m'évoquait davantage le boulot qu'une plage ensoleillée. Heureusement, je ne restais pas — juste un petit détour pour récupérer les clés de la maison de mon hôtesse. Le dernier roman de Jodi Picoult était rangé dans le sac de plage au fond de mon bagage à main. Adieu bottes d'hiver et vive les sandales.

— Tempe !

Lisa Robbin m'a serrée affectueusement contre elle, ce qui équivalait à plaquer sa tête quelque part sur mon abdomen. En retour, j'ai fait ce geste maladroit de lui tapoter l'épaule, typique des personnes peu portées sur les grandes embrassades chaleureuses.

— Désolée, je ne pouvais pas venir te chercher à l'aéroport comme je te l'avais promis. Je sais que c'est chiant de se taper tout le chemin en taxi jusqu'ici. Mais je viens de recevoir un nombre record de paquets.

Lisa a désigné de la main la table d'examen où étaient disposés sept morceaux ressemblant à des animaux tués sur la route.

Le docteur Lisa Robbin se passionnait pour les oiseaux, leurs comportements ; c'était sa vocation. Pionnière en matière d'ornithologie médico-légale, elle dirigeait un labo spécialisé dans l'identification des plumes au Smithsonian, la célèbre institution de recherches scientifiques basée à Washington. Nous nous étions rencontrées sur une affaire complexe au sud du Texas. Un autocar transportant, entre autres, un trafiquant en oiseaux exotiques et son butin avait eu un accident. Il avait plongé d'une falaise et explosé au fond du ravin. Tous les passagers sans exception étaient morts brûlés vifs. Je m'étais occupée des os humains et Lisa des serres et des becs.

Cette collaboration n'est pas aussi étonnante qu'elle en a l'air. Notre boulot à Lisa et à moi, c'est d'analyser les cadavres qui sont bien trop décomposés pour être soumis à une autopsie classique. Dans son cas, on parle de nécropsie, car ses sujets d'étude ne sont pas humains. Nous travaillons sur des corps réduits à l'état de squelette, ou momifiés, décomposés, démembrés, mutilés et, dans l'affaire de l'autocar, brûlés.

En tant qu'anthropologue judiciaire, ma spécialité, c'est le squelette. J'étudie les os d'êtres humains visuellement non identifiables et non reconnaissables. Je recherche des indicateurs d'âge, de sexe, de race et de taille. Je traque les anomalies et les particularités. Tout élément qui fournirait un nom aux restes étudiés et, le cas échéant, une indication sur la façon dont est morte la personne et le moment de son décès. Franchement, je ne sais pas comment Lisa s'y prend avec ses oiseaux.

Nous avions travaillé ensemble autour des victimes de cet autocar, en s'échangeant des bouts d'os : elle me donnait les os humains, je lui tendais ceux des oiseaux. J'appréciais cette fille. Après être rentrée en Caroline du Nord, et elle, à son domicile de Washington D.C., nous avions maintenu le contact sur le mode « qui se ressemble s'assemble », en tant que femmes isolées dans un environnement professionnel essentiellement masculin.

— Je suis si contente de te voir ! s'est-elle exclamée en inclinant la tête avec vivacité, tel un moineau frétillant. Nous en avions parlé, mais je me demandais si tu trouverais le temps de me rendre visite.

Pourtant ma conception de véritables vacances se résume à trois éléments : l'eau transparente des Bahamas, la brise océane, une plage de sable fin. Mais l'invitation réitérée de Lisa était arrivée dans ma boîte de courriels en pleine tempête. D'abord une dispute avec le directeur du département à l'UNCC. Ensuite une engueulade avec un procureur irascible au sujet de mon rapport sur la victime d'un homicide. Des problèmes de digestion concernant Birdie, mon chat, ce qui avait entraîné d'autres problèmes, à savoir changer la moquette du salon. Et pour finir, la courroie de distribution du moteur de ma Mazda avait pété en plein embouteillage.

Alors que je respirais les délicieux effluves de l'autoroute 77 en attendant le remorquage de ma voiture, j'enrageais tellement que j'avais commencé à magasiner des séjours à l'aide d'une application mobile de mon iPhone. Leçon numéro un, on ne devrait jamais réserver ses vacances quand on est exaspérée. Parce que c'est comme ça qu'on se retrouve dans des marais infestés de sangsues au lieu d'une plage déserte où viennent s'écraser les vagues de l'océan.

— Allez, Lisa, vends-moi du rêve, ai-je ironisé (à moitié). J'ai hâte de découvrir les prédateurs de ces marécages.

— Détrompe-toi, Tempe, a-t-elle rétorqué, les Everglades, c'est génial ! Il y a une belle diversité d'oiseaux indigènes. Ils sont magnifiques…

J'étais sûre d'améliorer ma connaissance des oiseaux de Floride dans les prochains jours. Cependant, j'ai songé que ma vie aurait bien pu se poursuivre à merveille sans cela.

— Je t'ai organisé plein de trucs extra ! (Lisa gazouillait presque.) Et quand je serai obligée d'aller au boulot, je te laisserai ma voiture pour te balader.

— Hé, je croyais que vous vous la couliez douce ici, contrairement à Washington, ai-je commenté en laissant glisser à terre mon sac de voyage.

Elle s'est esclaffée.

— Je suis venue en Floride pour m'éloigner de l'humidité de Washington D.C.

— Tu plaisantes ?

— Bien sûr. J'ai sauté sur l'occasion de pouvoir m'occuper d'autres choses, et pas uniquement du risque aviaire.

— Le risque aviaire ? La lutte contre la propagation de la grippe aviaire ?

— En aéronautique, c'est le terme employé pour désigner le risque de collision entre des oiseaux et les avions.

— Aïe.

Elle n'a pas goûté ma piètre pointe d'humour.

— Les pauvres oiseaux ne sont jamais gagnants à ce petit jeu.

— Et moi qui croyais que tu recensais les plumes de nos volatiles pour les collections d'anthropologie du Smithsonian.

— Identifier et répertorier les plumes présentes sur des masques anciens ou des parures amérindiennes ne constituent qu'un modeste pan de mes missions. Le labo d'analyse des plumes a passé plusieurs accords avec des organisations gouvernementales telles que la Federal Aviation Administration, l'Air Force ou encore la Navy. La majeure partie de notre boulot porte sur le risque aviaire.

— Ça se produit si souvent ?

Ne pas oublier d'ajouter l'oiseau kamikaze à la liste toujours plus longue de mes phobies en avion.

Elle a hoché la tête en signe d'acquiescement.

— Ce sont des oiseaux qui ont envoyé le vol US Airways 1549 dans le fleuve Hudson, à New York. Imagine-toi que même un pionnier de l'aviation comme Wilbur Wright a vécu un cas de risque aviaire. L'an dernier, notre équipe a traité plus de 4 500 échantillons, soit 18 par jour, et cette moyenne grimpe au printemps et à l'automne dès que démarrent les grandes migrations.

— Mon Dieu, comment tu t'en sors ?

Elle a désigné les paquets.

— On part d'échantillons plus petits. Il est d'ailleurs rare que nous ayons des corps entiers. Parfois, je récupère juste un tas de plumes ou quelques os, mais le plus souvent mon échantillon n'est rien d'autre qu'une grosse salissure ramassé sur la carlingue d'un avion, un amalgame de chair et de sang. À partir de ces restes, le catalogage est rapide, une heure à peine. Pour les analyses ADN, on sous-traite à un labo.

— Et à quoi vous voulez en venir ?

— Si nous pouvons déterminer quelles espèces sont en cause, un terrain d'aviation peut s'adapter.

— Comment ça ?

— En déplaçant une mare, en cessant d'ensemencer un champ de luzerne, bref, en faisant tout ce qu'il faut pour rendre les environs de l'aérodrome moins attrayants pour ces espèces-là. Puisque la plupart des risques aviaires surviennent au décollage et à l'atterrissage, gérer les abords des pistes peut grandement contribuer à diminuer les risques.

— Combien il y a d'aéroports dans les Everglades ?

— Aucun qui me concerne. Je suis ici pour travailler sur un projet différent.

Mon visage a dû montrer mon étonnement.

— Dans les marais, les oiseaux sont des victimes, pas des criminels. (Elle a à nouveau indiqué les restes.) Les Everglades ont un gros problème avec le python birman.

— Des pythons ? Tu veux dire ces grands serpents terrifiants ? (Je n'irai pas jusqu'à prétendre que j'ai la phobie des serpents, mais c'est pas trop mon truc. Mouvements lents et sinueux. De petits yeux effrayants. Vous ne pouvez pas faire confiance à un animal qui ne cligne pas des paupières.) J'ignorais que des pythons vivaient en Floride.

— Ils ont été introduits récemment. Beaucoup se sont enfuis dans les marais en 1992 au cours de l'ouragan Andrew. Il a balayé la ville de Homestead, haut lieu pour les éleveurs et importateurs de serpents. C'est dans ce coin que j'habite, à propos, la banlieue sud de Miami. Principalement agricole, elle s'étend entre le parc national des Everglades et le parc national de Biscayne.

— Au moins, ce n'est pas dû à des propriétaires débiles qui relâchent leurs bêtes dans la nature.

— Mais c'était ça aussi, figure-toi. Y a des crétins pour s'imaginer que les serpents, c'est mignon, et qui prennent des bébés pythons comme animal de compagnie. Mais quand bébé atteint un mètre quatre-vingts, il n'est plus aussi mignon. Le propriétaire désenchanté s'en débarrasse dans les marécages. Super environnement pour le python, mais pas terrible pour la faune des Everglades.

J'ai scruté les fameux paquets. OK. Les morceaux étaient sans doute un peu plus gros que ce qu'un moteur d'avion laisserait derrière lui.

Lisa a poursuivi son exposé.

— Puisque le python birman risque de devenir le prédateur numéro un de la région, les services du parc ont demandé de l'aide pour l'identification des espèces d'oiseaux qui seraient en danger.

J'ai reporté mon attention sur les masses desséchées sur la table.

— Tu es en train d'examiner le contenu de l'estomac d'un python, c'est ça?

— De douze pythons, pour être exact.

— Ça fait beaucoup de serpents morts.

— Le parc national organise des battues pour les tuer. Ils essaient de régler le problème.

— Tu procèdes à une nécropsie de chaque serpent?

— Non, pas moi. C'est le travail du Dr Aaron Lundberg, qui est biologiste ici. C'est un grand spécialiste de la faune. Par ailleurs, il est garde forestier. Je me contente, en tant qu'experte en ornithologie, d'analyser les contenus de l'estomac, parfois ce qui se trouve dans une section de leur intestin.

— Et qu'est-ce que Lundberg espère apprendre?

— Tout. Croissance, santé, régime alimentaire, habitudes de reproduction. Mois, je me concentre sur leurs casse-croûtes de prédilection.

De ses doigts gantés, elle a délicatement ouvert en deux une des plus petites boules. Outre un bec, une serre, rien de solide. C'était juste un entrelacs de plumes et de poils.

— C'était un tantale d'Amérique, un grand échassier dont le nom latin est *Mycteria americana*. Debout, il mesure environ un mètre dix, avec une envergure comprise entre un mètre cinquante et un mètre soixante-cinq. Il s'agit d'une espèce en voie de disparition.

— *Jesus.*

— Un python birman adulte mange une fois par mois, puis il s'enroule pour entamer sa digestion. Son métabolisme agit rapidement et fait le reste.

— Ce qui signifie que tu retrouves rarement des os?

— Exact, à moins que le serpent soit tué juste après avoir ingéré sa proie. Je compte principalement sur les plumes.

Je me suis approchée pour un meilleur examen.

— Je ne vois aucune plume dans celui-là.

— Les oiseaux possèdent deux types de plumes : les plumes de contour, ou pennes, qui constituent la couche extérieure, et en dessous, les plumes de duvet. Je suis obligée de les examiner au microscope pour les étudier. Elles portent des caractéristiques spécifiques qui permettent l'identification. La quantité de pigments allouée à la coloration, leur forme, les types de larves qui vivent dans leur plumage. Ces différences dans la microstructure des plumes vont déterminer l'espèce de l'oiseau. Cela me demandera un peu de travail, mais je trouverai qui est ce poussin.

— Je n'en doute pas.

Lisa a scruté la pendule murale.

— Encore dix minutes et j'aurai fini. Je ferai ensuite une pause pour t'amener à bon port. (Elle a levé son pouce en direction de la hotte.) Je garde les cas les plus faciles pour la fin. Ceux-là ne sont pas si gros, mais il y a plus de matière. Littéralement. De la chair, des plumes, des os. Regarde, si tu veux.

Tandis que Lisa allait décortiquer ses paquets sur la table d'examen, je me suis dirigée vers la hotte. L'odeur de putréfaction y était plus intense. Cinq spécimens étaient alignés par ordre chronologique. Chacun portait une étiquette avec un numéro de site, le nom et les coordonnées GPS du lieu de la découverte.

Ces masses étaient moins homogènes et moins suintantes que les morceaux de la table. Dans certaines, je distinguais des plumes et des petits bouts d'os. Dans l'une d'elles, une queue très fournie. À l'aide d'une pince, j'ai retiré un os d'un paquet portant la référence 1032-27 BIG CYPRESS, du nom de la réserve nationale située à l'ouest de Miami. OK. Celui-là, un raton laveur. Le suivant était un renard. J'étais contente de moi.

— Je vais te présenter à Aaron tandis que tu es là. (Sa voix était étouffée par le masque.) C'est un sacré personnage.

— La seule chose que j'aimerais qu'on me présente, c'est un bon gros hamburger.

Je mourais de faim, je n'avais rien avalé depuis mon départ de la maison pour l'aéroport de Charlotte, soit cinq heures plus tôt.

Je suis passée au 1976-32 BOGGY KEY, du nom d'une des îles de l'archipel des Keys. Un unique fragment d'os que j'ai reconnu comme étant celui d'un oiseau.

La quatrième carcasse était celle d'une biche. Bon sang, ce serpent-là était ambitieux.

Le dernier ensemble était largement plus avancé du point de vue de la décomposition. Il puait par conséquent quatre fois plus. J'ai retenu ma respiration en me penchant sur le 4715-59 HARDWOOD HAMMOCK. Les restes étaient constitués de plumes noires et d'un bec de rapace. Sans doute un vautour.

Alors que je me redressais à cause de l'odeur insupportable, un minuscule fragment d'os a attiré mon attention. L'axe ne correspondait pas à celui d'un oiseau, les proportions ne collaient pas non plus.

Non, ce n'était absolument pas un os d'oiseau. Les surfaces articulaires m'étaient familières.

Mon rythme cardiaque s'est emballé.

Quoi ?

J'ai écarté le tas de chairs et de plumes avec une sonde. Cette chose putréfiée avait autrefois été un oiseau. Dans son estomac, j'ai remarqué des éléments non digérés. D'autres os. Mon inquiétude est montée d'un cran.

— J'ai presque terminé ! a gazouillé Lisa.

Avec une fine pince, j'ai saisi les os et je les ai mis de côté en un amas.

Bouche bée, je les ai fait rouler d'un côté, puis de l'autre, en notant des détails anatomiques.

Une giclée d'adrénaline a déferlé dans mes veines.

Chapitre 2

Ainsi ont commencé ces vacances qui n'ont jamais été des vacances. Je me voyais déjà avec masque et tuba en train d'explorer la baie de Biscayne. Or, en écoutant ce que j'avais à lui dire, Lisa m'avait fait jurer de demeurer dans les parages jusqu'à ce qu'elle ait transmis cette affaire à la police.

Habillée de la minuscule blouse blanche appartenant à Lisa, je ressemblais à un épouvantail surdimensionné. Le vêtement m'arrivait à mi-cuisses et à mi-bras. Le comptoir avait été complètement débarrassé à l'exception du paquet 4715-59 HARDWOOD HAMMOCK. La carcasse de l'oiseau reposait à un bout, ma macabre découverte à l'autre.

Une fois encore, Lisa et moi étions positionnées en fonction de notre domaine de compétences respectif, et chacune tendait à sa voisine ce qui lui revenait. Sous mes yeux, je voyais peu à peu se former le squelette d'un pied humain. Huit phalanges, trois métatarsiens, un fragment de calcanéum et une partie de l'os cunéiforme. J'estimais en avoir récupéré un bon tiers.

— Tiens, voici le dernier, m'a déclaré Lisa en me donnant un autre morceau, extrait du gosier de l'urubu à tête rouge. C'est incroyable de voir qu'un métatarsien ressemble à s'y méprendre à un tarso-métatarsien de *Cathartes aura*.

— Et on dirait que ces vilains garçons possèdent un appétit digne d'Hannibal Lecter !

— Et la puanteur des chaussures d'un ado.

Je n'ai pas relevé la blague de mon amie. Un mal de crâne s'est ajouté à ma fringale. C'était injuste, mais j'ai rejeté la cause de tous mes malheurs sur les Everglades.

J'agençais correctement les os du pied lorsque trois hommes sont entrés dans la pièce. Les renforts que nous attendions étaient enfin arrivés. Des effluves de sueur mâle les ont accompagnés, supplantant en intensité la nauséeuse odeur de cadavre.

Le plus costaud des trois portait un uniforme brun orné d'un macaron de la police de Miami-Dade. Son badge sur sa chemise indiquait son nom : T. Yellen. Ce badge était doré, ce qui précisait son grade : sergent ou au-dessus. Son atroce moustache dénotait une nostalgie douteuse pour les années 1970, et son petit ventre rond, une dépendance au fast-food.

Les deux autres étaient vêtus de la tenue kaki réglementaire des gardes forestiers. L'un, coiffé de travers, n'était pas très grand. Il avait les yeux cernés et des lunettes rectangulaires à monture argentée. Je l'imaginais sans peine se promener en Birkenstocks et chemise hippie dans un marché de petits producteurs avec, en bandoulière, le sac en toile d'une épicerie bio. J'ai supposé que j'avais affaire au biologiste qui travaillait avec Lisa, le Dʳ Aaron Lundberg.

Son acolyte était très bronzé et très soigné de sa personne. Son comportement ne laissait aucun doute sur la haute estime qu'il avait de lui-même. Son uniforme lui allait à ravir, et le badge sur sa poitrine l'identifiait comme Scott Pierce, officier de police relevant du ministère américain de l'Intérieur, en charge du parc national des Everglades.

Lundberg, le biologiste, et Yellen, le shérif, se chamaillaient et, visiblement, cela durait depuis un bon moment.

— Mais les pythons n'attaquent pas les hommes, martelait Lundberg, agacé, comme s'il avait déjà répété son argument encore et encore.

— Merde, Aaron ! Ton amie affirme qu'elle a examiné un python de cinq mètres cinquante avec des restes humains dans l'estomac. (Yellen, visage cramoisi, semblait vraiment inquiet.) Depuis que tous ces damnés événements ont commencé, je redoutais un jour comme aujourd'hui.

— Rien n'est arrivé, a insisté Lundberg.

— J'ai vu de mes propres yeux ces monstres s'enfiler des alligators de cinquante kilos et des chevreuils. Sûr et certain qu'ils seraient capables d'avaler l'un d'entre nous.

Yellen avait l'air d'en avoir assez de cette controverse.

— Les chances qu'une telle chose se produise sont insignifiantes comparé à celles de gagner le gros lot et de se faire foudroyer en même temps.

Lundberg a remonté ses lunettes de son index. Elles ont immédiatement glissé sur l'arête de son nez.

— Les infos ressassent des histoires où des enfants ont été étouffés pendant leur sommeil, a contre-attaqué Yellen.

Lundberg a repris la parole en détachant chaque syllabe, tel un enseignant s'adressant à un élève un peu limité.

— Ce sont des accidents où des serpents vivants chez des particuliers se sont échappés de leur cage et se sont jetés sur la première proie venue. Dans la nature, on n'a recensé que cinq ou six cas d'attaques de pythons envers des êtres humains. Et un seul s'est soldé par une morsure. Aucun cas de tentative d'étouffement.

— Écoute, un de ces salauds a bien essayé une fois de s'enrouler autour de moi.

Jusqu'à présent Pierce n'avait pas ouvert la bouche. Pareil à un spectateur à un match de tennis, ses yeux allaient de Lundberg à Yellen, et inversement. Il s'était calé, dos au mur, bras croisés sur la poitrine, pas vraiment heureux d'être témoin de cette dispute.

Yellen a salué Lisa.

— Alors, m'dame, c'est vous qui nous avez prévenus. Ce python a-t-il mangé quelqu'un?

— Les os du pied proviennent du vautour.

Trois paires de sourcils ont marqué la surprise.

— L'urubu à tête rouge a dévoré le cadavre. Le python a avalé l'urubu à tête rouge.

— Un oiseau a tué ce gars-là?

Plus perplexe que le shérif en cet instant, ça n'existait pas sur terre.

— Ou une fille, ai-je ajouté pour faire mon intéressante, mais tout le monde m'a ignorée.

— Les urubus à tête rouge font les poubelles, ce sont des charognards, a expliqué Lisa. Ils ne tuent pas leur proie, jamais.

— Comment un oiseau peut-il trouver un cadavre dans des marécages de plusieurs centaines d'hectares?

— Parce qu'il perçoit l'odeur de charogne, évidemment, a-t-elle répliqué.

Yellen a froncé les sourcils, mains sur les hanches, avec un air dubitatif.

— Je résume : l'oiseau mange la victime, le python mange l'oiseau. Et on tire à la courte paille pour savoir qui sera ensuite mangé ?

Le sort tomba sur le plus jeune, ai-je chanté mentalement. Pas mal, shérif.

— Nom de Dieu ! C'est un vrai cauchemar juridique, cette affaire. Entre ceux qui volent et ceux qui rampent, comment diable savoir où a pris naissance tout ce bordel ? Ça pourrait être à Dade, Collier, Broward ou Monroe. (Yellen avait prononcé le dernier nom en appuyant sur la première syllabe du comté.) Ça pourrait être un des gardes du parc.

Pierce a pris la parole pour la première fois :

— Le serpent a été attrapé près de Hardwood Hammock, autrement dit en dehors des limites du parc national. Au sud de Broward, dans Metro.

Il avait utilisé le jargon — Metro — pour désigner le comté de Miami-Dade.

— Donc c'est moi le chanceux, c'est ça ? a déclaré Yellen.

— Tom, ça tombe dans votre juridiction, mais, étant donné que c'est une scène de crime mouvante, les services du parc vous accorderont leur entière coopération.

Les mâchoires de Yellen se sont crispées.

— Qui a décrété que nous avions un meurtre sur les bras ? Ce foutu pied pourrait tout aussi bien provenir d'un cimetière.

— Impossible, est intervenue Lisa, les urubus à tête rouge ne s'intéressent qu'aux cadavres récents. Bien qu'ils soient capables de patienter jusqu'à ce que la peau ramollisse afin de faciliter sa consommation, ils évitent la viande putréfiée. La victime n'était pas morte depuis longtemps quand les vautours l'ont dévorée.

Lundberg a pâli, puis dégluti.

— Quant au python, son repas ne datait que d'un jour ou deux avant sa capture. Le vautour était à peine digéré.

— Doucement, hein, les gars ? (Yellen a brandi ses deux paumes vers l'avant comme pour repousser un ennemi invisible.) Il n'y a toujours aucune raison de conclure à un crime violent. C'était peut-être une chute, une noyade, une crise cardiaque. Les gens meurent d'un million de façons possibles.

— C'est un homicide, ai-je affirmé.

Enfin, tous les visages se sont tournés vers moi.

— Et vous êtes…? s'est enquis Yellen en m'examinant de haut en bas, peu emballé par mes cheveux ternes et ma blouse trois tailles trop petite.

— Dr Temperance Brennan.

— Le docteur Brennan est une anthropologue judiciaire de Caroline du Nord, a renchéri Lisa. Elle a détecté les os humains.

— Tom Yellen, s'est-il présenté en me tendant une main dodue. Je suis le shérif du district Miami-Dade Hammocks.

— Je suis une collègue de Phil Evans.

J'avais cité le nom de l'anthropologue judiciaire du comté de Miami-Dade que je connaissais grâce à l'American Academy of Forensic Sciences, une de nos associations professionnelles.

— Vous *étiez* une collègue, a-t-il rectifié. Evans est mort le mois dernier. Crise cardiaque.

Jesus! En fait de diplomatie, cet homme battait tous les records! Ne sachant quoi rétorquer à cette tragique nouvelle, je me suis murée dans le silence.

— Et vous, vous êtes…? a questionné Yellen en regardant Lisa.

— Dr Lisa Robbin, ornithologue. Je travaille pour le Smithsonian et j'assiste le Dr Lundberg dans ses recherches sur les pythons.

— Je vois, je vois. Revenons-en au pied. Qu'est-ce qui vous incite à croire que c'est un meurtre?

À l'aide de ma sonde, je leur ai montré le fragment de calcanéum et l'os cunéiforme.

— C'est le tarse. Les os du tarse s'articulent au niveau de la cheville, en haut avec le tibia, et, en bas, avec le pied.

J'avais simplifié à l'extrême.

— La cheville?

— Vous pouvez la définir comme ça, oui. (Toujours avec ma sonde, j'ai désigné les stries et les entailles sur les surfaces

96

de chaque os tarsien.) Ces marques ont été réalisées par une tronçonneuse.

Grand mutisme circonspect parmi l'assistance. Yellen l'a brisé.

— Vous êtes en train de nous expliquer que ce pied a été scié à la tronçonneuse ?

— Oui.

— Pourquoi ?

— Je n'ai pas de réponse à cette question.

— Vous êtes sûre ?

— Que je ne peux pas répondre ?

— Non ! Qu'il a été scié !

— Je suis catégorique.

— Doux Jésus, c'est une blague ? J'ai un pied scié qui a été avalé par un oiseau, lui-même avalé par un serpent, et pas le début d'une piste pour déterminer où le crime a eu lieu, ni qui est la victime…

— Était, a précisé Lisa.

Nouveau silence. Cette fois, c'est moi qui l'ai brisé.

— On peut apprendre beaucoup de choses à partir d'un pied.

Yellen m'a dévisagée.

— Bien que je ne puisse établir le sexe sans l'analyse ADN, je peux cependant vous dire que ces os et attaches musculaires de taille modeste et pas très robustes suggèrent une victime de sexe féminin. Certainement, une femme plus petite que la moyenne.

— Est-ce que ça pourrait être une fillette ? a demandé Pierce.

Des enfants bouffés par des serpents : pas terrible comme campagne publicitaire pour le parc.

J'ai attrapé le troisième métatarsien.

— Cet os montre clairement une fracture de fatigue.

— C'est pas une enfant, alors, a conclu Yellen.

Mon opinion sur le shérif est remontée d'un cran.

— Exact. Il existe deux catégories de fractures du métatarse. L'une, aiguë, causée par un atterrissage au sol violent ; l'autre, la fracture de fatigue, ou de stress, due à la surutilisation des pieds. Si les muscles sont trop sollicités, ils ne peuvent plus absorber les chocs d'impacts répétés, ils ne remplissent plus leur rôle. Ça cause des lésions dans les tissus osseux, c'est-à-dire une fracture. (Je simplifiais à l'extrême, mais cela me paraissait nécessaire dans ce contexte.) La fracture de stress la plus courante est celle liée à une activité physique intensive et répétitive qui sollicite les pieds, comme le jogging. C'est pour cela qu'il est très rare d'en observer chez l'enfant.

— Alors, quelle serait votre estimation de l'âge de la victime ?

— Je suis ennuyée pour vous fournir une estimation parce que je n'ai principalement que des phalanges. De l'orteil. Ce n'est pas assez.

— Je vois, je vois, a marmonné Yellen en m'invitant d'un geste à continuer.

— J'aurais besoin de faire des radios, mais ce que je peux déjà vous dire, c'est que la qualité de l'os est saine, et qu'il n'y a aucun signe d'arthrose au niveau des articulations, ni de trouble du modelé osseux. Et je ne note aucun indice de fusion de l'épiphyse récente. (Je faisais référence à l'extrémité des os longs, constituée de tissus spongieux.) Ces éléments, considérés dans leur ensemble, suggèrent que nous avons affaire à un jeune adulte.

— C'est-à-dire ?

— Je dirais quelqu'un entre vingt et trente ans. Une femme active et petite de taille, qui ferait peut-être de la course à pied.

L'expression sur le visage de Yellen a changé. Cette description lui rappelait-elle quelque chose ? Avant qu'il puisse s'exprimer, son cellulaire a sonné. Il est sorti de la salle pour prendre l'appel.

— J'ai procédé à toutes les mesures des os qu'il m'était possible de réaliser, ai-je ajouté en ôtant mes gants, avant de les balancer dans la poubelle à déchets contaminés. Grâce à l'aide du programme Fordisc, on pourra compléter l'évaluation du sexe et de l'âge. Mais, étant donné ce que j'avais pour travailler, les résultats ne devraient pas trop varier.

Lundberg et Pierce demeuraient muets comme des carpes.

— On se retrouve chez toi ? ai-je suggéré à Lisa.

Avant qu'elle ait le temps de me répondre, Yellen est revenu d'un pas martial, le visage inquiet. Puis il m'a regardée fixement.

Chapitre 3

L'hydroglisseur bondissait sur l'eau. Je m'étais cramponnée comme une folle à mon siège en me demandant encore comment j'avais pu accepter de les suivre dans cette excursion. Yellen, Lundberg et Pierce étaient présents, et un policier en uniforme manœuvrait l'embarcation.

Le coup de fil reçu par Yellen l'avait alerté de la découverte d'autres restes humains. J'avais pourtant bien expliqué les raisons de ma présence en Floride — des vacances — et ajouté que je ne m'étais arrêtée au labo de Lisa que pour récupérer les clés de la maison. J'avais presque failli exhiber mon bikini et le roman de Picoult comme pièces à conviction. En vain.

Yellen avait balayé mes objections une à une. Il avait un cadavre démembré sur les bras. Evans, son anthropologue judiciaire, avait rendu l'âme, et moi, j'étais bien vivante. Avant que je comprenne ce qu'il se passait, j'étais mandatée pour assurer l'intérim.

Lisa avait profité qu'on m'emmène faire un tour en bateau pour filer manger. Mon estomac, lui, criait famine, et tout le monde s'en foutait.

Notre hydroglisseur était une embarcation à fond plat en aluminium, six sièges, plus un siège surélevé pour le conducteur. Derrière lui, un moteur qui actionne une énorme hélice aérienne, entourée d'une structure grillagée. En gros, ça ressemble à un gigantesque ventilateur de bureau.

— Dans les Everglades, a hurlé Lundberg près de mon oreille, on est obligé de se déplacer en hydroglisseur, parce que c'est impossible d'avoir un moteur immergé dans des eaux aussi peu profondes.

J'ai acquiescé d'un hochement de tête, peu désireuse de crier à mon tour pour lui répondre. Même avec le silencieux, l'hélice faisait un boucan d'enfer. Le bon côté de la chose, c'est que personne n'entendait mon ventre gargouiller.

— On appelle ça le marécage de la Shark River, a-t-il poursuivi en pointant le paysage devant nous. C'est le principal bassin qui approvisionne en eau le parc national, et il s'étend à la fois à l'intérieur et à l'extérieur du parc. Vous avez sans doute entendu son autre appellation : la rivière d'herbe.

Non, je n'avais jamais entendu ce nom, mais c'était bien trouvé. L'étendue de hautes herbes aux couleurs brun-vert s'étalait à perte de vue, avec, çà et là, une voie navigable serpentant à travers elle. Le ciel était d'un bleu aussi limpide qu'en Caroline, avec en plus ici une kyrielle de cumulus éparpillés le long de la ligne d'horizon.

Libre de toutes contraintes, notre bateau filait à grande vitesse à travers la végétation. Malgré la tâche sordide qui nous attendait, je me régalais de cette sensation enivrante de quasi voler au-dessus des flots.

— On se dirige vers Hardwood Hammock, a commenté Lundberg qui se prenait pour mon guide attitré. C'est au nord des limites du parc des Everglades, là où se déroule la chasse.

— La chasse ?

Cette info a retenu toute mon attention.

— Oui, le Python Challenge. C'est une compétition organisée par les services de conservation de la faune et de la flore de Floride. On remet des prix pour le plus de serpents tués, pour le plus long, etc., ce genre de chose.

Yellen, à ma droite, en entendant notre conversation, a secoué la tête.

— Ouais, une idée sans doute tout droit sortie du cerveau embrumé d'un accro aux jeux vidéo. Pfff.... Ces gens ont douze ans d'âge mental !

Au moins, sur ce point, les deux hommes semblaient d'accord.

— Cette chasse dure un mois, a précisé Lundberg, et attire des participants de tous les coins des États-Unis — cette année, plus de six cents ! Deux catégories se côtoient, des chasseurs professionnels d'un côté et, de l'autre, n'importe qui en mesure de payer vingt-cinq dollars et de prendre la pose pendant une demi-heure sur une vidéo. En 2013, professionnels et amateurs ont comptabilisé un total de soixante-huit serpents. La majorité a été tuée par les chasseurs.

J'étais étonnée du nombre de reptiles abattus. J'aurais cru qu'ils se seraient chiffrés par centaines.

— Mais combien il y a de pythons dans ces marécages ? ai-je crié.

— Deux mille cinq cents pythons birmans ont été découverts en Floride du Sud au cours de ces dix dernières années. Notre meilleure approximation établit une population actuelle de plusieurs milliers, voire de dizaines de milliers. Et malheureusement, ils se reproduisent à la vitesse grand V.

Holy shit.

— L'ironie de la situation, a-t-il poursuivi, est que le python birman est une espèce en voie de disparition dans son habitat d'origine, en Asie du Sud-Est, à cause du braconnage.

— Ben chez nous, c'est pas la pénurie !

Le commentaire lapidaire de Yellen a été emporté par le souffle rugissant de l'hélice.

— Ça, c'est sûr. Le gouvernement fédéral s'arrache les cheveux à tenter de juguler l'explosion de cette population dans la région. En 2012, le python birman a été ajouté sur la liste des espèces couvertes par le Lacey Act.

Devant ma mine interrogative, Lundberg a développé.

— C'est une loi fédérale utilisée par le ministère de l'Environnement pour contrôler, entre autres, les espèces envahissantes. Elle interdit tout commerce entre États, et toute importation de certains animaux, dont le python birman.

L'hydroglisseur a ralenti et j'en ai profité pour en placer une.

— À quoi est due leur prolifération si rapide ?

— Le python birman est une espèce généraliste, et donc capable de s'adapter à une variété d'habitats naturels. (Il jacassait à présent, libéré de la nécessité de crier.) Alors ils se reproduisent sans restriction. Le rendement de la reproduction est prodigieux, et les mères couvent leurs œufs, ce qui est inhabituel chez les serpents.

102

Voilà ce que j'ai cru comprendre, car le bateau ayant remis les gaz, les paroles de Lundberg se sont à nouveau perdues dans le vent.

— La femelle est aussi tatillonne qu'une prostituée unijambiste, a ironisé Yellen. Si elle décide que le mâle lui plaît, bang, reproduction assurée.

— Jusqu'à combien peuvent mesurer ces serpents ?

— Le python birman est le plus long d'entre eux. Dans la nature, la femelle peut aller jusqu'à cinq mètres cinquante et le mâle, quatre mètres trente. Mais en captivité, ils peuvent atteindre six mètres.

La faute à des repas réguliers, j'imagine. Plus très sûre de vouloir les rencontrer. Ni de savoir ce que deviennent leurs proies.

— Une équipe de contrôle de la qualité de l'eau est tombée sur un python de cinq mètres cinquante, a renchéri Yellen. C'est la seconde fois depuis le début de l'année. Ils l'ont sorti d'un canal dans le *hammock*, au nord de Tamiami.

— Dans le *hammock* ? ai-je répété, intriguée depuis le début par ce nom étrange.

— Harwood hammock est le nom générique donné aux zones de terre ferme dans le parc des Everglades, des sortes d'îles au sein du marécage. Le *hammock* fournit un habitat feuillu à quelques centimètres au-dessus du niveau de l'eau.

— C'est là qu'on va, a expliqué Pierce.

— Et combien mesure notre hydroglisseur, juste pour savoir ? ai-je insisté.

— Quatre mètres quatre-vingts.

Soit Lundberg n'avait aucun humour, soit il n'avait pas saisi ma petite blague.

— Vous avez bien dit tout à l'heure que les pythons n'attaquaient jamais les humains, pas vrai ?

Je souhaitais simplement entretenir la conversation, je n'avais aucune raison de m'inquiéter…

— On ne peut jamais dire jamais, a répondu Lundberg. (Une vraie girouette, ce gars-là.) La plupart s'éloignent de nous pour éviter les ennuis.

— Ah ouais ? Et que fais-tu du gars qui s'est retrouvé aplati comme une crêpe, le mois dernier ?

Lundberg, piqué au vif, a répondu du tac au tac à Yellen. Enfin, il a crié…

— C'est précisément la bêtise humaine dont je parlais! Le serpent avait été domestiqué. Voilà ce que ça donne quand on fait n'importe quoi. Le python birman est assez docile, ça fait de lui un bon animal de compagnie, même s'il *ne devrait jamais* le devenir.

— Tu reportes la faute sur la victime, maintenant?

— Les pythons ont un odorat très développé. La simple présence de boîtes de conserve les rend fous. Faut pas laisser un reptile de six mètres sortir de sa cage quand t'as un poulailler dans les parages! Ça le met forcément en appétit.

— Et dans la nature, ai-je demandé pour détendre l'atmosphère, qu'est-ce qu'il mange?

— Les pythons sont voraces et se nourrissent de ce qu'ils trouvent, je dois l'admettre. (Lundberg ne s'adressait qu'à moi, je comprenais maintenant pourquoi.) Ils consomment des mammifères à un taux alarmant, en particulier ceux qui cherchent leur nourriture près de l'eau. Quatre-vingt dix pour cent des populations de ratons laveurs et d'opossums ont disparu du parc national, surtout dans les régions les plus au sud où les pythons ont proliféré en premier. Quant aux lapins et aux renards, il n'y en a carrément plus.

Des petits lapins? Je commençais à être d'accord avec Yellen.

Lundberg n'a pas remarqué ma réaction de dégoût.

— Lisa a identifié vingt-cinq espèces d'oiseaux différentes dans les intestins des pythons, y compris une espèce en voie de disparition comme le tantale d'Amérique. Les mammifères et les oiseaux ne sont pas habitués à être chassés par le python, alors ils ne possèdent pas l'instinct de défense approprié.

— Parce que ces satanés pythons ne sont pas censés être là, lui a rétorqué Yellen.

— Pas plus que les touristes new-yorkais, a répliqué Lundberg, mais nous ne pouvons pas les empêcher d'entrer. Le problème, c'est que certains animaux pourraient tirer avantage de la situation, telles les tortues. Sans les ratons laveurs pour manger leurs œufs, on risque de se retrouver dans vingt ans avec une invasion massive de tortues.

— Les pythons n'ont donc pas de prédateurs ?

— Les alligators sont en mesure de les attaquer, sauf si les pythons ont déjà la gueule grande ouverte. On a des cas où l'alligator a perdu. Les deux animaux sont en concurrence pour le même type de proie.

— J'ai vu un python fendre en deux après avoir ingéré un alligator d'un mètre quatre-vingts, a témoigné Pierce.

— La seule créature qui peut réellement en venir à bout est l'homme, a renchéri Yellen.

— Et pourtant, vous n'êtes pas favorable à la chasse organisée, ai-je déclaré, intriguée.

Le shérif a secoué la tête comme si ce sujet le déprimait.

— Des *rednecks* qui tirent sur tout ce qui bouge dans le marécage ?

— On a droit à un vrai festival annuel de dégénérés ivres morts qui s'éclatent, a ajouté Pierce, bien d'accord avec Yellen.

— Si ces ploucs ne sont pas autorisés à chasser dans le parc, qui est le lieu de prédilection des pythons, c'est clair que le nombre de serpents tués sera ridicule.

La critique acerbe visait Lundberg, et le ton employé prouvait que leur divergence de point de vue n'était pas nouvelle.

Lundberg a argumenté avec véhémence.

— Ce que certaines personnes peinent à comprendre, c'est combien ces reptiles sont les rois du camouflage. Vous relâchez dans la nature un énorme python avec une traçabilité, et en deux secondes il devient invisible. Bien qu'expert, il m'est arrivé de me tenir à quelques pas d'un spécimen mâle de quatre mètres cinquante, à surveiller son émetteur, et pourtant à avoir du mal à le localiser.

J'en étais convaincue, jamais je ne voudrais d'un boulot comme le sien.

Le visage de Lundberg était cramoisi. Il ressemblait à un steak pas cuit.

— Les pythons birmans sont des chasseurs qui pratiquent la technique de l'embuscade. Ils peuvent rester un bon moment sous l'eau à guetter leur proie ou à se tapir parmi les broussailles, ou encore vont se laisser tomber de la branche d'un arbre. Ils frappent en un éclair, gobent leur gibier rapidement, puis vont se cacher quelque part pour digérer durant un mois. Même les herpétologistes aguerris ont des difficultés à les localiser. Alors quelqu'un qui n'y connaît rien, c'est même pas la peine d'y songer. (Lundberg a enfin croisé le regard du shérif.) La plupart des captures de serpents sont réalisées quand le reptile traverse une route, et les routes sont pas mal plus nombreuses *à l'extérieur* du parc qu'à l'intérieur. Et donc moins de faune sauvage protégée à tuer par erreur...

En conclusion, j'ai récapitulé mentalement : je ne patauge pas dans les marécages, je ne traîne pas sous les arbres, je ne me balade pas dans des broussailles trop hautes. Ne pas quitter l'hydroglisseur me paraît donc sage, sauf que je doute que ce soit possible.

— On y est presque.

Je me suis tournée dans la direction indiquée par le conducteur. À environ deux kilomètres, on apercevait une rangée d'arbres, une parmi d'autres qui filaient vers l'horizon.

— Nous sommes toujours dans les Everglades ? ai-je demandé.

— Cette bande de terre ne fait pas partie du parc national, a répondu Lundberg, c'est l'une des quatre zones où la chasse est permise.

L'hydroglisseur a ralenti et s'est arrêté à côté d'une autre embarcation plus délabrée. Les inscriptions peintes sur sa poupe étaient illisibles. Après avoir vacillé sur nos jambes, nous avons sauté sur la terre ferme.

Le passage du marécage aux petits arbustes, puis des petits arbustes à la forêt se faisait sans transition. En l'espace de quelques mètres le long du rivage, on a traversé des buissons et, tous en file indienne, suivi un sentier dans la forêt.

— Attention aux dolines, il y en a partout, a prévenu Lundberg en me montrant dans le sol des cavités profondes, certaines remplies d'une eau verdâtre.

La température avait chuté et l'humidité augmenté. J'ai levé les yeux ; je ne voyais plus que des petits carrés de ciel entre les branches et le feuillage entrelacés. Moi qui voulais éviter de me balader sous des arbres, c'était raté. Mais les serpents n'étaient plus ma préoccupation première. Des nuées de moustiques me pompaient des litres de sang. Les sangsues m'adoraient.

Au bout de cinq à six minutes, on a atteint une clairière au centre de laquelle se tenait un géant barbu, vêtu d'une tenue d'explorateur, style bush australien. À ses pieds, un alligator mort.

L'alligator n'était pas immense, mais quand même. Environ deux mètres cinquante d'une extrémité à l'autre. Dans sa gueule, un morceau de bassin humain. La chair avait pourri ; elle avait la couleur et la consistance de flocons d'avoine congelés. Le seul détail qui rappelait que cette vision d'horreur avait autrefois été un être humain était un nombril sur un bout de peau marbrée.

— Salut, Jordan, a lancé Yellen au géant qui lui a répondu par un hochement de tête avant de nous dévisager tour à tour.

— J'ai pas touché à rien depuis que je l'ai descendu et que j'ai vu ce qu'il avait entre les dents.

— Tu as bien fait de nous prévenir, a dit Yellen sans toutefois trop s'approcher. La dame, c'est un docteur spécialiste des os.

J'ai fait un pas en avant et tendu ma main.

— Tempe Brennan.

— Moi, c'est Dusty Jordan.

Il a essuyé son énorme paluche sur son pantalon kaki et a agrippé mes doigts qu'il a consciencieusement broyés.

— Que s'est-il passé ?

Il m'a regardée comme si je lui avais demandé la signification du mot « soupe ».

— Ben, je chassais le python. Je l'ai vu qui tirait un truc bizarre dans sa gueule...

— Il est vraiment mort ?

— Y vous fera pas de mal, a-t-il répondu sans remarquer mon allusion à une réplique des Monthy Python.

Je me suis accroupie pour observer de près le reptile. Pendant une bonne minute, magnifique bal bourdonnant des mouches et des moustiques.

N'y tenant plus, Yellen a explosé.

— Est-ce que c'est la même victime ?

107

— Pour ce que j'en vois, les caractéristiques du bassin sont cohérentes avec celles que j'ai observées sur le pied. (Une chose pourtant me troublait.) Un alligator mangerait-il quelqu'un de déjà mort ?

— Ouais, c'est sûr, s'est empressé de répondre Jordan, ce qui a agacé Lundberg.

— C'est exact, a renchéri ce dernier pour affirmer son point de vue de scientifique. Les alligators vont traîner leur proie pour la protéger des autres alligators, parfois pendant des jours.

Yellen a poussé un long soupir.

— Sainte mère de Dieu… Va falloir faire venir les techs en scènes de crime. Il se peut qu'il y ait des morceaux du corps éparpillés partout ici.

Pendant qu'il s'éloignait pour téléphoner, j'ai examiné le bassin sous un autre angle.

— J'estime l'intervalle *post mortem* à environ neuf jours. Ça colle avec les restes retrouvés dans le vautour.

Ou dans le python. Peu importe.

Un reniflement strident de l'alligator m'a fait bondir en arrière et je me suis retrouvée le cul par terre.

— Vous m'aviez dit qu'il était mort ! me suis-je exclamée sur un ton plus aigu que je ne l'aurais voulu.

Jordan m'a fixée comme si j'avais un QI de poisson rouge.

— J'ai dit qu'il vous ferait pas de mal. Je peux pas tuer un alligator sans l'accord de ces messieurs des Loisirs et de la Chasse. Le pauvre vieux, il est sur son territoire.

Je me suis éloignée lentement mais sûrement.

— Relaxez, m'dame. Il est sous tranquillisant. (Jordan a lancé un regard de conspirateur à Pierce, du style, *ah les femmes !*) Va pas se réveiller avant des heures.

— Vous êtes en train de me dire que je dois mettre ma main dans la gueule d'un alligator vivant ?

— Ouais…

Lundberg s'est interposé.

— L'anesthésie est une science qui comporte des incertitudes. On doit connaître le poids exact de l'animal pour un dosage fiable.

Jordan a toisé le biologiste d'un air supérieur.

— Si je dis que la bestiole est dans les vapes, elle est dans les vapes. (Silence de mort.) Bon. (Il a retiré un flacon de la taille d'une canette de Coke d'un sac en toile à moitié déchiré.) Kétamine et midazolam. Huit mille milligrammes. Convaincu ?

Lundberg a acquiescé d'un hochement de la tête.

— Ça devrait faire.

— Devrait ? (Je les ai regardés, l'un après l'autre.) Ça devrait faire, comme quand on parle de membres fantômes pour les amputés du bras ?

Sans un mot, Jordan a enfilé une paire de gants en cuir, s'est agenouillé et a ouvert tout grand la mâchoire du reptile. Il a tranquillement dégagé le bassin de la rangée de dents énormes et l'os est retombé sur le sol humide avec un *plouf* délicat.

Tous les yeux étaient braqués sur moi. L'alligator n'avait pas bougé d'un iota, sa gueule béante non plus.

Je me suis immédiatement approchée du bassin. Comme le pied, il était de taille réduite. Je discernais mieux ses caractéristiques. Les mêmes stries et entailles grossières réalisées par une tronçonneuse.

— Allez me chercher un sac, ai-je aboyé, submergée par des émotions contradictoires.

Lundberg s'est précipité. J'en ai retiré des gants à usage unique et une housse mortuaire. J'ai enfilé les premiers et déroulé la seconde. J'étais prête. Je me suis penchée au-dessus des os.

J'avais raison. C'était un segment de la partie basse du torse, incluant un bout de bassin et des tissus mous de la taille et de l'aine. Des lignes pointillées de blessures striaient les chairs, sans doute les marques de morsure de l'alligator.

Très doucement, j'ai passé mes mains sous le torse pour le transférer en un seul morceau dans la housse mortuaire. Une fois cela accompli, j'ai examiné l'intérieur de la gueule du reptile, non sans avoir jeté un regard à Jordan auparavant. Je voulais m'assurer qu'il lui maintenait fermement les mâchoires. J'ai ramassé tous les fragments d'os et de tissu mou qui provenaient du squelette de la victime. Recueillir des preuves entre les dents tranchantes comme un rasoir de ce prédateur, c'était jouer avec le feu.

Je m'apprêtais à en rester là, quand un éclat brillant a attiré mon attention. Puis il a disparu.

— Jordan, pouvez-vous lui écarter la mâchoire un peu plus ?

J'avais du mal à croire que je lui faisais une telle requête. Surpris, Jordan a tiré la tête de l'animal en arrière et a obéi. Grâce au ciel, la bestiole s'est montrée très coopérative. J'ai prié pour que ça dure.

Encore ce scintillement.

J'ai respiré un grand coup et, munie d'une pince chirurgicale prise dans le sac, j'ai déplié mon bras pour l'enfoncer jusqu'à l'épaule vers le fond de la cavité.

Un truc argenté était coincé dans l'arcade dentaire postérieure. Alors que je l'attrapais, le reptile a remué la queue. À droite, puis à gauche. Je me suis figée. Jordan a bloqué la tête de l'animal d'une clé de bras vigoureuse.

Je me suis dégagée rapidement en reculant, et j'ai brandi mon trophée avec fierté. Je l'ai examiné de plus près. Au bout de ma pince se trouvait un délicat dauphin en argent relié à une boucle par une courte chaînette. Une particule de chair pourrie était collée sur la queue du mammifère.

Un piercing. Un anneau de nombril, sans le moindre doute.

Mon moment de gloire a été bref.

J'ai relevé la tête et croisé le regard horrifié de mes quatre compagnons.

Chapitre 4

Kiley James était une spécialiste de la chasse aux pythons. C'était aussi une ancienne marathonienne, petite et athlétique. Tout le monde l'adorait. Sauf une personne, visiblement.

Ce n'était pas une identification fiable à 100 %, mais mes camarades, eux, en étaient certains. Ils avaient reconnu son piercing. Leur tristesse était palpable.

On est remontés sur l'hydroglisseur dans un silence solennel, et on a foncé vers l'est. Ce n'était pas du tout une affaire pour le South Florida Natural Resources Center. Yellen avait reçu l'ordre de transporter le torse jusqu'à la morgue du comté de Miami-Dade, et il devait s'y rendre directement avec moi.

L'hydroglisseur a abordé la rive non loin de l'autoroute 997. On s'est assis sur un quai vétuste pour attendre la fourgonnette du médecin légiste qui venait nous récupérer.

— C'était une fille super, parmi les meilleurs.

Pour une fois, Lundberg paraissait abattu.

— On ne peut pas être certain de l'identité de quelqu'un juste à partir d'un bijou.

Je ne cherchais pas à susciter de l'espoir, je cherchais à rationaliser la situation.

— La petite aimait les chandails bedaine, a commenté Yellen sur un ton laconique.

J'ai écrasé un moustique. Loin de moi l'idée de dire du mal des morts, mais exposer son ventre dans cet habitat me semblait débile. Je me suis réprimandée. Les faits avant les conclusions. Il fallait que je cesse de croire que James était notre victime.

Notre groupe s'était scindé. Yellen avait demandé à son adjoint de rentrer avec Jordan sur son propre hydroglisseur pour l'aider à trouver sa route jusqu'au poste de police de Hammocks. Jordan avait protesté. En vain. Yellen ne disait rien, mais le chasseur était désormais sur la liste de ses suspects. Il s'était avéré qu'il connaissait bien Kiley James. Et il avait « découvert » son corps au milieu de nulle part. Yellen aurait été accusé de négligence s'il ne le soumettait pas à un interrogatoire.

Et j'aurais été accusée de négligence de me baser sur des effets personnels pour établir l'identité de la victime. D'autres jeunes filles possédaient probablement le même piercing. Ou le bijou aurait pu être sans lien avec le corps. James aurait pu le perdre, le revendre, s'en débarrasser.

Et ce piercing aurait fini dans la gueule d'un alligator avec un morceau de torse mutilé ?

Petite. Sportive. Jeune femme. Mes propres termes résonnaient dans mon cerveau. Oui, force était de constater que Kiley James remplissait toutes les cases.

— Quelqu'un aurait-il croisé James récemment ?

Lundberg a fait non de la tête.

— Kiley devait camper dans les marécages pendant la durée de la chasse. Elle ressemblait aux pythons qu'elle chassait — vous l'aperceviez seulement si elle voulait être vue.

— À un moment ou un autre, il fallait bien qu'elle signale les prises qu'elle avait faites, non ?

Le biologiste a acquiescé. Le soleil couchant s'est reflété dans ses lunettes, masquant son regard.

— Toute capture doit être déclarée dans les vingt-quatre heures à l'un des nombreux postes prévus à cet effet. On doit remplir une feuille détaillée et indiquer la position GPS du python.

— Peut-être que ses annotations GPS nous aideront à localiser le dernier endroit où elle a chassé.

Yellen, piqué au vif, m'a répondu d'un ton cinglant.

— Madame le docteur, c'est pas ma première enquête.

— Ça ne voudrait rien dire, a renchéri Pierce. La petite couvrait un très grand espace.

J'ai sursauté en l'entendant, car il prenait si rarement la parole. J'avais même oublié qu'il était assis par terre derrière moi, adossé à un pilotis.

— La plupart des serpents sont rapportés vivants, mais Kiley s'en fichait. (Lundberg s'exprimait d'une voix triste.) Elle les euthanasiait dans le marais, puis s'en allait. Je n'ai jamais vu une autre personne neutraliser trois pythons en vingt-quatre heures.

— Saison des amours, a conclu Pierce.

Il a étendu ses jambes, les a croisées, a laissé son menton retomber sur sa poitrine, puis a fermé les paupières. C'est du moins ce que j'ai imaginé, puisque ses yeux étaient dissimulés derrière des lunettes de soleil Maui Jim.

— Quand s'est-elle présentée pour la dernière fois ? ai-je insisté.

Certes, l'enquête n'était pas de mon ressort. Mais je suis impatiente de nature et l'attente me rend hargneuse.

— Vous allez devoir vous adresser à la FWC, c'est la commission de conservation de la faune et de la flore de Floride, m'a répondu Lundberg. La compétition de chasse dépend d'eux. Mais son décès est forcément récent. Elle devait enregistrer ses prises vu qu'elle dépassait tout le monde. Et avec une belle avance, en plus.

J'ai réfléchi, neuf jours donc. J'ai changé d'approche.

— Qui aurait voulu la tuer ?

Yellen a eu un ricanement cynique.

— Au bas mot, mille cinq cents personnes.

— Parlez-moi d'elle.

Le shérif a tourné vers moi ses lunettes aviateur. J'ai soutenu son regard. Pas très loin, sur la route, un pick-up pétaradait, crachant des gaz d'échappement noirs.

Yellen a soupiré.

— James était un petit bout de femme, mais elle avait du cran. Elle voulait remporter à tout prix ce damné concours de chasse.

— Il y a combien d'argent en jeu ?

— Cette année, avec les commanditaires privés qui ont investi, le vainqueur empoche trente mille dollars.

— Ça fait une belle somme.

Et un bon mobile.

— En effet.

À croire que Yellen lisait dans mes pensées.

— Avec autant de chasseurs présents dans le marais, les gens devraient se marcher sur les pieds, non ? Il y a bien quelqu'un qui l'a vue.

— Mais bien sûr, pourquoi j'y ai pas pensé plus tôt ? (Les sarcasmes de Yellen ne me calmaient en rien. Au contraire.) Vous êtes en train de me dire que j'aurais dû envoyer mes gars passer au crible toute cette bande de *rednecks* obsédés par la machette et les armes à feu ?

Lundberg a décodé pour moi l'accès de colère du shérif.

— Kiley possédait un permis de chasse officiel de la FWC. À ce titre, elle pouvait chasser où elle voulait, et dans n'importe quel État. De plus, son permis était spécial, puisqu'elle faisait partie de la patrouille de contrôle de conservation de la nature, et c'était aussi une de nos bénévoles les plus actives dans le programme de lutte contre la prolifération des pythons au sein du parc national des Everglades. Pour traquer les serpents, les gens qui détiennent un tel permis ont le droit d'emprunter les routes et les pistes à leur guise.

— Cela signifie qu'elle pouvait chasser là où elle voulait ?

— Non, a dit Pierce, chasser pour la compétition de la FWC est interdit dans le parc national. (Pierce, qui finalement ne dormait pas, n'avait pas perdu une miette de notre échange.) Kiley ne pouvait collecter que pour nous.

— Et dans le parc, on ne dit pas « chasser », a renchéri Lundberg. Les récentes directives désapprouvent ce terme.

Avant que je puisse ajouter quoi que ce soit, la fourgonnette du légiste, une voiture et un camion de la police scientifique de Miami-Dade se sont garés près de nous. Deux techniciens en scènes de crime, après quelques instructions, ont pris l'hydroglisseur, direction l'endroit où Jordan avait découvert la victime. Pierce et Lundberg sont montés à bord de la voiture afin de rejoindre les autres au poste de police de Hammocks. Yellen et moi avons rangé le torse dans la fourgonnette du légiste, dans le caisson prévu à cet effet, avant d'y grimper à notre tour.

Le trajet s'est déroulé en silence. Malgré notre mission macabre, j'avais hâte d'arriver à la célèbre morgue de Miami. J'avais eu l'occasion d'y aller une ou deux fois, et je savais que c'était le Taj Mahal des morgues — deux mille mètres carrés de locaux modernes et étincelants, dont quinze salles d'autopsie. À l'arrivée, j'étais la première à sortir du véhicule.

L'enquêteur chargé des décès s'appelait Elvis. Vêtu d'une blouse réglementaire, il nous a aidés à entrer les infos que nous avions réunies dans la base de données, puis nous a conduits vers un bâtiment séparé, spécialisé dans les cadavres décomposés. Il nous a attribué une des deux salles d'autopsie situées au bout d'un couloir longeant une chambre froide capable de conserver soixante-quinze corps.

Je cite le chiffre exact, étant donné qu'Elvis était un guide touristique dans l'âme. Pas un détail ne nous a été épargné. J'ai appris que la morgue possédait quatre chambres froides et une capacité de 555 cadavres. Pourquoi 555 ? Parce que c'est le nombre exact de passagers d'un 747.

Vous devez aimer le sens de la mortalité qui existe en Floride. L'État a décidé de financer un système dernier cri en matière d'enquête médico-légale.

Elvis m'a même trouvé une blouse à ma taille.

Je venais de finir de l'enfiler lorsqu'une pathologiste maison est entrée. Jane Barconi. Nous nous étions déjà rencontrées, mais sans jamais travailler ensemble.

Des éclaboussures sur sa tenue prouvaient qu'elle s'était interrompue en plein pendant qu'elle découpait, tranchait, pesait. Et l'expression qu'elle affichait prouvait également que cela l'avait fortement contrariée.

Tandis qu'Elvis emportait le torse en radiographie, j'ai relaté à Barconi le peu d'éléments en ma possession : la zone non inondée du *hammock,* l'alligator dans les vapes, l'anneau de nombril en argent, l'identification de la victime presque aboutie, l'ordre de son patron à elle pour que les restes soient transférés ici.

Elle m'a écoutée sans commenter, puis, au retour d'Elvis, elle a examiné le contenu du caisson. Ses traits se sont durcis davantage. Barconi s'est détendue quand je lui ai annoncé que je pouvais travailler seule.

J'ai enfilé gants et masque, et j'ai déposé les restes sur la table. Yellen se tenait dans un coin, visage impassible, pouces calés dans ses poches. Impressionnant. Beaucoup de flics ne supportent pas une autopsie. En particulier quand la victime est en état de décomposition.

J'ai donc commencé.

Avec un scalpel, j'ai délicatement dégagé les tissus de l'os iliaque, un des trois os composant la ceinture du bassin, et le seul présent. Il a semblé très vite évident que la crête iliaque, ce petit morceau d'os en forme de croissant qui surmonte l'os de la hanche, n'était pas complètement fusionné. J'ai pris des notes, et j'ai poursuivi l'examen.

Tout en avançant dans mon travail, je jetais des coups d'œil réguliers à Yellen. Il ne me harcelait pas de questions. Il se contentait de m'observer, en silence et avec attention. Ce type commençait à me plaire.

À un moment, Elvis est rentré. J'ai entendu le bruit de radios glissées dans le négatoscope mural mais sans relever la tête pour autant.

Il m'a fallu une demi-heure de découpes pour révéler la symphyse pubienne, cette articulation entre la moitié droite du bassin et la partie basse de l'abdomen. À l'aide d'une loupe, j'ai examiné le disque fibro-cartilagineux.

Sa petite surface ovale présentait de profonds sillons horizontaux. Cela, ajouté à ses contours, confirmait l'estimation de l'âge de la victime déjà déterminée grâce à la crête iliaque.

La forme du disque, les éléments de la zone pubienne, la portion intacte de l'échancrure sciatique, tout cela confirmait ma précédente conclusion quant au sexe.

Je me suis assise, j'ai baissé mon masque et remué mes épaules pour détendre mes pauvres muscles. Ensuite, j'ai regardé Yellen.

— La victime est une femme entre 18 et 24 ans. Petit gabarit. Vraisemblablement en bonne santé à l'heure de sa mort.

C'est-à-dire avant d'être démembrée et récupérée dans la gueule d'un alligator.

— Rien qui indique que ce ne pourrait pas être James.

— Je suis d'accord. Mais rien n'indique que c'est elle.

— Alors, qu'est-ce que ça indique ?

— Les restes sont cohérents avec le profil biologique de Kiley James.

116

— Et le pied ?

— Les caractéristiques observées sur la cage thoracique sont cohérentes avec celles observées sur le pied. Mais pour établir de manière absolue l'identité de James, chacun des ensembles d'os devra être soumis à un séquençage de l'ADN.

Yellen gribouillait des notes dans un petit carnet. Je me suis approchée des radios. Les os du bassin apparaissaient en blanc à l'intérieur de la masse sombre des tissus. Je voyais une lombaire, les côtes.

J'ai tiqué sur ces dernières. Je les ai recomptées sans toucher à la radio.

— Bizarre…

— Pardon ? a fait Yellen en levant le nez de son carnet.

— La plupart des gens ont vingt-quatre côtes. Les sept premières paires sont nommées « vraies côtes » parce qu'elles sont reliées directement au sternum par leur cartilage. Les trois paires suivantes sont appelées « fausses côtes », car leur cartilage n'est uni qu'au cartilage de la côte sus-jacente. Les paires numéros onze et douze sont les « côtes flottantes », car elles se terminent par un cartilage libre et ne sont pas reliées au sternum.

J'ai vérifié qu'il comprenait. Il me suivait parfaitement.

— Chez certains individus, il manque une paire de côtes flottantes ; chez d'autres, c'est l'inverse, ils en ont une paire en trop. Cette anomalie est inhabituelle, mais pas rare.

— Avoir deux côtes en moins peut-il poser problème ?

— Non. Vingt-deux côtes sont suffisantes pour protéger les organes internes. C'est un état inoffensif, que vous ne pouvez même pas deviner chez celle ou celui qui en est atteint. (Yellen attendait la suite.) Il manque à cette victime une paire de côtes. Si on trouvait des radiographies *ante mortem* de Kiley James quelque part, cela nous aiderait à confirmer son identité.

— Je m'occupe des dossiers médicaux. Autre chose ?

— Malheureusement non. Je ne peux vous donner la cause du décès, ni la manière dont on l'a tuée avec ces seuls éléments. Mais je peux affirmer sans le moindre doute que cette victime a été démembrée à la tronçonneuse.

Un silence. Je n'oubliais pas qu'il l'avait connue. Et qu'il l'aimait bien.

— *Ante* ou *post mortem* ?

— *Post.*

Il a soupiré de soulagement.

— Par chez nous, une tronçonneuse ne réduit pas tellement la liste des suspects.

— Si vous pouvez retracer la scie, je pourrais déterminer si c'est la même lame qui a mutilé les os, ai-je répliqué. Ou, mieux encore, prélever des tissus ou du sang sur les dents entre les maillons.

— Vous feriez mieux dans ce cas de rester dans les parages. Je vais avoir besoin de vous.

Et mes vacances ? Tant pis. Une fois le travail commencé, aussi bien aller jusqu'au bout.

J'ai remercié Elvis et fait mon rapport à Barconi, puis Yellen et moi avons décampé. Le trajet en voiture jusqu'au poste de police n'a pris que très peu de temps. Leurs locaux étaient nettement moins rutilants que ceux de la morgue. Un petit hall d'accueil carrelé. Un bureau des admissions sans âme. L'habituel tableau en liège où étaient punaisés les inévitables affiches et dépliants.

Quand nous avons pénétré dans les bureaux du fond, une voix masculine, rauque, protestait avec virulence dans une salle d'interrogatoire.

— C'est quoi, ces conneries ? Vous me faites perdre un temps précieux pour la chasse !

Yellen a foncé vers la porte et l'a ouverte d'un coup. Je l'ai suivi, mais en restant à une distance raisonnable.

Jordan a sursauté en apercevant Yellen.

— Veux-tu bien me dire ce qui se passe, Tom ? Un de tes pions vient de me lire mes droits !

Yellen ne lui répondant pas, Jordan a bondi sur ses pieds.

— Pas question que je porte le blâme ! C'est moi qui vous ai prévenus pour ce foutu alligator !

— Calme-toi, a ordonné le shérif en désignant la chaise des mains.

Jordan a hésité puis s'est rassis. Avec un mouvement nerveux de tout son corps, il a étendu ses jambes sous la table délabrée ; sa corpulence la rendait minuscule.

Je me suis glissée à l'intérieur et me suis plaquée contre le mur près de l'entrée.

Jordan a lorgné vers moi, avant de se concentrer à nouveau sur Yellen.

— C'est quoi cette *bullshit*? Kiley et moi, on est amis, et tu le sais très bien.

J'ai noté qu'il employait le présent.

Jordan s'est penché en avant pour extraire son cellulaire de sa poche. Il a tapoté sur quelques touches, a tourné l'écran pour que Yellen puisse voir l'image.

Yellen l'a regardée puis m'a tendu l'appareil.

Sur la gauche, il y avait une jolie blonde à la dentition régulière. Un visage bronzé, des taches de rousseur et des yeux turquoise. Pas de maquillage. L'archétype de la fille américaine décontractée.

La jeune femme maintenait fermement un serpent au niveau des mâchoires. Il mesurait trois fois sa taille. À côté d'elle, Jordan tenait la queue du reptile. Tous deux étaient rayonnants. La fille semblait minuscule comparée à son camarade et au serpent.

— Et alors? a rétorqué Yellen, pas le moins du monde impressionné.

— C'est notre trophée de chasse de l'an dernier. On a raflé le prix à la fois pour le plus long python et pour la meilleure prise. (Sa voix s'est brisée. Il m'a lancé un regard désespéré, cherchant à me convaincre.) Kiley, c'est comme ma sœur. (Il s'est tourné vers Yellen.) On forme la meilleure équipe de chasseurs de pythons.

— C'est pour ça qu'elle t'a laissé tomber cette année? Pour participer seule?

Jordan est devenu cramoisi. Visiblement, Yellen avait appuyé là où ça faisait mal.

— Elle m'a pas laissé tomber, crétin.

— Alors comment tu expliques le fait qu'elle te bottait le cul pendant la compétition?

— Parce que je traînais. En plus, je fais pas ça pour l'argent. Elle non plus.

— Pourquoi cette rupture, alors?

— Je sais pas. Elle se comportait bizarrement avant le début du concours. Elle était secrète, allait toujours se promener toute seule.

— Et ça t'a fait chier.

Jordan a posé ses deux énormes paluches à plat sur la table. Il les regardait fixement avec une expression d'impuissance.

Yellen en a rajouté.

— C'était quand la dernière fois que tu l'as vue?

— Le premier jour de la chasse, au moment du départ, a répondu Jordan sans lever les yeux. À la seconde où ils ont tiré le coup de feu en l'air, elle s'est volatilisée dans les marécages.

Un lourd silence a envahi la pièce. Yellen n'a rien fait pour le briser, espérant que cela inciterait Jordan à poursuivre. Raté.

— Raconte-moi comment t'as découvert le corps.

Yellen utilisait la vieille ruse d'interrogatoire qui consiste à brusquement changer de sujet.

— Écoute, Tom, c'est pas moi que tu devrais passer sur le grill.

Jordan s'agitait. Il a replié ses jambes et s'est calé contre le dossier de sa chaise qui a craqué, tel un mauvais présage.

— Ah ouais?

— Ouais. Tu le sais aussi bien que moi.

— Rafraîchis-moi la mémoire.

— Ces foutus braconniers. Kiley est obsédée par le braconnage. Ça la dégoûte. (Il nous a observés l'un après l'autre.) Elle a planqué des caméras, elle surveille des coins, dissimulée dans les arbres pendant des jours. Kiley tient un journal — un drôle de petit carnet à spirales en forme de feuille. Elle y note un tas de trucs. L'idée qu'on puisse tuer des animaux pour en tirer de l'argent, ça la rend folle. Si elle chasse les pythons, c'est dans le but de protéger l'écosystème des Everglades.

— Ça la rend folle jusqu'à quel point?

— T'insinues quoi?

— Serait-elle capable de s'en prendre personnellement à des braconniers?

— Peut-être. Elle ne renoncera pas tant qu'ils seront pas tous en taule jusqu'au dernier. Elle a réussi à en faire arrêter quelques-uns, à en faire inculper d'autres. (Jordan a pointé son index vers Yellen.) Trouve les braconniers, Tom, et tu trouveras qui lui a fait du mal.

120

— OK, je veux ta déposition par écrit.

On a quitté la pièce juste après. Dans le couloir, Yellen m'a demandé :

— Vous chaussez du 7 ?

— Pas loin.

À quoi diable pensait-il ?

— Attendez-moi ici.

Il a disparu au fond d'une pièce et en est revenu avec une paire de cuissardes en caoutchouc. D'un charmant vert bouteille.

— Allons-y.

Chapitre 5

Nous roulions en direction de l'ouest, sur la route 41, baptisée la Tamiami Trail. Le soleil, d'un orange éclatant, m'aveuglait. J'ai plissé les paupières et songé à l'heure qu'il devait être. 19 heures ? Raté. Un bref regard sur mon cellulaire m'a indiqué 17 h 49. En femme des bois, je n'étais pas très douée…

Pour une raison ou une autre, Yellen se montrait d'humeur plus ouverte à la discussion.

— Les Miccosukee sont des Amérindiens officiellement reconnus comme tribu. Leur réserve se répartit sur trois zones du secteur Broward–Miami-Dade : Alligator Alley, Tamiami Trail et Krome Avenue. Nous nous dirigeons vers la plus importante, Tamiami, car c'est là que la plupart des questions tribales sont traitées.

J'allais le questionner plus avant, mais il était parti sur sa lancée.

— Il s'agit principalement de marais — quatre-vingt mille hectares — concédés par un bail à perpétuité de la zone des eaux de Floride du Sud. Les membres de la tribu ont le droit de chasse et de pêche, ils peuvent cultiver, attraper des grenouilles, tout ce qu'ils veulent en somme.

J'ai attendu un peu, histoire d'être sûre qu'il avait terminé, et j'ai pris la parole :

— J'ai entendu parler des Miccosukee. La tribu a commandité trois championnats automobiles — le Sprint Cup, le Nationwide et le Camping World Truck — organisés par la NASCAR. Ça a eu l'effet d'une bombe quand ils se sont retirés à cause de restrictions budgétaires.

Yellen a écarquillé les yeux de surprise. J'ai haussé les épaules.

— Je vis à Charlotte. La première épreuve nationale de stock-car s'est déroulée chez nous. (J'avais une fois travaillé sur une affaire où le cadavre avait été retrouvé sur le circuit automobile de la ville.) Alors, pourquoi va-t-on à Tamiami ?

— Pour coincer le salaud qui a tué Kiley James.

Le reste du voyage s'est déroulé en silence.

Au bout de quarante-cinq minutes, on est arrivés devant une immense clôture en cyprès chauve, parallèle à la bretelle. À présent, l'horizon s'embrasait, et ce que ma fille Katy nommait « le rose », s'associait à l'orange.

Le coucher du soleil illuminait un bâtiment jaune poussin au toit de chaume de palmier nain. Sur une large pancarte s'étalait en lettres rustiques la phrase « BIENVENUE AU VILLAGE INDIEN MICCOSUKEE ». Quelques cabanes plus modestes encerclaient le bâtiment principal. Des constructions sur pilotis, également en toit de chaume, étaient ouvertes aux quatre vents.

J'ai baissé ma vitre. De cette zone marécageuse émanait un mélange d'herbe humide, de boue, d'algues et d'œufs de poisson, mêlé à des vapeurs de pétrole. Ça sentait également les grillades sur charbon de bois. Mon cerveau m'a télégraphié des images mentales de *pupusas*, ces épaisses galettes de maïs, et de petits beignets frits.

— A-t-on une chance de se taper un repas maison ?

Goûter la cuisine locale pourrait compter comme expérience de voyage.

— Ce que vous allez vous taper ici, a-t-il répliqué avec cynisme, c'est un hot-dog à neuf dollars avec un Coke à cinq. Peut-être pourrez-vous vous offrir un au-then-ti-que collier indien, ou un terrifiant combat entre un alligator et un humain. Cet endroit est un attrape-touristes.

Yellen a engagé sa voiture dans l'allée et s'est garé devant le Miccosukee Restaurant. Comme s'il avait reçu le signal de son entraîneur, mon estomac a émis un énorme gargouillis digne d'un record olympique. J'ai questionné mon compagnon du regard.

— Faites-vous plaisir. On n'est pas soumis à l'horodateur.

Je me suis précipitée à l'intérieur, et j'en suis ressortie avec des beignets frits et une pomme. Je n'avais pu me résoudre à goûter les bouchées d'alligator. On fait ce qu'on peut.

J'ai repéré au loin Yellen, discutant avec un homme à la peau cuivrée et aux cheveux noirs. Il portait un chapeau de cow-boy en raphia qui avait connu de meilleurs jours. Je les voyais faire de grands gestes énervés, puis Yellen a hoché la tête et est revenu vers la voiture.

— Des beignets frits? ai-je offert en remontant à bord.

Pas de réponse. Ça m'arrangeait. C'était mon premier vrai repas de la journée.

— Il s'est pas pointé au boulot.

Le commentaire ponctuait une conversation que Yellen et moi n'avions pas eue.

— Pardon?

— Chasseur d'alligator. Cypress était inscrit à l'horaire et il n'est pas venu.

— Cypress?

— Deuce Cypress. Un des millions de Cypress que compte la nation miccosukee. Y compris leur chef de tribu.

— Le fait qu'il ne se soit pas présenté à son travail le rend suspect?

— Pas nécessairement. Les Miccosukee sont en principe des gens solides. Un grand sens des affaires. Propriétaires d'un casino à Krome Avenue. Ils se débrouillent bien. Se sont équipés d'une nouvelle école, d'un poste de police, d'une clinique. Et même d'un gym. Chacun reçoit sa part des bénéfices, et tout ce petit monde se tient tranquille. Sauf avec le fisc et l'alcool.

— Mais…? ai-je demandé, lisant entre les lignes.

— Mais chaque communauté a ses détraqués. Les Miccosukee ont les frères Cypress. Trois abrutis finis, champions toutes catégories des idiots. Ne pensent qu'à baiser et à faire les cons avec leurs armes. Ils trafiquent un peu de tout: alcool frelaté, prostitution. Et en plus, ils en sont fiers.

— Et ils braconnent aussi, c'est ça?

— C'est ce qu'on raconte.

Un canal courait sur le bas-côté droit de la route. Je contemplais les eaux calmes par la vitre côté passager. Ça et là, des alligators profitaient des derniers feux du soleil sur la rive vaseuse. En Floride, tout le monde a envie d'être bronzé.

Peu après notre départ du village, on a bifurqué vers le nord en empruntant un pont en bois brut. Le terme « route » serait exagéré pour désigner la piste cahoteuse et boueuse qui nous attendait une fois le pont traversé.

Au cours des dix minutes suivantes, les pneus de la voiture ont tressauté entre les ornières détrempées. La végétation y était très dense, enserrant le véhicule, ce qui donnait l'impression que le marécage voulait nous avaler en entier.

— Ces gens vivent vraiment en marge, ai-je dit.

— Là vous marquez un point. Pas d'électricité, pas de téléphone. Un peu de pêche et de chasse à l'alligator, un peu de trafic de marijuana, un peu de braconnage. Une vie simple, quoi.

Yellen a braqué à droite pour s'engager sur un chemin presque invisible qui faisait passer la piste précédente pour une super autoroute. Le feuillage des arbres formait un tunnel si sombre qu'on aurait cru la nuit déjà tombée.

Le chemin se terminait dans une espèce de clairière aride. Une cabane sur pilotis complètement délabrée se dressait devant nous. Il y avait aussi un petit poulailler et un pick-up éclaboussé de boue. Derrière la maison, j'ai aperçu les eaux tranquilles, couleur bronze, du marécage.

Le terrain était rempli d'ordures et de matériel de récupération. Des carcasses de voitures rouillées. Un séchoir à linge dont la construction remontait sans doute à un demi-siècle, du mobilier extérieur en aluminium, un amas de climatiseurs d'appartements, des chevalets de sciage, des pierres de taille, et de gros sacs-poubelle noirs remplis de trésors dont je préférais tout ignorer.

Lorsque Yellen a coupé le moteur, le silence était total, à l'exception du tic-tic-tic du système de refroidissement.

Pas un souffle de vent. Pas âme qui vive.

— Tenez-vous derrière moi, m'a ordonné Yellen en sortant de la voiture avec prudence.

J'ai peut-être eu l'air affolée parce qu'il a ajouté :

— En principe, ils ne sont pas violents, mais ils ont une aversion pour les étrangers.

Une aversion pour les étrangers? Yellen avait dû regarder trop de westerns. Je l'ai pourtant suivi sans répliquer.

Nous marchions vers la maison quand deux coups de fusil ont retenti. Je me suis jetée à terre. Pas Yellen. Il m'a plutôt lorgnée avec amusement.

Je me suis relevée en chassant de mon corps des feuilles maculées de saleté et de boue.

— C'est leur façon de dire bonjour.

Il n'a pas fait d'autre commentaire. Il y a encore eu quelques coups de feu, puis des rires.

— Deuce! a crié Yellen.

Les rires ont cessé.

— Ramène ton cul par ici.

La moustiquaire de la véranda s'est ouverte toute grande et un chien menaçant a déboulé en aboyant de manière démente. Le poil hérissé, bavant entre des crocs étincelants. Tout à fait charmant.

J'étais figée de peur. Cette fois, je ne me suis pas fait prier : j'ai pris exemple sur le shérif. Il tenait bon, moi aussi.

Un homme débraillé est apparu de derrière la maison. Barbu, décharné, une Remington calibre 12 qu'il plaquait à deux mains en travers de sa poitrine. Une vraie caricature.

Pendant un instant, on s'est tous dévisagés. J'ai ainsi pu noter d'autres détails : les yeux injectés de sang, les tatouages sur l'avant-bras, la chique de tabac roulée sous la lèvre inférieure formant un petit renflement. Jeans et camisole ignorant tout du savon à lessive. J'ai estimé l'âge de Deuce à environ cinq ans de plus qu'un décrocheur du secondaire.

Le chien a couru jusqu'à son maître, langue pendante et œil féroce. Deuce lui a balancé un coup de pied avec un nonchalant «va te coucher, Rooster». Le chien s'est enfui en glapissant de douleur. Je n'ai fait aucun effort pour dissimuler mon dégoût.

— Pose ton arme, Deuce.

— J'suis pas obligé. J'suis chez moi.

— Où est ton frère?

— Ernie! a hurlé Cypress sans quitter Yellen du regard. Le shérif est ici et veut t'inviter au bal.

Une version plus jeune de Deuce est apparue. Il était la copie conforme du premier, sauf qu'il portait un clou à une

126

oreille, et un tee-shirt décoloré, à l'effigie du groupe Little Feat, plutôt qu'une camisole.

— Où est Buck ? a demandé Yellen avec une impatience affichée.

— Buck est pas là, a répondu Deuce.

Yellen attendait. Deuce a haussé les épaules.

— J'suis pas le gardien de mon frère.

Ernie a gloussé bêtement.

— Kiley James a été retrouvée morte dans le marais. (Yellen ne mâchait pas ses mots.) Assassinée et démembrée. Et la piste remonte pile jusqu'à chez vous.

— De quoi diable tu parles ? (Deuce montait sur ses grands chevaux.) Une femme blanche meurt et vous blâmez un Indien ?

— Épargne-moi tes lamentations, a répliqué le shérif. Si je me souviens bien, l'été dernier, la petite dame a foutu une raclée à Buck avec sa bouteille de bière parce qu'il avait essayé de la tripoter au bar.

— C'est une garce, a craché Deuce, les yeux étincelants de colère. C'est elle qui l'a agressé !

— La légitime défense n'est pas de l'agression. Ton crétin de frère, il a un fichu caractère et il carbure un peu trop au Jim Beam. Ça va pas bien ensemble. Ça lui a valu plus d'une nuit au poste.

— Où tu veux en venir ?

— Il est où ?

Deuce a simplement fixé Yellen du regard.

— Y a un bruit qui court comme quoi Kiley allait tous vous coincer pour braconnage…

— On est pas des braconniers, a lancé Ernie avec un ricanement idiot. (Son frère l'a fusillé du regard.) On a l'droit de pêcher et de chasser, a-t-il bredouillé en regardant fixement ses bottes.

Yellen l'a ignoré et a continué de s'adresser à Deuce.

— Vous n'avez pas l'autorisation de chasse ni de pêche dans le parc national. Et peut-être que Kiley t'a attrapé en train de gonfler ton quota de gibier avec des prises illégales.

— Tu parles du Python Challenge ? C'est un truc pour les Blancs, nous, on touche pas à ça.

— Dis-moi quand tu as vu Kiley James pour la dernière fois ?

— Ça fait un bon moment…, a répondu Deuce en haussant les épaules.

Ernie semblait définitivement absorbé dans la contemplation de ses pieds.

— Il paraît que Kiley aurait fait des photos qui pourraient tous vous envoyer en taule.

Deuce a de nouveau haussé les épaules. Il faisait ça très bien.

— Peut pas y avoir de photos de quelque chose qu'on a pas fait.

— Je pense au contraire que Kiley vous a menacés de vous dénoncer et que vous avez réglé le problème. C'est assez facile dans les marécages, non ?

— *Fuck you.* Y a du braconnage en masse par ici, mais c'est pas nous.

— Tu as une tronçonneuse ?

Yellen changeait de tactique.

— Quoi ?

— As-tu-une-tron-çon-neu-se ?

— Non, *man.*

— Qui braconne alors ?

Les méthodes d'interrogatoire de Yellen n'ébranlaient en rien Deuce.

— Peut-être Kiley James ? T'as jamais pensé à ça ? Peut-être que c'est elle qui magouillait.

— La dame ne s'est sûrement pas suicidée.

Deuce semblait réfléchir à ce dernier argument. Je commençais à me dire qu'il était moins stupide qu'il en avait l'air. Il a craché par terre.

— Tu connais les vraies victimes de tout ça ?

Yellen n'a pas pris la peine de répondre à une question purement rhétorique.

— Les pythons. Les alligators. Les gros affamés de Miami en ont rien à foutre d'où proviennent les peaux. Tant qu'ils peuvent fabriquer leurs chaussures chics et leurs ceintures.

— De qui tu parles, là ?

Pour la première fois depuis le début de leur joute verbale, Deuce a paru mal à l'aise.

— Tout le monde, là-bas.

— Les gens à qui tu vends ?

L'Indien a hoché la tête.

— Les maisons de couture achèteraient des peaux illégalement ?

— Pas toutes.

— Lesquelles ?

— Fallait poser la question à Kiley. C'est elle qui avait la faveur de ces prétentieux-là.

— Qu'est-ce que t'essaies de me faire passer comme message ?

— J'arrête, j'en ai assez dit.

Yellen s'apprêtait à remettre ça quand son cellulaire a sonné. Il a pointé son index sur Deuce, manière de lui signifier « toi, tu bouges pas », et s'est éloigné.

Deuce et moi nous sommes regardés.

Et puis au diable ! Je me suis lancée.

— Pourquoi avez-vous tiré ?

Deuce m'a simplement fixée. Ernie a souri. J'ai alors remarqué que celui-ci avait un pansement crasseux autour d'un doigt. Blessure défensive ? Coupure au couteau ? Tronçonneuse ?

— Vous vous êtes fait mal ? ai-je demandé en désignant son doigt.

— C'est mon tatouage. (Ernie est devenu excité comme un enfant devant son nouveau vélo.) Deuce, montre-lui le tien ! Impressionne-la ! Quand ce sera guéri, j'aurai exactement le même !

Deuce a tendu son majeur. Sous l'ongle, on distinguait le tatouage d'un cercle traversé en son centre par trois traits verticaux. Trois bandes concentriques occupaient l'intérieur du cercle. J'ai reconnu le symbole de la tribu des Miccosukee aperçu un peu plus tôt dans le village.

— *Jesus !* C'est vraiment tatoué *sous* l'ongle ?

— Yep, a-t-il dit, gonflé d'orgueil.

— Tradition ancestrale ?

Ernie s'est mis à rigoler.

— J'ai dix-huit ans ! s'est-il exclamé d'un ton rempli de fierté.

Je me suis tournée vers son frère pour obtenir davantage d'explications.

— On le fait quand on a dix-huit ans. Ça donne le droit de participer aux combats avec les alligators, au village. On écrase le bout du doigt au marteau, on attend que l'ongle tombe, on le tatoue, on attend que l'ongle repousse. On est tatoués à vie.

— On cogne au marteau, a ricané Ernie.

Mon Dieu, je n'osais pas imaginer la douleur. Et la plaie à vif pendant des jours et des jours dans ces marécages.

— Désinfectez-le souvent et changez régulièrement le pansement, n'ai-je pu m'empêcher de lui dire.

Yellen est revenu vers nous à petites foulées. Il a rangé nerveusement son cellulaire dans sa poche. Son visage exprimait de sombres pensées.

— Tu dis à Buck de venir me voir au poste de police, a-t-il ordonné à Deuce, sinon c'est moi qui l'y traînerai par la peau du cul. Compris ? (Il s'est ensuite adressé à moi.) On y va. Je vous ramène chez vous.

— Je rentrerai chez moi quand je serai disposée à le faire.

J'étais tout à fait disposée à le faire, mais je déteste qu'on me donne des ordres.

— Ça vous regarde, a-t-il répliqué en se dirigeant vers sa voiture. Mais vous avez une autre autopsie à la première heure demain matin.

Chapitre 6

Une nécropsie. Pas une autopsie. J'avais expliqué la différence à Yellen, et j'avais eu droit à cette réponse : « La sémantique ne m'intéresse pas. »

Par le passé, j'avais examiné des victimes à qui il manquait des bras et des jambes, mais en aucun cas elles n'étaient nées ainsi. Mon objet d'étude actuel était un python de presque cinq mètres. Un python birman pesant soixante kilos, vingt centimètres de diamètre, à l'exception de la partie médiane où existait un plus gros renflement.

Lisa et moi nous étions levées à l'aube. On avait mangé de la pizza froide sur sa terrasse, pour déjeuner, d'où on avait une vue exquise si on penchait la tête dans l'angle idéal. Nous envisagions un à un les différents mobiles qui auraient pu conduire au meurtre de James. La liste était plus longue que le serpent.

Une tension réelle existait parmi les chasseurs engagés dans cette compétition. Entre les amateurs qui venaient une fois l'an et ceux qui connaissaient les pythons par cœur. Entre les chasseurs accrédités et les braconniers.

Et puis, il y avait Kiley James elle-même. Elle s'était montrée secrète, avec même des comportements suspects. Elle avait laissé tomber son ami Dusty Jordan, son coéquipier dans la chasse au python. Elle avait eu une altercation avec Buck Cypress. Peut-être même avait-elle prévenu un braconnier qu'on était sur sa piste.

Après ce repas ultra santé, Lisa m'avait accompagnée jusqu'au labo, puis m'avait généreusement laissé sa voiture.

Si bien que dès 8 heures, j'étais de retour à Miami-Dade. Elvis m'a saluée de derrière la vitre tandis que je passais devant la salle d'autopsie numéro un en pleine effervescence. D'après ce que j'avais entendu, une voiture avait été draguée d'un canal avec dedans des restes en décomposition. Pas de problème. Au lieu d'Elvis, j'avais besoin d'avoir Aaron Lundberg. Aujourd'hui, c'est avec lui que je partagerais la tête d'affiche.

Yellen avait présenté une réquisition auprès des services de la faune et de la flore. Tous les reptiles capturés dans la région de Hardwood Hammock devaient être rapatriés à la morgue, aux bons soins de Lundberg. Puisque des restes humains étaient impliqués dans une affaire d'homicide que nous tentions de résoudre, le pathologiste en chef ne s'y était pas opposé. Tant que les pythons étaient bien morts, bien entendu. Un petit détail que j'ai accueilli avec enthousiasme.

— Yellen a été bien avisé d'ordonner une action concertée. (Lundberg était un vrai moulin à paroles.) La FWC travaille comme sur une chaîne d'assemblage — une personne pratique les incisions, une autre analyse le contenu de l'estomac, une troisième étudie les organes sexuels.

Il nous avait fallu placer une civière au bout de la table d'autopsie de manière à pouvoir installer notre sujet sur toute sa longueur. Même en sachant que la charmante bête ne respirait plus, j'avais dû me faire violence pour la toucher. Je sais, c'est complètement irrationnel. Mais les créatures sans paupières me font paniquer.

J'avais presque de la peine pour ce python. Il n'avait pas choisi de se retrouver en Floride à servir de cible à des chasseurs survoltés au lieu de couler des jours heureux en Asie du Sud-Est, son habitat naturel.

— Il a l'air vivant, n'ai-je pu m'empêcher de dire.

— Il existe deux façons éthiques d'euthanasier un python. (Lundberg m'a tendu un bout du ruban à mesurer rétractable que j'ai posé à l'extrémité de la queue de l'animal tandis qu'il déroulait l'autre portion de la bande métallique jusqu'à la pointe de la gueule.) Par injection chimique ou par destruction neuronale.

Lundberg a reporté la mesure sur le formulaire, puis a rembobiné le ruban, avant de l'enrouler autour de la partie la plus ventrue au milieu. Il a noté d'autres chiffres, puis a levé les yeux vers moi.

Je devais avoir l'air ahurie.

— Comme tous les reptiles, le système nerveux du python accepte une faible teneur en oxygène et une faible tension artérielle, si bien que le cerveau peut rester en activité jusqu'à une heure après une décapitation, par exemple, ce qui signifie que l'animal souffre. Pour minimiser la douleur, il faut une perte de conscience en détruisant le cerveau.

Tout en poursuivant son exposé, Lundberg a saisi un Nikon sur une étagère et a commencé à prendre une série de clichés.

— Nous recommandons donc aux participants d'utiliser un pistolet percutant à air comprimé qui va étourdir l'animal. Ou carrément une arme à feu en visant le cerveau. Cette prise que vous voyez là a été euthanasiée par injection mortelle par les types de la FWC.

— Il a été capturé dans le même coin que le python qui contenait les os du pied et l'urubu à tête rouge? ai-je demandé.

— Elle. C'est une femelle. Exact. À quelques mètres à peine. Les pythons ne marquent pas leur territoire, si bien que vous pouvez trouver d'autres spécimens identiques à proximité. En particulier durant la saison des amours.

Lundberg a contourné la table et est venu se placer à mes côtés pour prendre une série de gros plans. Je déplaçais le repère photo au fur et à mesure de ses instructions.

— Cette femelle aurait attiré tous les mâles des environs. C'est ce que nous appelons un groupement de reproduction.

— Comment déterminez-vous le sexe de l'animal?

— Chez la plupart des serpents, une simple observation ne suffit pas. Pour voir les organes génitaux, vous devez les sonder ou les ouvrir. Mais les pythons ont des organes atrophiés au niveau de la ceinture pelvienne qui proviennent de l'époque lointaine où leurs ancêtres possédaient des membres postérieurs. Regardez ici, de chaque côté de cette fente par où passe l'air. (Il a abaissé son appareil photo, et a pointé de son doigt en latex de minuscules dards sur l'extrémité de la queue.) Leur taille indique qu'il s'agit d'une femelle. Chez les mâles, ils sont plus proéminents.

Une femelle qui aurait dû veiller sur ses petits. J'éprouvais de la compassion pour cette pauvre bête.

— Compte tenu de la grosseur du renflement, je suppose qu'elle a été embarquée peu après que le processus de déglutition a été entamé.

— Ça prend combien de temps ?

J'ai détaché mes yeux des petits dards indicateurs.

— Un python peut avaler un mammifère de taille moyenne ou un oiseau en vingt minutes.

— La proie ne peut jamais en réchapper ?

— Une fois qu'elle est dans leur gueule, c'est peu vraisemblable. Et au moment où la proie est avalée, elle est déjà morte. Un python attaque avec une rare vélocité. Il immobilise son gibier avec ses dents et l'étouffe en s'enroulant autour. La proie meurt asphyxiée.

Je suis restée sans voix.

— C'est une créature extraordinaire, a-t-il commenté.

Mais une créature morte.

— Je suis surprise que les os que nous avons examinés n'aient pas été davantage abîmés.

— En tuant par suffocation avec ses anneaux, le serpent n'écrase pas les corps ni ne brise les os de sa victime. Ça, c'est dans les films ! Il va serrer assez pour empêcher sa proie de respirer, mais pas plus. La mort est rapide — de trois à quatre minutes.

— Et ensuite, ils font ce truc de clapet avec leurs mâchoires ?

— Encore de l'exagération médiatique. Ce sont des tendons et des muscles qui relient les mâchoires supérieure et inférieure. Rien de mécanique.

Lundberg s'est penché plus près et a observé l'œil droit du serpent, puis le gauche. Il a repris quelques notes sur le formulaire fixé sur sa planchette à pince.

— La mâchoire inférieure est composée de deux os séparés pour améliorer la capacité de l'animal à gober d'énormes portions. (Il a relevé le nez. Les néons au-dessus de nous se reflétaient dans la lentille de l'appareil.) Les serpents avalent leur proie par la tête de manière que les membres suivent facilement. Ensuite, elle descend de la gorge jusque dans l'estomac grâce aux contractions régulières des muscles.

— Pendant ce temps-là, comment respire le python ?

Malgré moi, cette histoire suscitait mon intérêt.

— Il possède un passage spécial à l'arrière de sa gueule qui reste dégagé pendant la déglutition. Ainsi, l'air circule. Bon, si on revenait à notre affaire ?

— D'accord.

À mon intention, Lundberg parlait tout haut en prenant ses notes. Les marques, la pigmentation, les fosses nasales, la forme de la queue, les blessures récentes ou anciennes, les anomalies, l'état de santé général. Il a recherché, à l'aide d'une loupe simple, d'éventuels parasites externes tels que les tiques et les mites. Il me fallait en convenir : Yellen n'avait pas tort. Il y a peu de différences dans un examen externe entre une nécropsie et une autopsie.

Lundberg devait à présent s'occuper de l'examen interne. Ce serait l'incision en Y la plus longue et la plus étroite jamais pratiquée de toute l'histoire de la médecine médico-légale.

À nous deux, on a soulevé et retourné le python pour le mettre sur le dos. Puis, en utilisant le même genre de scalpel que j'avais utilisé la veille, il a découpé le ventre. Il a observé, enlevé, pesé la couche de graisse jaunâtre qui résidait sous la peau, et ce, avant même d'examiner les organes.

— La graisse est un bon indicateur pour savoir si le serpent était en bonne santé. Cela indique également si la femelle s'est accouplée. Une mère python n'abandonne pas ses œufs pour aller chasser. Pendant la période de couvaison, elle survit grâce à la graisse stockée. C'est pourquoi il en reste très peu chez les femelles qui viennent de pondre.

À nouveau, ce pincement au cœur. Merde, c'était presque aussi éprouvant que de travailler sur une victime de meurtre.

Enfin, on en est venus aux organes. Lundberg a appliqué les règles, incisant et observant, notant taille et poids, couleur et consistance.

Je le laissais m'abreuver de commentaires sans répliquer, impatiente d'en arriver au fait : l'estomac.

— Au niveau des intestins, on constate une baisse rapide du pH après le repas de l'animal. (Lundberg ne pouvait s'empêcher de jacasser.) Il y a un niveau stable de pH acide durant la digestion, puis une augmentation du pH liée à la chute de l'acide gastrique dont la production, à ce moment-là, cesse.

— Provoquant une digestion brève.

— Dans notre cas, par chance, pas assez brève.

D'un coup de scalpel, il a détaché l'estomac, l'a soulevé et placé à côté du serpent. Armé du même instrument, il a tranché la partie haute et l'a rabattue comme s'il ouvrait une boîte de conserve.

La puanteur a envahi la pièce. Un liquide a suinté sur la plaque en acier inoxydable.

Tandis que mon camarade vidait le contenu de l'estomac, j'en scrutais chaque morceau. Plusieurs se révélaient être des os. Je les ai fait rouler d'avant en arrière avec la pointe de mon scalpel, puis j'ai gratté les résidus gastriques pour mieux les examiner.

En moins d'une minute, je savais. Il n'y avait pas eu qu'un vautour et un alligator pour se repaître de restes humains. Le python aussi avait goûté à Kiley James.

La majeure partie de la chair avait disparu, rongée par l'acide gastrique, mais je distinguais au moins une trentaine d'os. Des petits, tels ceux de mains et de pieds. Pas de cage thoracique comme je l'aurais espéré, mais néanmoins des parties de squelette humain.

— Les serpents ne mangent habituellement pas de charogne, a remarqué Lundberg en fronçant les sourcils.

— James a été démembrée à la tronçonneuse. Quand le python l'a avalée, elle était morte, il n'y a aucun doute.

Il a soupiré.

— Plus notre connaissance des serpents avance, plus on se rend compte combien on en sait peu sur eux. Le python birman fait preuve d'une incroyable facilité à s'adapter. J'imagine que cela ne servirait à rien de dire qu'il ne mangerait jamais une carcasse toute récente. Visiblement, il fait feu de tout bois.

Les vingt minutes suivantes ont été consacrées à sortir les os à la pince, puis à les nettoyer avec soin pour ôter toute trace de tissus ou de chair. Lundberg m'aidait en les déposant dans un petit plateau en inox. Des détails commençaient à apparaître. Une surface articulaire. Une facette articulaire. Un fragment de trou nourricier.

Une légère tension a traversé ma poitrine. Qu'est-ce que c'était que ça?

J'ai trié les os, les classant par catégories, allant des plus petits aux plus grands. Doigt. Orteil. Poignet. Cheville. Cubitus. Radius. Mes premières analyses indiquaient une paire de mains, un avant-bras droit, un pied.

Lundberg m'a tendu un autre plateau en inox.

— Cheveux et ongles.

Je m'obligeais à rester concentrée sur la disposition des os malgré le raffut du métal contre le métal, et très vite j'ai fini de réarranger deux mains complètes. Puis la partie distale d'un avant-bras droit.

Je m'attelais à présent à prendre des mesures et à les consigner. La légère tension ressentie quelques instants plus tôt augmentait. Les os étaient étonnamment grands pour une femme de si petit gabarit.

Je me suis ensuite intéressée au pied. Mesures. Annotations.

Quelque chose ne collait pas.

— Où est le dossier James, ai-je demandé en veillant à conserver une voix calme et posée.

— Sur le bureau, à côté, dans l'antichambre.

Je suis allée chercher la chemise en carton et j'ai feuilleté les pages jusqu'à trouver ce que je cherchais.

La tension s'est transformée en effroi.

Chapitre 7

— Le pied n'est pas celui de Kiley James, lui ai-je répété.

— Vous êtes sûre ?

Yellen m'interrogeait pour la troisième fois, comme s'il espérait me voir changer d'avis.

— À moins qu'elle chausse du 5 d'un pied et du 12 de l'autre, et qu'elle ait eu deux pieds gauches.

— Qu'est-ce que ça signifie ? a-t-il marmonné.

— C'est tout ce que je peux vous dire pour le moment.

— Pourquoi ne pouvez-vous pas poursuivre vos recherches ? a-t-il demandé en se frottant le nez.

— Je vous l'ai déjà dit. (Je me répétais.) On a dû céder notre place. Un pêcheur a découvert ce que les flics pensent être une enfant disparue il y a huit jours. Dans un lagon. Les médias sont déchaînés. Cette autopsie est prioritaire à la nôtre.

Nous avions été priés de sortir de la salle d'autopsie numéro deux par le médecin légiste en chef en personne. Jane Barconi avait hérité de l'affaire. Son comportement stressé faisait passer celui d'hier pour carrément cool.

J'expliquais tout cela à Yellen dans le coin cuisine réservé au personnel. L'entrée de la morgue et le stationnement grouillaient de journalistes.

— Ils avaient besoin de la salle. Notre examen du python s'est vu reléguer au bas de la liste.

Je le lui avais déjà dit, mais mieux vaut deux fois plutôt qu'une.

— Faites-moi *au moins* un récapitulatif de ce que vous avez appris.

J'en avais appris bien peu avant que débute tout ce cirque.

— Les premières estimations suggèrent un homme de taille moyenne.

— *Goddammit !*

Yellen avait l'air furieux, comme si c'était moi la source de son problème.

— J'en saurai davantage quand je serai autorisée à y retourner. C'est-à-dire quand ils auront terminé l'autopsie de la petite fille.

— On retrouve des bouts d'os humains dans l'estomac de chaque fichue créature du marécage, et il faudrait que je poirote dans le calme jusqu'à Dieu sait quand ?

— Vous avez du nouveau sur Buck Cypress ? ai-je demandé, essentiellement pour qu'il songe à autre chose.

— Toujours porté disparu, a-t-il soupiré. On a traîné Deuce au poste de police. Ce petit génie a fini par nous cracher un nom. Si rien n'avance ici, vous feriez tout aussi bien de m'accompagner.

Tête baissée, on a fendu la foule regroupée, compacte, à l'extérieur. Quelques journalistes ont pourtant reconnu Yellen et ont crié des questions. Des caméras se sont tournées vers lui, des micros ont été brandis. Il les a ignorés. Personne ne prêtait attention à moi vu que personne ne me connaissait.

— On va où ? ai-je demandé en bouclant ma ceinture de sécurité.

— Faire ce dont toutes les femmes rêvent. Du magasinage.

— Très drôle.

Une dizaine de pâtés de maisons plus tard, la voiture roulait dans le Design District, le quartier chic de Miami. Des galeries d'art et des lofts excessivement chers se disputent de précieux mètres carrés avec des boutiques de designers et des magasins de stylistes coréens. Chaque vitrine expose des vêtements, des bijoux et des sacs hors de prix.

— Le grand luxe !

— Ça n'a pas toujours été le cas. Avant que les Coréens ne le réhabilitent, ce quartier n'était qu'une succession d'entrepôts abandonnés, de buildings décrépits et le terrain de jeu préféré des bandes de voyous. Vous balader ici dans les années 1980 relevait du suicide. Vous vous faisiez immédiatement braquer. Aujourd'hui, c'est le quartier le plus branché de la ville, le long de l'autoroute 95.

La plupart des objets proposés me paraissaient à des années-lumière de mes moyens financiers.

— Comment s'appelle ce coin ?

— Wynwood. L'immobilier a grimpé en flèche. Le quartier est à moitié dédié à la mode, et à moitié pseudo artistique. Une infime partie, sur Fifth Avenue, se consacre à l'industrie textile, mais la majeure partie n'est que boutiques de luxe.

Yellen a tourné à gauche, puis à droite. J'attendais qu'il veuille bien me fournir de plus amples détails sur notre présence à Design District.

— Deuce Cypress a accusé des gens dont il dit qu'ils achètent leur matière première à des braconniers. Il s'agit d'une société dirigée par quatre sœurs : Esther, Eun, Edie et Evette Eugene. Sur leur acte de naissance, le nom exact est en réalité Yoo-Jin. Juste une brochette de filles fans de téléréalité, mais elles ont créé leur collection de vêtements spécialisés en peaux naturelles. Nous avons rendez-vous avec Esther à sa boutique de pantalons ultra huppée.

Yellen a bifurqué dans Second Avenue et s'est garé devant une devanture cool et moderne en verre fumé. Les lettres blanches et brillantes EUGENE ornaient la vitrine.

Le style vernis blanc se poursuivait à l'intérieur sur les bustes des mannequins, le tapis et les murs, la décoration. Le seul contraste était assuré par d'immenses photos en noir et blanc encadrées, et sur lesquelles quatre Asiatiques prenaient des poses affectées.

À droite en entrant, une demi-douzaine de robes safari très chics étaient suspendues, telles des œuvres uniques dans une galerie d'art. Sur la gauche, sobres et élégants, des vêtements pour hommes dans les tons taupe et beige. Une pancarte discrète et raffinée les présentait : *Collection artisanale pour femmes et hommes.* Mais le clou de la collection s'étalait sur un support en acrylique blanc au beau milieu de la pièce : des sacs, des ceintures et des chaussures en croco, des vestes en peau de serpent. J'ai jeté un bref coup d'œil sur les étiquettes. Ouais. Très au-dessus de mes moyens.

Peu importe, car tous ces articles me laissaient de marbre. Je n'ai jamais ressenti le désir de me vêtir avec la peau d'une autre créature. Et ma récente rencontre avec des pythons et des alligators morts ne m'incitaient pas à vouloir me mettre leurs dépouilles sur le dos.

— Bonjour?

Le ton employé par la jeune femme anorexique relevait plus de la question que de la phrase de bienvenue. Un shérif bedonnant et d'âge mûr ne devait pas cadrer avec sa clientèle habituelle.

Yellen lui a brandi sa plaque sous le nez.

— On a rendez-vous. Avec Esther Eugene.

— Par ici.

Aucune émotion. Démarche gracieuse et chaloupée. La jeune femme, que j'imaginais être une vendeuse, nous a conduits sans un mot à l'arrière-boutique. Des photos de magnifiques top-modèles minaudant devant l'objectif jalonnaient l'étroit couloir.

L'employée s'est arrêtée sur le seuil d'une pièce dans laquelle elle nous a invités à entrer.

L'endroit était — je vous le donne en mille — uniformément blanc, ce qui mettait indubitablement en valeur l'occupante des lieux, une femme habillée d'une robe en peau de serpent. Elle avait un teint de porcelaine et une coupe au carré. Ses faux cils aussi noirs que ses cheveux ressemblaient à une armée de mille-pattes.

Elle était assise derrière un bureau laqué blanc, le menton posé sur une main, suggérant que nous la dérangions en pleine concentration.

— Oh, vous devez être le shérif Yellen, a-t-elle ronronné. Esther Eugene… Je vous en prie. Entrez. (Elle a penché sa tête en haussant délicatement un sourcil.) Et vous êtes…?

— Tempe Brennan.

— Puis-je vous offrir une tasse de thé?

Sérieux? Est-ce que le shérif semblait du genre à aimer siroter une camomille?

Yellen n'y est d'ailleurs pas allé par quatre chemins.

— J'ai un témoin qui raconte que vous achetez illégalement des peaux d'espèces animales.

Esther a plaqué sa main contre sa poitrine. (En état de choc, sans aucun doute.) Ses ongles longs étaient d'un rouge cerise du plus bel effet.

— Oh mon Dieu ! C'est tout à fait faux ! (Sa voix manquait terriblement de sincérité.) Jamais mes sœurs et moi ne nous engagerions dans des activités illicites. Nous mettons un point d'honneur à travailler dans une perspective de commerce équitable. Nous œuvrons à créer une mode en phase avec le développement durable.

Je reconnaissais bien là le jargon marketing classique. J'aurais parié qu'elle n'en comprenait pas un traître mot. Je doutais même qu'elle saisisse le concept derrière le concept.

Yellen a calmé les élans mélodramatiques d'Esther.

— Madame, je ne suis pas ici pour vous arrêter pour trafic illégal d'animaux braconnés. Je suis ici dans le cadre d'une enquête pour meurtre.

Esther a haussé les sourcils (cette fois, les deux), du moins aussi hauts que les injections de Botox le lui permettaient.

— Madame, connaissez-vous une jeune femme du nom de Kiley James ?

Esther nous a gratifiés d'un numéro de comédienne exceptionnel. Bouche bée, souffle coupé, elle a fini par balbutier :

— Kiley… est… est… *morte* ?

Elle a porté une main tremblotante à sa bouche également rouge cerise.

— Dites-nous ce que vous savez sur elle.

Esther a attrapé un mouchoir en papier d'un distributeur en forme de fleur, et l'a tapoté sous chaque œil. Puis elle l'a regardé pour vérifier que son mascara n'avait pas coulé.

— Nous avons signé un contrat avec elle il y a peu pour qu'elle devienne l'égérie de notre marque. Nous programmons une grande campagne de pub centrée sur son image pour lancer notre Collection Python. C'est un très gros budget, vous savez.

— C'est la première fois que j'entends parler de Kiley comme d'un mannequin, a commenté le shérif sur un ton dubitatif.

— C'était justement notre objectif ! (Elle a tapé dans ses mains avec enthousiasme, oubliant un instant d'être triste.) Nous voulions une vraie chasseuse, pas un top-modèle. Et peu nous importait qu'elle soit petite de taille. Quand nous l'avons vue l'an dernier à la cérémonie de remise des trophées de la compétition de chasse, nous étions sûres qu'elle ferait l'affaire. Kiley était si naturelle ! Un joli visage et une silhouette adaptée à notre ligne de vêtements. (Hochement de tête faussement timide.) Vous voyez ce que je veux dire ?

Yellen l'a laissée poursuivre.

— Nous nous apprêtions à signer un contrat avec un chasseur de serpents lorsque nous avons découvert Kiley. C'était la seule candidate avec un profil aussi exceptionnel — un petit bout de femme maîtrisant des serpents plus gros qu'elle, et mieux que des hommes. Nous avons pris notre temps avant d'être convaincues que c'était bien elle l'emblème de la marque EUGENE. (Autosuffisance affichée sans vergogne.) Quand le prix à payer est raisonnable, tout le monde s'accorde à dire oui, n'est-ce pas ?

— Alors, elle consiste en quoi, cette campagne de pub ?

— La thématique est extraordinaire. (Esther a tranché l'air horizontalement dans un grand geste théâtral.) La laideur dans la beauté. N'est-ce pas brillant ? Transformer la plus grande menace que les Everglades aient jamais connue en quelque chose de positif et de beau.

— Des chaussures ? ai-je lâché à brûle-pourpoint.

Esther a toussé nerveusement, puis s'est redressée en me toisant avec mépris.

— Rendre les gens sûrs d'eux-mêmes envoie des ondes positives à l'ensemble de l'univers.

— Et si vous me foutiez un peu d'énergie positive dans cet interrogatoire en me disant quand vous avez croisé Kiley James pour la dernière fois ?

Le timbre de voix du shérif était assez dur pour fendre du granit.

Esther a réfléchi. Ou a fait semblant de réfléchir.

— Je dirais… Il y a deux semaines. Nous mettions la dernière main à la planification des séances photo. Elle nous a confié qu'elle avait des choses à régler. (Un index à l'ongle laqué rouge cerise s'est tendu vers le ciel.) Oh… Maintenant que j'y pense, elle paraissait vraiment distraite.

— C'est-à-dire ?

— Je ne suis pas sûre mais… Je sentais qu'elle n'était pas très concentrée sur ce que nous lui expliquions. (Elle a hoqueté d'un petit rire idiot.) Kiley a toujours eu un tempérament bouillant, refusant de porter certains de nos articles, par exemple. (Bienveillance feinte.) Mais lors de notre dernière rencontre, elle s'est montrée particulièrement... provocatrice.

— Provocatrice ? a répété Yellen.

— Kiley possédait un sens de la justice aigu. Elle avait des principes moraux auxquels elle ne dérogeait pas.

— Croyez-vous que ça puisse avoir entraîné sa mort ?

— J'imagine, a répondu Esther sans hésiter. Si elle a mis en colère la mauvaise personne.

— Auriez-vous une idée de qui pourrait être cette mauvaise personne ?

— Non. Je veux dire... La concurrence pour le recrutement de notre égérie a été rude. Des postulants se sont fâchés quand nous avons sélectionné Kiley qui sortait de nulle part. Nous sommes si populaires, nous, les Eugene. (Elle irradiait d'autosatisfaction.) Les gens n'ont pas supporté qu'elle surgisse au dernier moment pour rafler la mise. Mais j'ai du mal à imaginer que l'on puisse assassiner quelqu'un parce qu'on est déçu de ne pas avoir été choisi pour un job.

— Je vais avoir besoin de la liste des candidats.

— Bien sûr, shérif. Y a-t-il autre chose que je puisse faire ?

Je sentais qu'elle avait à présent envie qu'on dégage.

— On vous tiendra au courant.

— Tout cela est si bouleversant. (Elle s'est levée.) Qu'allons-nous faire ?

— Un nouvel appel de candidatures.

Pas très gentil de ma part, mais je trouvais cette femme immonde.

Esther nous a raccompagnés à la porte du bureau en conservant une mine attristée.

À l'extérieur, la température grimpait déjà à 27 degrés, et nous n'étions qu'au milieu de la matinée. L'humidité tendait également vers un record.

Yellen a démarré la voiture et allumé l'air conditionné.

— Avez-vous reçu un message de...

— Non, l'ai-je interrompu. Avec un meurtre d'enfant sur les bras, Barconi va prendre tout son temps.

Il a fait la moue, mais il n'était pas étonné. C'était un pro. Il était simplement impatient. Il a desserré le frein à main.

144

— Et où on va maintenant?

— À votre endroit préféré, a-t-il répliqué.

Et il a filé plein sud, en direction du parc national des Everglades.

Chapitre 8

— De grâce, ne me dites pas qu'on y a encore découvert un pied ? ai-je lancé à mon chauffeur d'un ton léger.

À voir la tête de Yellen, j'ai senti qu'il n'était pas d'humeur à rire.

— Un de mes adjoints a pour mission de retrouver le journal de Kiley James. On a fouillé son domicile et sa voiture. Sans résultats. Lundberg m'a dit qu'elle possédait un casier au poste central des gardes forestiers. On y va, je veux vérifier par moi-même.

On a emprunté la route désormais familière, en traversant Homestead, direction le sud. On a roulé sur la célèbre Ingraham Highway qui mène au parc national. Le téléphone de mon compagnon a sonné.

— Shérif Yellen à l'appareil. (Plus il écoutait, plus sa bouche se tordait.) Oui, je suis en route. Passe-moi Scott Pierce.

La communication a coupé.

Trois secondes plus tard, son cellulaire sonnait à nouveau.

— Merci de m'avoir rappelé aussitôt. Écoute, je suis en chemin pour inspecter le casier de Kiley James, chez vous, au poste des gardes forestiers.

J'entendais une voix minuscule dans le téléphone, mais impossible de saisir ce que lui racontait Pierce.

— Ouais, elle avait un casier. Monsieur l'expert Lundberg me l'a dit la nuit dernière. Oui, j'ai un mandat. Mais je dois retourner d'urgence au QG. Si je confie le mandat au docteur Brennan, peux-tu t'occuper de ça à ma place et ensuite la raccompagner chez elle ?

À nouveau, des bruits de voix inaudibles.

— Merci, je te revaudrai ça, a conclu Yellen, avant de s'adresser à moi. Y a un changement de programme. Descente en cours dans un labo clandestin à Florida City. Les gars y fabriquent de la meth. Ces cons ont foutu le feu. Je dois vous laisser ; Scott Pierce prend le relais. Il vous ramènera chez vous.

— Ma voiture est garée à la morgue.

— Vous n'aurez qu'à prévenir Pierce, et il vous y conduira.

Quelques minutes plus tard, on était devant l'entrée principale du parc national des Everglades. On a dépassé le bureau d'accueil des visiteurs, et on s'est garés dans le stationnement réservé exclusivement aux gardes forestiers. Au bout se dressait un bâtiment de forme cubique abritant leurs bureaux. Le drapeau américain qui pendouillait à l'entrée semblait aussi décati que ma coiffure.

Je suis descendue du véhicule.

Au lieu de partir, le shérif a abaissé sa vitre.

— Vous retournez étudier ce pied dès que possible, hein ?

— Promis. Dès que ce sera possible.

J'étais sincère. Personne au monde ne voulait plus que moi en finir avec cette histoire.

Il y a eu ce petit ronronnement de la vitre qui remonte, puis Yellen a démarré.

J'ai grimpé quatre à quatre les marches du poste de garde.

L'endroit, austère et fonctionnel, ne ressemblait en rien au centre d'accueil des visiteurs. La pièce était remplie de classeurs et de bureaux. Des équipements pour les premiers secours étaient empilés à gauche, et plein de talkies-walkies destinés aux rondes des gardiens étaient plantés sur des chargeurs. Au fond, un alligator en peluche portait des lunettes de soleil et une casquette de l'université de Floride.

Une femme en uniforme vert assurait la permanence. H. FLORES disait le badge épinglé sur sa veste. Des cheveux brun foncé attachés en une queue de cheval. Une paire de lunettes à la Harry Potter. Et un visage dont il était difficile de déterminer l'expression.

Amie ou ennemie ?

— Je cherche Scott Pierce.

— Et vous êtes…. ?

— Temperance Brennan.

Flores a téléphoné, écouté, raccroché.

— Désolée. Pas de réponse.

— Il doit être en chemin.

— Vous pouvez l'attendre ici.

Flores m'a désigné plusieurs chaises en plastique qui avaient l'air très inconfortables. Elles l'étaient.

Cinq minutes ont passé.

J'ai sorti le mandat et l'ai lu. Kiley James s'était vu attribuer le casier cinquante-trois.

J'ai tapoté mes doigts sur l'accoudoir avec impatience. J'ai surveillé la pendule murale : trois minutes de plus. Je me suis accordée encore un quart d'heure. J'ai lorgné l'état lamentable de mes ongles. J'ai examiné les cartes du parc indiquant les sentiers balisés. J'ai contemplé les photos de la faune et de la flore locale.

Après quatorze minutes et cinquante-cinq secondes, j'ai bondi sur mes pieds et ai marché vers Flores.

— Écoutez, j'ai un mandat du juge, ai-je déclaré en le lui montrant. Indiquez-moi les vestiaires du personnel et vous ne m'aurez plus sur le dos.

Elle a lu le document et a hoché la tête.

— OK. Vous suivez ce couloir, quatrième porte sur votre gauche.

— Prévenez Pierce dès qu'il arrive, qu'il m'y rejoigne.

— Ce sera fait.

J'ai tourné la poignée et je suis entrée. Des néons au plafond, du linoléum au sol, une salle de vestiaires classique avec des casiers métalliques crème sur trois côtés.

Un bruit à ma droite m'a fait sursauter.

Scott Pierce semblait tout autant surpris.

— Qu'est-ce que vous faites ici ? a-t-il demandé en fronçant les sourcils.

Bizarre. Yellen lui avait bel et bien fourni l'info sur ma présence. Pierce devait pourtant bien s'attendre à me voir débarquer.

— J'ai le mandat pour fouiller le casier de James.

— Parfait. Je m'en occupe. (Il a tendu le bras.) Vous pouvez retourner dans la pièce principale.

148

Une minuscule sonnette d'alarme a retenti dans ma tête.

— Merci, ai-je dit en rangeant le mandat dans ma poche, mais je vais rester.

Pierce a plongé son regard dans le mien. Un regard sombre et difficile à déchiffrer. J'ai réalisé que je n'avais jamais vu ses yeux auparavant, car ils étaient tout le temps dissimulés derrière une paire de lunettes noires.

— C'est mon secteur ici. (Il a arboré ce qu'il devait penser être un sourire ravageur. Il devait s'exercer devant sa glace chaque fois qu'il se rasait.) Donc on agit selon mes instructions.

— Yellen m'a demandé de faire l'inventaire du casier.

Pas tout à fait exact. Mais ce crétin arrogant commençait à m'énerver.

Il m'a regardée fixement.

— D'accord. Mais vous regarderez après moi. Et vous ne touchez à rien.

· — J'ai l'habitude de travailler avec les forces de l'ordre dans deux pays différents. (Je l'ai gratifié d'un bref sourire.) Les procédures de collecte de preuves n'ont aucun secret pour moi.

À cet instant précis, la porte s'est ouverte et un jeune garde forestier est entré. Avec ses cheveux blonds hirsutes et son acné, il avait l'air d'avoir douze ans.

— Hé, Scott! (Pierce l'a salué en retour d'un signe de tête.) Qu'est-ce qui se passe? (Il n'avait aucune conscience de la tension qui régnait entre nous.) Tu fais une tournée d'inspection ou quoi?

Je n'avais pas encore remarqué que bon nombre de casiers étaient ouverts.

Pierce a haussé les épaules.

— Aucune idée. Ils étaient comme ça quand je suis arrivé. Ça doit être le service d'entretien.

Le jeune homme s'est approché d'un casier, a tourné la roulette du cadenas, puis l'a ouvert.

Pierce et moi avons attendu tacitement qu'il soit reparti. Je ne pourrais dire pourquoi. Peut-être par respect pour cette femme dont nous allions fouiller les affaires.

Le petit a pris quelque chose dans son casier, l'a refermé, a refait son code et nous a quittés.

— À plus tard !

À peine avait-il disparu que Pierce m'a dévisagée.

— Numéro de casier ?

Son ton glacial me mettait mal à l'aise. J'hésitais. J'aurais aimé avoir Yellen à mes côtés. Même Lundberg. Pourquoi une telle appréhension ? Le fait qu'il soit un trou de cul ne voulait pas dire qu'il était incompétent.

— Cinquante-trois.

Pierce s'est emparé d'un coupe-boulons que je n'avais pas repéré auparavant et a foncé vers le casier en question.

— Reculez.

Sans le moindre effort, il a coupé le métal et fait sauter le cadenas, puis il a ouvert la porte. Son corps m'obstruait la vue sur l'intérieur du casier. Était-ce intentionnel ?

— Ne devriez-vous pas porter des gants ?

Sans prendre la peine de me répondre, il a brandi un stylo avec lequel il a fouillé dans des affaires que je ne pouvais apercevoir.

Une bonne minute s'est écoulée. Soudain, il s'est retourné par-dessus son épaule.

— Vous avez raison. Il vaudrait mieux que je mette des gants. Ça vous ennuierait d'aller m'en chercher une paire dans la réserve ? Le placard est dans le couloir.

Mon sentiment d'inconfort a grimpé d'un cran. Pourquoi n'allait-il pas les chercher lui-même ? Je n'étais pas sa servante. Mais j'étais sur son territoire, et pas la bienvenue, visiblement.

— Bien sûr, ai-je marmonné à contrecœur.

— Prenez-en une paire pour vous.

Le voilà qui redevenait sympathique tout à coup.

Je suis sortie dans le couloir et deux minutes après, j'étais de retour. Pierce n'avait pas bougé.

— Tenez, ai-je dit en lui tendant des gants verts à usage unique.

— Merci.

Alors qu'il se retournait pour les attraper, j'ai penché la tête pour scruter le casier. Une veste en polar sur un crochet. En bas, une paire de tongs, des lunettes de soleil, un paquet de mouchoirs, une brosse et une pile de magazines. Impossible de voir ce qu'il y avait derrière ce tas d'affaires.

— Ouais… y a pas grand-chose, a-t-il commenté.

— Et son journal ?

— Il n'y est pas. Dommage. J'espérais qu'il nous aiderait à mettre la main sur ce salaud.

J'ai regretté mes mauvaises pensées à son égard. Ce type essayait juste de faire son travail, après tout.

— Voulez-vous de l'aide pour dresser l'inventaire ? a-t-il offert.

— Merci.

Et j'ai sorti un crayon et un carnet à spirales de mon sac.

Pierce m'annonçait en détail chaque article que je notais. En plus des trucs aperçus d'emblée, il y avait des barres chocolatées, une boîte de tampons hygiéniques, un baume à lèvres, des chaussettes sales. Des objets d'une banalité déconcertante.

— Scott ? (Le visage de Flores venait de surgir dans l'entrebâillement de la porte.) Tu pourrais venir une seconde ?

— Je reviens tout de suite, m'a-t-il lancé.

Je me suis approchée du casier et j'ai soulevé la pile de magazines. Rien en dessous. J'ai passé mon index le long de la rainure du casier. Rien non plus.

Qu'est-ce que je croyais découvrir ? Des bouts de papier dépassant d'une fente ? Des données de géolocalisations pour retrouver le journal ?

Alors que je replaçais les magazines, les trois du haut ont glissé à terre. En me penchant pour les ramasser, j'ai remarqué un Post-it. J'ai tiré dessus et deux feuilles sont venues avec. L'une était la page déchirée d'une revue, l'autre une feuille de cahier gribouillée d'une écriture enfantine. D'ailleurs, plutôt des suites de mots et de chiffres que des phrases. La pliure identique indiquait qu'elles avaient été conservées ensemble.

La poignée a tourné. J'ai dissimulé rapidement ma trouvaille dans mon carnet. Une violation des règles de procédure sur une scène de crime, mais j'avais dans l'idée de les étudier en privé.

Pierce s'est approché, l'air réprobateur.

— Désolée. (Petit sourire timide.) Ils sont tombés.

Un bref signe de tête de sa part. Bonjour la convivialité.

Sans un mot, il les a regroupés non sans avoir secoué chacun des magazines. Je l'observais, soudain inquiète.

Il les a déposés sur un banc et s'est redressé. Il me faisait face.

— Ça y est.

— Bon, je vais remettre cette liste à Yellen.

Pierce ne me quittait pas des yeux, comme si ce qu'il voyait lui déplaisait fortement.

J'ai ôté mes gants et les ai jetés avec une fausse désinvolture dans une corbeille à papiers.

— C'était un plaisir, ai-je dit en tournant les talons.

— Vous ne seriez pas en train d'oublier quelque chose ?

J'ai pivoté, cherchant déjà une bonne excuse pour justifier la subtilisation des deux feuilles.

— C'est moi qui vous ramène, a-t-il déclaré en agitant ses clés de voiture.

J'ai subitement soufflé. Je ne m'étais même pas rendue compte que je retenais ma respiration.

— Ah oui… Bien sûr.

Chapitre 9

J'ai reçu l'appel téléphonique peu après notre départ du parc national. La salle d'autopsie numéro deux était enfin à ma disposition jusqu'à 8 heures le lendemain matin.

J'ai quitté Pierce avec un bref « merci de m'avoir déposée ». Je ne l'aimais décidément pas, ni lui ni son air supérieur.

Une fois tranquille et seule dans la salle d'autopsie, je me suis servie d'une pince pour transférer les deux feuilles de James dans un sac Ziploc. Je les ai ensuite examinées à travers le plastique transparent.

La première feuille était la page arrachée d'un magazine ou d'un catalogue. Elle représentait un top-modèle, mais pas James, portant un pantalon en peau de serpent. Rien de sinistre là-dedans. Je l'avais moi-même fait des centaines de fois, déchirer une page avec une photo de vêtement qui me plaisait. Cependant, le pantalon avait une particularité. Il était l'œuvre des sœurs Eugene.

La seconde consistait en une feuille de carnet lignée, remplie de lettres et de chiffres écrits à la main qui pouvait évoquer une sorte de code. De temps à autre, un nom associé à la région émergeait : Old Ingraham, Pearl Bay, Buttonwood.

Cette succession de mots avait-elle un sens ? James avait-elle mis au point une espèce de sténo personnelle ? Que signifiaient les séquences de chiffres et de lettres ensemble ? J'étais frustrée de ne pouvoir analyser tout de suite ces deux feuilles.

Mais l'étude de la seconde victime était prioritaire.

J'ai envoyé un texto à Lisa, en lui demandant de ne pas hésiter à m'appeler si elle avait besoin de sa voiture. Je lui ai

153

aussi proposé que nous mangions vers 19 heures. J'étais certainement la pire invitée de toute la galaxie. D'un autre côté, c'était elle qui m'avait entraînée dans cette galère.

Ce n'est qu'après avoir appuyé sur la touche «Envoyer» que j'ai vérifié l'heure sur ma montre : 13 h 01. Ça allait être compliqué de tenir l'horaire du souper, mais c'était faisable.

J'ai enfilé des gants et un masque, noué un tablier. Je suis allée dans la chambre froide retirer les os de la seconde victime. Debout devant le comptoir, j'ai examiné mon butin.

Deux ensembles complets d'os de la main étaient répartis dans quatre plateaux en inox. Dix phalanges distales, médianes et proximales. Dix métacarpes et quatorze carpiens. J'avais aussi un pied gauche complet et un avant-bras droit partiel.

J'ai apporté deux des plateaux sur la table d'autopsie. J'allais commencer par les mains. En les effleurant, j'ai remarqué une rugosité des surfaces sous-périostées. J'ai passé mon index le long d'un métacarpe avant de le glisser sous le microscope de dissection. De minuscules piqûres couvraient la majeure partie de la couche externe corticale. Sous la lentille du microscope, la surface ressemblait à un paysage lunaire.

Je me suis redressée, perplexe. Cette porosité n'était pas cohérente avec l'âge, ni avec aucun symptôme de maladie déjà observé. Trop régulier. Trop infime.

Le python ? Devais-je téléphoner à Lundberg ?

Cela se solderait par un cours magistral de plusieurs heures. Je me suis donc rabattue sur la source de tout savoir. Google. Dans l'antichambre de la salle d'autopsie se trouvait un ordinateur et j'y ai entré mes mots clés.

Après pas mal d'errances virtuelles, j'ai fini par tomber sur le bon filon. Un article du *Journal of Herpetology*. L'herpétologie est le domaine de la biologie qui étudie les reptiles et les amphibiens. Dieu soit loué, ces spécialistes allaient me sauver la vie. J'ai coupé-collé dans un fichier des éléments pertinents pour m'aider plus tard. En bref, je venais d'apprendre que les pythons possédaient des cellules dans leur intestin grêle qui facilitaient l'absorption de calcium issu du squelette de leurs proies.

Ça collait. Une absorption de calcium causerait une dégradation de l'os.

154

Je suis retournée dans la chambre froide et j'y ai attrapé un bocal rempli de formol portant le numéro attribué au second des deux pythons de Harwood Hammock. J'ai dévissé le couvercle et, grâce à une pince, j'ai repêché l'échantillon d'intestin grêle que Lundberg avait découpé. Je l'ai déposé sur une lame de verre pour pouvoir l'examiner au microscope.

Des petites taches blanches parsemaient la paroi tissulaire.

J'ai répété l'opération avec un morceau de côlon. J'ai noté des inclusions identiques.

Des particules d'os microscopiques, résultat de cellules spécialisées absorbant le calcium. Les traces de piqûre sur l'os humain étaient donc une conséquence indirecte de la digestion opérée dans les intestins du python, et non un indicateur d'une quelconque maladie. La barrière supplémentaire constituée par le vautour expliquait l'absence de ces indicateurs sur les os du pied de James.

J'étais satisfaite de mon diagnostic. J'ai poursuivi le reste de mes analyses, en procédant de façon identique à ce que j'avais fait pour James et en consignant chaque information. La qualité des os était satisfaisante. Pas d'arthrite. Aucun indice de fusion de l'épiphyse récente. Conclusion : jeune adulte ; vingt à vingt-cinq ans.

Ensuite, je me suis penchée sur le cubitus et le radius. J'ai immédiatement repéré un traumatisme *ante mortem.* Les deux os avaient été fracturés en deux endroits. Les traces de fracture en spirale témoignaient d'une violente torsion. Toutefois, chacune de ces fractures avait été soignée, les os étaient bien alignés. Bien qu'il n'y ait ni plaque ni vis, je devinais qu'une chirurgie orthopédique avait été pratiquée très peu de temps après la blessure. Le remodelage osseux indiquait que cela s'était déroulé de deux à trois ans avant la mort du patient.

J'ai envisagé plusieurs scénarios impliquant une telle blessure. Un accident du travail ? Une blessure sportive ? Une agression ? Je n'étais sûre de rien, sauf d'une chose : elle avait généré de grandes souffrances physiques.

J'ai scruté l'extrémité proximale du cubitus. Des traces de scie. De tronçonneuse. Cela a fait tilt dans mon esprit.

J'ai regardé de près les dommages causés par la lame. Ils ressemblaient à ceux constatés sur les os de pied de Kiley

James. Pourtant, sans la tronçonneuse, difficile de déterminer avec certitude si elle avait servi à démembrer les deux victimes.

Quelles probabilités y avait-il pour que l'on ait deux scies et deux criminels ?

Au fond de moi, j'étais persuadée que les victimes avaient été assassinées par la même personne.

Mais qui était la seconde victime ? Comment était-elle reliée à Kiley James ? Un ami ? Une amie ? Un amant ? Un concurrent ? J'étais bien décidée à faire toute la lumière sur l'identité du squelette.

J'ai entré mes mesures dans le programme Fordisc, qui est une base de données pour les morgues. Il m'a fourni moult graphiques et statistiques. Toutes les données concordaient, sachant qu'il y avait un taux d'erreur quasi nul. Ma victime inconnue était un homme d'origine amérindienne.

Ah bon ?

Je suis revenue dans la salle d'autopsie, et j'ai contemplé les os. Après un autre examen, je n'ai rien trouvé de plus que ce que j'avais déjà noté. La frustration commençait à me rendre nerveuse.

J'ai prélevé de l'os en vue d'un test ADN, mais je n'y croyais pas. Quelle probabilité pour que ce type soit enregistré dans le système ?

À court d'idées, j'ai reposé les os sur le plateau, puis je l'ai rangé avec les autres. Mon regard est tombé sur le bocal avec les échantillons d'organes. Dedans, ce qui ressemblait à des copeaux de plastique flottait dans le formol. J'en ai repêché quelques-uns avec un tamis à mailles fines et je les ai examinés au microscope. Les copeaux étaient des ongles d'orteils et de doigts. Que Dieu bénisse la kératine ! Elle résiste à tous les types d'enzymes digestives.

J'étais en train de régler la lumière, quand une tache décolorée sur un ongle a attiré mon regard. Je l'ai ramassé pour l'observer sous la loupe.

J'en ai eu le souffle coupé.

Une couche de chair adhérait toujours à l'arrière de l'ongle. On distinguait un cercle traversé en son centre par trois traits verticaux. Trois bandes concentriques occupaient l'intérieur du cercle.

Un homme d'une vingtaine d'années. Amérindien. Avec un tatouage sur un ongle unique. Et un lien avec Kiley James.

Bon sang, mon inconnu avait désormais un nom !

J'ai sauté sur mon téléphone. Celui que j'appelais a décroché aussitôt.

— Je parierais ma chemise que notre seconde victime est Buck Cypress.

J'ai expliqué l'ongle tatoué, la confirmation du Fordisc. Yellen a aussitôt pigé.

— Vous en êtes sûre à 100 % ?

Une fois n'est pas coutume, le shérif semblait optimiste.

— Pas encore. Mais la victime a eu une vilaine fracture à l'avant-bras droit il y a deux ou trois ans. Tout porte à croire qu'elle a été soignée par un professionnel. Si c'est le cas, il y aura forcément des radios quelque part. Et si personne ne les a conservées, un des frères pourra confirmer la fracture du bras.

— *Shit !* Ces imbéciles n'ont même pas le téléphone et je suis coincé avec ce foutu incendie. J'ai pas le temps de retourner dans le marais.

— Je peux y aller.

J'entendais une cacophonie en arrière-fond. Des cris. Quelqu'un appelait Yellen à la rescousse.

— Une seconde, a-t-il dit. (Silence étouffé, comme s'il avait plaqué le cellulaire contre sa poitrine.) Désolé. C'est un vrai bordel ici. Qu'est-ce que vous me disiez ?

— Je vais aller voir Deuce pour confirmer l'identité de son frère.

— Toute seule ? C'est de la folie.

— Pourquoi ?

— Vous voulez que je vous fasse un dessin ? a-t-il répondu d'un ton sec.

— Je n'en suis pas à ma première enquête, ai-je répliqué sur le même ton.

— Vous avez des couilles, doc, faut vous reconnaître ça. (Pause.) Je vous enverrai un de mes adjoints dès demain, à l'aube.

— Parfait.

Ça ne l'était pas.

— J'allais oublier… Vous allez l'adorer, celle-là. (Yellen a émis une espèce de gloussement.) Le nom de Scott Pierce apparaît sur la liste des postulants pour la campagne de pub Eugene. Le beau garçon s'est même rendu jusqu'aux finales. (Une porte a claqué. L'arrière-fond sonore a grimpé en volume.) Bon sang! Faut que j'y aille… mon adjoint vous appellera en temps voulu.

Trois bips m'ont confirmé que Yellen avait raccroché.

Merde.

Je ne voulais pas aller dans le marécage demain. J'avais envie de faire la grasse matinée, de me prélasser sur la plage, de manger des fruits de mer avec Lisa.

Petit coup d'œil à ma montre : 17 h 30. Rapide calcul. Soixante-dix kilomètres, conversation succincte avec Deuce Cypress, puis encore une demi-heure de voiture pour rentrer à Homestead. Si je partais maintenant, je pourrais obtenir confirmation de mon identification et retrouver Lisa pour 19 heures. Et demain… fini, terminé. Je serais en vacances!

Et pourquoi pas, diable? J'étais mandatée par la police pour agir en qualité d'enquêtrice. Et puis, les deux frères et moi avions créé des liens autour de leurs tatouages. Ils étaient peut-être réfractaires à l'autorité, mais ils n'allaient certainement pas tirer sur une agente.

Décision impulsive.

J'ai tout rangé dans la chambre froide, j'ai attrapé au vol les clés de voiture de Lisa et j'ai foncé vers le stationnement.

Mais c'était sans compter sur l'heure de pointe à Miami; sur l'impact du soleil couchant sur la visibilité; sur ma piètre maîtrise du volant sur un chemin de terre défoncé. Bref, au moment où je me garais devant la cabane des frères Cypress, il était presque 19 h.

J'ai attrapé mon téléphone pour prévenir Lisa de mon retard. Merde… Pas de réseau.

Le crépuscule gagnait du terrain, la lumière du jour en perdait. Je commençais à regretter amèrement mon élan impétueux. Je me rassurais en me répétant que ni Deuce ni Ernie n'étaient menaçants. Et Buck aurait désormais peu l'occasion de l'être. Pas de problème. Je pose ma petite question sur la fracture de l'avant-bras, et je file.

Je suis descendue du véhicule et j'ai tendu l'oreille. Pas de coups de feu. Pas de tic-tic-tic du système de refroidissement de la Prius de Lisa. Rien que le coassement des crapauds et le bourdonnement strident des moustiques.

J'étais en train de débattre de la meilleure stratégie d'approche quand l'un de ces insectes assoiffés de sang m'a piquée. Au moins, ça m'a obligée à réagir même si je maudissais ce fichu marais. J'ai grimpé les marches menant à la véranda et cogné à la porte moustiquaire. Celle-ci a rebondi contre le montant. Personne ne s'est présenté. J'ai cogné plus fort. Toujours pas âme qui vive.

Il ne m'était pas venu à l'esprit que les frères Cypress pourraient ne pas être chez eux. J'ai continué à faire du bruit lorsque soudain j'ai entendu un son qui n'était ni le cri d'un oiseau de nuit ni celui d'un petit rongeur. J'ai retenu ma respiration pour tenter d'en localiser la source.

Je suis redescendue pour faire le tour de la maison. La veille, Deuce était apparu de l'arrière. J'ai marché tout doucement pour ne pas alerter Rooster, le chien mangeur d'hommes.

Il y avait le même paysage que devant : tout un tas d'outils rouillés empilés n'importe comment. Le plus grand risque que je courais ici, c'était surtout le tétanos.

J'ai contourné la baraque. C'est alors que j'ai entendu des voix. Poursuivant un chemin boueux, je les ai vus près de l'eau.

Deuce et Ernie étaient installés dans des chaises longues bringuebalantes. Ils fumaient en contemplant les marécages. En humant une seule bouffée, j'ai compris qu'il ne s'agissait pas de tabac.

— *Yo*, ai-je lancé.

Deuce a plongé sur son fusil qui était calé contre l'accoudoir. Ernie m'a renvoyé son sourire idiot.

En m'apercevant, Deuce a paru d'abord déconcerté, puis il m'a reconnue. Il a scruté derrière mon épaule, sans doute persuadé de voir débouler Yellen. Son absence l'a déstabilisé. Il a relâché ses épaules d'un millimètre, mais il n'a pas lâché la Remington.

— Qu'est-ce qui se passe, m'dame ? a-t-il demandé en jetant son joint.

Son frère continuait à me sourire béatement.

J'ai eu une crampe au ventre. Je déteste avoir à annoncer de mauvaises nouvelles. En particulier quand il s'agit d'un meurtre.

Deuce l'a lu sur mon visage.

— C'est Buck, c'est ça?

— Quand l'avez-vous croisé pour la dernière fois?

Je lui parlais avec douceur.

— Y a deux semaines.

— Est-ce que votre frère a eu un jour le bras cassé?

— Ouais! a crié Ernie. L'alligator, il l'a croqué.

— Il s'entraînait pour le combat, vous savez, pour les touristes. Ce jour-là, l'alligator a plongé en avant plus vite que prévu. Il a blessé mon frère. Belle fracture ouverte au bras. Buck est parti en ambulance. Y gueulait comme un veau.

Ambulance signifiait hôpital et hôpital signifiait radios.

— Quel hôpital?

— À Kendall.

— Buck avait-il un tatouage sous l'ongle, comme le vôtre?

Je connaissais déjà la réponse.

Ernie a hoché la tête avec enthousiasme.

— Ben ouais, c'est l'aîné!

— Qu'est-ce qu'il lui est arrivé? a demandé Deuce, le regard noir.

— Ce qu'il méritait!

La voix grave et glaciale a surgi de nulle part. Une voix d'homme. J'ai senti l'adrénaline déferler dans mes veines. M'étais-je trompé sur la mort de Buck? Impossible.

La nuit change radicalement votre perception des choses, elle modifie votre sens de l'orientation. Je n'arrivais même pas à déterminer à quelle distance se tenait ce type.

J'ai scruté l'obscurité. Mon cœur battait fort. J'avais la bouche sèche. Finalement, j'ai perçu un mouvement. À trois heures. À l'orée de la forêt se découpait une silhouette. Un éclair de peau blanche.

Et Scott Pierce est apparu.

J'ai jeté un œil aux deux frères. Deuce était méconnaissable. La terreur se lisait sur son visage.

Je me suis tournée vers Pierce, tous mes sens en alerte.

— La Remington. Lance-la par ici.

Deuce s'est exécuté avant de lever les bras en l'air dans un geste de soumission.

— Ah, c'est vous, Pierce. Vous m'avez fait sursauter.

Je m'efforçais à parler d'un ton calme, mais les questions se bousculaient dans ma tête.

— Mon erreur.

— Vous êtes un peu en dehors de votre juridiction, non ? ai-je dit en m'obligeant à être ironique.

— C'est facile de se perdre dans les Everglades. (Il avait les yeux braqués sur Deuce.) Et c'est facile de tout foutre en l'air.

— On a rien fait de mal, a protesté Deuce, presque suppliant.

— Bande de crétins, vous faites toujours tout de travers !

Pierce s'avançait maintenant à découvert.

— Et pourquoi vous êtes là ? ai-je demandé d'une voix moins assurée.

— J'ai pensé que vous auriez besoin de protection.

J'ai vu le métal de l'arme étinceler dans sa main.

— C'est Yellen qui vous envoie ?

Mon cerveau tournait à plein régime. Des éléments disparates se mettaient en place tel un puzzle. L'humiliation d'avoir été rejeté au profit d'une femme dans un recrutement pour une pub. Les mots d'une feuille de cahier évoquant des noms d'endroits du parc national. Une photo de mannequin portant un vêtement en peau de serpent.

— Oui, c'est Yellen.

Yellen n'était pas au courant de ma venue ici ce soir. Pierce m'avait-il prise en filature ?

— Je vais bien. Vous auriez pu vous économiser toute cette route.

Son comportement hostile au poste central des gardes forestiers. Le temps passé seul devant le casier cinquante-trois. Je commençais à comprendre.

— On peut pas laisser une fille de la ville se promener toute seule dans les marécages, a-t-il dit en s'avançant encore. Ça pourrait être dangereux.

— Yellen ne va pas tarder, ai-je menti.

— Yellen ne viendra pas.

Il s'est approché et j'ai noté chaque détail. La lampe de poche à sa ceinture. Le Glock dans sa main droite. Le regard de tueur dans ses yeux. Un renflement dans la poche de sa chemise.

Mon instinct de survie me criait d'agir. Ou de fuir. Au lieu de ça, j'ai campé sur mes positions en essayant de distinguer ce qu'il y avait dans sa poche. Ça ressemblait à du papier. Des spirales. C'était un carnet.

Le journal de Kiley James.

— De toute façon, j'allais partir, ai-je déclaré sur le ton le plus détaché qui soit.

Il fallait que je déguerpisse au plus vite. Pierce avait tué et démembré Kiley James, et sans doute aussi Buck Cypress.

J'ai marché avec assurance en direction de ma voiture.

— Ça ne va pas être possible.

Et il a pointé son Glock entre mes deux yeux.

Chapitre 10

— Bon sang, qu'est-ce que vous faites, Pierce ?

J'avais choisi avec soin mon vocabulaire pour éviter de paraître paniquée. Ce que j'étais évidemment. N'importe qui panique avec un pistolet pointé sur soi.

— Ce que je fais ? Je règle un problème.

Deuce et Ernie étaient littéralement paralysés. Aucune aide à espérer de leur part. Ma meilleure stratégie : essayer de gagner du temps et guetter une ouverture. Et puis après ?

Faire tout ce qu'il faut pour survivre.

— Vous avez tué Kiley James à cause d'un contrat de mannequin ?

Pierce a paru surpris de ma remarque. Puis très énervé.

— Ce contrat, comme vous dites, il était pour moi. Elle me l'a volé.

— Et ça justifie un meurtre ?

— Me venger pour la campagne de pub Eugene, c'était la cerise sur le gâteau. Cette garce fouinait dans les affaires des autres, et elle a payé d'abord pour ça. La supprimer a été ma récompense.

— Qu'est-ce qui s'est passé ? Elle avait découvert que vous étiez impliqué dans des affaires de braconnage ?

Pierce a inconsciemment roulé sa langue sur ses lèvres, tel un serpent venimeux.

— Je dois une fière chandelle à Yellen. Sans le vouloir, il m'a prévenu pour le journal. Vous comprenez maintenant pourquoi il fallait que je fouille ce foutu casier tout seul ? (Il a éclaté de rire.) Même si j'ignorais à quel point cela allait m'être utile.

— Que voulez-vous dire?

— Mademoiselle La Fouine avait noté les coordonnées de chaque braconnier du marais. Et aussi des preuves. Les lieux. Les dates. Les photos. Elle avait des infos sur tout le monde, sauf sur moi. (Il a secoué la tête en jubilant.) Je n'ai même pas eu droit à une mention honorable. (Il s'est ensuite adressé à Deuce.) Par contre, elle savait tout de toi et de ton grand frère. Elle avait consigné à peu près tout vous concernant, à l'exception peut-être de la longueur de vos queues. Le vieux Buck n'aurait pas dû la provoquer avec ses mains baladeuses. Ça l'a mise en furie.

— Pierce, elle vous aurait démasqué vous aussi, tôt ou tard.

— La vie, c'est une affaire d'être au mauvais endroit au mauvais moment. (Il a haussé les épaules.) Elle est venue ici pour s'en prendre à Buck, tandis que moi, je descendais un python.

— Pourquoi t'as tué mon frère? (Deuce balbutiait presque en parlant.) Buck t'a jamais rien fait.

— Ton frère était plus idiot qu'un amas de pierres, a-t-il ricané. James connaissait chaque détail de notre combine. Les conneries de ton frère m'ont obligé à délocaliser toute mon activité.

— Sans compter qu'il a été témoin du meurtre de la petite, ai-je ajouté.

En entendant ces mots, Pierce a décrit un arc de cercle avec son Glock, histoire de bien nous faire comprendre qu'on était tous les trois dans la même galère.

— Avancez. Par là. (Il désignait la forêt de la pointe du canon.) Et montrez-moi vos mains.

Nous avons obtempéré, les bras en l'air. La vase collait à nos semelles sur le sentier glissant où nous nous étions engagés en file indienne. La végétation créait une espèce de tunnel feuillu au-dessus de nos têtes.

Il faisait maintenant nuit noire. La forêt était dense et sombre. Elle bruissait de minuscules bruits, sans doute ceux de petits animaux invisibles, vaquant à leurs occupations nocturnes, perturbés par notre défilé. Sur ma droite, j'entendais le clapotis de l'eau, mais je ne distinguais rien, car aucune lumière ne s'y reflétait.

Je suivis les deux frères, Pierce sur mes talons. Sa lampe de poche formait une tache ovale et dorée à nos pieds et nous indiquait vaguement la route. Je sentais la présence du canon du Glock dans mon dos. J'imaginais les balles déchirer ma colonne vertébrale, exploser dans mes entrailles, briser mes côtes. J'imaginais une mare de sang, mon sang, s'étalant au sol. J'imaginais mon cadavre abandonné dans un coin isolé du marécage, mes amis et ma famille ignorant ce que j'étais devenue.

Il était inutile d'attendre de l'aide de mes compagnons d'infortune. Ernie était comme un enfant et Deuce avait psychologiquement rendu les armes en apprenant la mort de Buck.

J'étais si désespérée que j'ai questionné mon bourreau, persuadée de n'obtenir aucune réponse.

— Comment vous allez expliquer nos trois cadavres ?

— Je ne vous tuerai pas. (J'ai tourné la tête, interdite. Les yeux de Pierce, cruels et froids, me jaugeaient.) Vous allez vous entretuer.

— Vous êtes malade.

— Ils découvriront ce journal. (Il a tapoté le carnet dans sa poche de chemise avec une mine satisfaite.) Ils penseront que vous êtes morte au cours de la fusillade. Les frères Cypress seront reconnus coupables. Pas de drame. Pas de pleurs.

— Jamais Yellen ne gobera ça.

— Avancez, a-t-il grommelé en me poussant avec le canon du Glock.

J'ai alors entrepris de ralentir le pas, sans toutefois éveiller ses soupçons.

— Yellen démontera votre mise en scène en un clin d'œil.

— De quelle scène parlez-vous ? Il ne restera pas grand-chose au matin. Nous sommes dans le marais.

— On a pourtant bien retrouvé Kiley et Buck.

Je revoyais en pensée leurs restes méconnaissables. Bon, je ne devais pas me laisser aller, je devais rester sereine.

— Un coup de chance, c'est tout. De toute façon, ça n'a plus d'importance. Le marais se chargera de charrier vos

165

cadavres. Sinon le journal de Kiley se chargera d'en expliquer la présence.

Devant moi, hormis les reniflements d'Ernie qui pleurait, je n'entendais que le son des bottes couinant dans la boue.

— Pas besoin de la tronçonneuse, cette fois. Pas de carnage. Pas de chair sanguinolente. (La voix de Pierce était froide et détachée. Un vrai psychopathe.) Super facile.

Une armée de moustiques (des psychopathes, eux aussi) se régalait dans mon cou et sur mes bras. Mon cerveau passait en revue toutes les hypothèses. Me retourner brusquement et le frapper au bon endroit? M'enfuir dans la forêt? Plonger dans le marais?

Le bois était d'une noirceur d'encre. Quelle heure pouvait-il bien être? Vingt heures? Vingt et une heures? En ne me voyant pas rentrer, Lisa aurait-elle eu l'idée de prévenir Yellen? Viendrait-il ici? Combien de temps avant qu'il nous retrouve?

Le sentier a débouché sur une clairière. Le ciel se couvrait d'étoiles, mais pas de lune.

J'ai pu cependant distinguer un amoncellement de caisses en bois ajourées, recouvertes de grillages à poules. On aurait dit des pièges à crabes sauf que dedans un autre type de pensionnaires y dormaient. Des serpents.

Le QG des opérations.

Les caisses étaient empilées sur trois ou quatre niveaux. Il devait y en avoir pas loin de deux cents.

— Quelqu'un veut faire un câlin à un python?

Son rire était celui d'un fou furieux.

Un flot de panique pure a irradié mon corps. Je me suis figée. Le canon de l'arme est venu caresser l'espace entre mes deux omoplates.

— Continuez à marcher!

Il nous a obligés à suivre le sentier qui reprenait de l'autre côté de la clairière. Plus étroit à présent. Mes cheveux s'accrochaient dans les branchages. Les moustiques s'en donnaient à cœur joie.

Je ne cessais de scruter les ténèbres autour de moi à la recherche d'une ouverture possible, d'un détail qui serait ma chance.

166

Mon cerveau a enregistré une image. Une forme conique. Une doline ? Je n'avais aucune idée de sa largeur ni de sa profondeur, mais je devais tirer parti de cette trouée dans la végétation. Le plan était risqué, mais ça valait mieux que la perspective de mourir. Je ne disposais que de quelques secondes.

Profonde inspiration. Concentration. Attendre le moment favorable. J'ai poussé à deux mains Ernie qui a percuté son frère. Les deux ont roulé à terre, membres entremêlés.

Sans hésiter, j'ai sauté vers la droite en direction de la cavité naturelle. J'ai sauté par-dessus la doline, libérant l'air de mes poumons, et j'ai atteint l'autre côté en effectuant une culbute. La pente me facilitait la tâche.

Derrière moi, des coups de feu. M'attendant à recevoir du plomb, je me suis remise debout en chancelant et je me suis mise à courir à toute vitesse. Les buissons mordaient ma peau, les arbustes retenaient mes cheveux, les racines agrippaient mes chevilles.

M'éloigner. Le plus possible. M'éloigner. Le plus possible. C'était devenu mon nouveau mantra.

Je courais à perdre haleine. Le sang battait à mes tempes.

À nouveau, un coup de feu. Plus sourd. Dirigé dans une autre direction ?

Un cri.

Un craquement. Des bruits de pas lourds.

Je privilégiais toujours la vitesse. Je ne cessais pourtant de trébucher dans le noir, d'écraser des branchages, de rebondir dans des flaques de boue.

J'ai aperçu des grands chênes. Je suis allée m'adosser contre un large tronc, histoire de reprendre mon souffle. J'avais mal aux côtes. De la sueur coulait de mon front et me piquait les yeux.

Je tentais de maîtriser l'affolement de mon rythme cardiaque et guettais le signe d'un éventuel poursuivant.

Le moindre bruit me paraissait suspect. Était-ce le frémissement du vent dans les feuilles des arbres ou le chuintement d'un serpent glissant entre les herbes ? Un coassement de grenouille ou le grognement d'un alligator ? Le cri d'un oiseau des marais ou le cliquètement d'un Glock ?

J'ai fermé les paupières pour essayer de visualiser le chemin de terre que j'avais emprunté en voiture. Impossible.

Autant continuer dans la même direction, je finirais bien par tomber sur un canal ou sur une route. Un pied devant l'autre, cette fois, lentement et en mode furtif.

Tout à coup, moins d'arbres… Le sol s'est brutalement dérobé sous mes pieds et je suis tombée dans l'eau, de la boue jusqu'aux genoux.

C'était la fin du *hammock*. J'étais enfin reconnaissante que ce soit une nuit sans lune, car ainsi à découvert, j'aurais été visible de loin. Je suis revenue en arrière et j'ai grimpé sur la rive en m'accroupissant derrière des fourrés.

— Qu'est-ce que c'est que ça?

Encore une fois, une voix désincarnée m'a fait tressaillir. Un nouveau flot d'adrénaline a jailli dans mes veines. Je suis redescendue dans l'eau, mais les herbes du marais ne m'offraient qu'une maigre cachette. Nager? La rive tournait abruptement vers la gauche. Quelques mètres sous l'eau et je serais hors de vue.

— Pas un geste, m'a ordonné une voix.

Ce n'était pas celle de Pierce. Qui alors?

Tout doucement, je me suis agenouillée dans la vase et j'ai cherché à tâtons un bout de bois, une pierre, n'importe quoi pouvant me servir d'arme.

— Tant qu'à y être, aussi bien les appeler : «Venez, venez, petits alligators.»

Voix familière. Un homme.

— Jordan? C'est vous?

— Qui le demande?

— Tempe.

Pas de réponse.

— Le docteur des os.

— Que foutez-vous dans le marais à une heure pareille?

De l'eau clapotait. Tout près. Je ne voyais toujours rien.

J'étais sur le point de lui répondre lorsque quelque chose de lisse et de compact a frôlé mon bras sous l'eau. Compact et long. Très long.

Cœur battant à tout rompre. Gorge nouée.

— *Goddammit!* À cause de vous, j'en ai raté un de cinq mètres!

L'ombre d'un géant s'est matérialisée sur le bord de la rive et m'a hissée sur le *hammock*.

— Une seconde de plus, et je l'avais.

— Taisez-vous !

Je ne savais comment lui dire qu'il allait nous faire repérer.

— À quoi vous voulez en venir avec vos petites acrobaties ?

— Écoutez-moi bien. (J'avais plaqué mon visage à deux centimètres du sien en chuchotant. Il s'est aussitôt calmé.) Scott Pierce a assassiné Kiley James et Buck Cypress. Peut-être aussi ses frères. Et maintenant il veut me tuer.

— Le flic du NPS ? a-t-il répondu, interloqué, mais d'une voix nettement moins tonitruante.

— Croyez-moi ou pas, mais Pierce est un fou furieux. Il est armé. Où est votre embarcation ? Il faut partir d'ici au plus vite.

De son pouce, il a désigné un point dans son dos.

— Alors on y va. Maintenant.

On n'a pas entendu venir Pierce avant que la balle frappe Jordan. Ce dernier a chancelé et basculé dans l'eau. Je me suis laissée glisser à ses côtés pour me tapir derrière lui.

Pierce a surgi du *hammock*, tenant son Glock à deux mains. Je m'apprêtais à plonger sous la surface lorsque Jordan s'est brusquement redressé des eaux sombres, bras tendu, une arme pointée sur Pierce.

Jordan a pressé la détente. Pierce a reculé, une tache sombre s'épanouissant sur sa poitrine. Le chasseur n'a pas bougé, pieds écartés, arme prête à refaire feu. Le garde forestier a vacillé sur ses jambes avant de tomber à la renverse dans le marais.

Des ridules mouvantes et régulières se sont dessinées sur l'eau. Une forme sombre et oblongue serpentait sous la surface.

Pierce s'est redressé pour soulever son revolver.

L'alligator a attaqué.

Pierce s'est reculé mais l'énorme reptile a jailli hors de l'eau et a refermé ses mâchoires sur son bras. Le cri du malheureux a été aussi horrible que bref.

Puis la bête l'a entraîné avec lui. Pierce s'est débattu un temps, mais l'animal le tirait sous l'eau, inéluctablement.

Impuissante, je refusais de regarder, et en même temps je n'arrivais pas à détacher mes yeux de la scène. C'était affreux. Ça a duré quelques secondes. Quelques minutes. Une éternité. Puis plus rien.

Les eaux noires s'étaient refermées, emportant avec elles leur terrible secret. J'ai regardé Jordan. Il était paralysé. Moi, j'avais juste envie de vomir.

— Est-ce que… ? ai-je bafouillé.

Je n'ai pas pu achever ma phrase.

— Sortez vite de l'eau, m'dame, dépêchez-vous.

Il m'a aidée à remonter sur la terre ferme en me tendant une de ses énormes paluches, et ce, avec une étonnante douceur dans les gestes. Son autre bras était tordu selon un angle tout à fait inhabituel. Son tee-shirt était ensanglanté au niveau de la clavicule gauche.

Il a remarqué mon visage blême. Mon expression horrifiée.

— Qu'auriez-vous pu faire ? a-t-il dit tout bas.

Je ne savais quoi répondre.

— Ça suffit pour cette nuit. Allons-nous-en au bateau.

Chapitre 11

— Comment s'est passée ta journée? ai-je crié depuis mon hamac en entendant coulisser la porte-fenêtre.

Lisa s'est laissée tomber sur un fauteuil et a balancé ses chaussures.

— En plus des intestins de python, j'ai eu droit à un colvert qui a percuté le Ford pick-up d'un garde forestier.

— Du canard grillé pour ce soir?

Elle a éclaté de rire.

— On va s'en tenir aux tacos. (Son visage est redevenu sérieux.) Tempe, comment tu te sens?

Lisa me couvait depuis ma soirée au festival de tirs dans les Everglades.

— Je pète le feu!

Vraiment. J'avais passé trois jours à faire la grasse matinée, à me régaler de plongée en apnée, à bronzer sur la plage et à lire dans le hamac. Enfin, à plutôt faire la sieste un livre ouvert posé sur ma poitrine. J'appelle ça lire par osmose. J'étais même retournée dans le parc national pour une randonnée. Finalement, mes vacances dans les Everglades n'étaient pas si ratées.

— Tu veux en parler? a-t-elle dit sur un ton qui se voulait désinvolte.

— Lisa, ne t'inquiète pas. Mon seul problème, c'est que je me suis coupée avec une feuille de papier en voulant écrire à Katy. (J'ai brandi mon index.) Que veux-tu savoir?

— Tout! (Elle avait patienté trois jours avant de me questionner, persuadée que j'étais traumatisée.) Tout ce qui est arrivé. Pourquoi il a fait ça?

— Scott Pierce était le roi du braconnage. C'est assez ironique, vu qu'il était censé le combattre. Kiley James en a eu vent à cause des sœurs Eugene, les stylistes. Ces idiots lui ont proposé un jour une séance photo où elle devait porter un pantalon crème en peau de serpent. La peau de ces bêtes a des motifs reconnaissables. Kiley savait que le pantalon avait été fabriqué avec la peau d'un python albinos à qui on avait implanté une micro-puce avant de le relâcher dans le parc national.

— Attends, je croyais que le but de la manœuvre, c'était de les tuer ?

— C'était une opération de traçage sur une sélection de mâles comme ils en programment parfois en période de reproduction. Avec la puce, ils peuvent plus tard localiser non seulement le python relâché, mais tout le regroupement de serpents, et surtout les femelles avant qu'elles ne pondent. Ça leur permet d'en attraper une grosse quantité en une seule fois.

— Tu veux me faire croire que Kiley a reconnu un python par la forme de ses dessins ?

— C'était un python albinos, assez reconnaissable. (J'aurais parié que les sœurs Eugene avaient accroché à ce beige-blanc ton sur ton.) Et Kiley savait que les pythons aiment rester dans le secteur où ils chassent. Ils ne s'éloignent jamais au-delà d'un périmètre d'une trentaine de kilomètres. Elle savait par conséquent que le python en question appartenait au parc national. (Je commençais à me spécialiser en herpétologie.) Les notes que j'ai découvertes dans son casier n'étaient que les coordonnées GPS du python albinos, obtenues à partir des indications de la puce.

— Et chasser dans le parc est illégal, c'est ça ?

— Exact. Kiley était en guerre contre les braconniers. La seule raison pour laquelle elle a signé son contrat de mannequinat avec Eugene, c'était pour financer sa croisade contre eux.

— Comment a-t-elle réussi à soupçonner Pierce ?

— En réalité, celui qu'elle avait dans sa ligne de mire, c'était Buck Cypress. En exploitant les données de localisation du python albinos, elle avait installé un maillage de surveillance autour des différents lieux en question. Elle a surpris Buck en train de tirer sur une femelle.

172

— Buck travaillait pour Pierce ?

— Exactement.

— Les gardes forestiers sont supposés protéger la faune. (La voix de Lisa trahissait son dégoût et sa révolte.) Pourquoi a-t-il fait une chose pareille ?

— Pour la même raison qui pousse des gens à en assassiner d'autres : l'argent. Pierce travaillait dans le secteur dédié aux pythons. C'était un spécialiste et, à ce titre, il n'ignorait pas que le trafic clandestin des peaux de reptiles rapporte chaque année un milliard de dollars.

— T'es sérieuse ?

— Les créateurs de mode européens sont fous raides de la peau de serpent. En Indonésie, en Malaisie, au Cambodge et au Vietnam, les pythons sont rapidement devenus une espèce en voie de disparition.

— Et ça a fait grimper les prix et créer un marché noir ?

— Bingo ! Les sœurs Eugene achetaient local et pas cher. Et pas seulement du python. Des alligators aussi.

Le *Miami Herald* avait fait ses gros titres sur la descente de police effectuée à l'usine de production Eugene. J'avais particulièrement apprécié la une du journal où l'on voyait la photo des quatre jeunes femmes cachant leurs visages au sortir du poste de police. Sous la photo, la légende suivante : « Les écorcheuses de serpents ». Une campagne publicitaire dont elles se seraient bien passées.

— Avec l'essor de la chasse autorisée, n'y a-t-il pas suffisamment de peaux vendues légalement ?

— Pas assez pour se faire un gros paquet de fric, légalement ou pas. Surtout depuis l'interdiction de collecter dans le parc national.

— Mais Pierce le faisait. Il chassait dans le parc.

— Pire que ça. Il capturait des femelles pour la reproduction.

— Et l'élevage est également interdit ?

— Absolument. Encourager la reproduction pour en faire le commerce est formellement interdit par les lois fédérales. Tu risques jusqu'à cinq ans de prison.

— Toutes ces nouvelles lois pour s'attaquer au problème de la prolifération des pythons, ça revient à refermer la porte de la cage une fois que l'oiseau s'est envolé ! a-t-elle soupiré. En d'autres termes, le mal est fait, et c'est trop tard.

— Tu as raison. En outre, tant de réglementations créent les conditions idéales pour que se développe un marché parallèle. Les éleveurs actuels bénéficient de droits acquis, mais ils ne peuvent ni transporter ni vendre de serpents d'un État à l'autre. En Floride, pour être propriétaire d'un python, il faut un permis coûtant cent dollars par an. Si le serpent a un diamètre de plus de cinq centimètres, une micro-puce de traçage doit lui être implantée. Les propriétaires doivent également faire preuve de leur aptitude à s'occuper des pythons. Aux États-Unis, les gens qui adorent les serpents sont très nombreux et très actifs, y compris l'association des éleveurs de reptiles. Ils ne sont pas les derniers à faire entendre leur voix dès qu'ils estiment les lois trop restrictives.

— C'est pour ça que beaucoup n'en font qu'à leur tête.

— Pour ça et pour l'argent, ai-je ajouté.

— Comme Pierce d'ailleurs. Mais les frères Cypress, comment ils s'intègrent dans le paysage?

— Ils géraient les tâches subalternes, quotidiennes. Les policiers ont découvert chez eux des dizaines et des dizaines de cages remplies de femelles reproductrices, et de bébés serpents. Ils les nourrissaient, les tuaient, les écorchaient. Ils avaient même un atelier pour traiter les peaux. Ils s'occupaient aussi des livraisons.

— Pourquoi alors Pierce a-t-il tué Buck?

— Sans le témoignage de Kiley et de Pierce, et même de Buck, c'est difficile d'affirmer les choses avec certitude. Notre hypothèse, c'est que Kiley s'était rendue chez Buck pour le confronter. Sur ces entrefaites, Pierce apparaît. Elle fait le rapprochement et comprend tout de suite la situation. Pierce la tue. Puis il élimine le seul témoin du meurtre: Buck. Les adjoints du shérif ont trouvé une tronçonneuse dans un cabanon au fond du jardin du garde forestier. Les traces de sang dans la lame correspondent. Le gars était un parfait sociopathe.

— Les beaux bonshommes le sont souvent, a conclu Lisa en rigolant. Allez! Je ferais mieux d'aller me doucher puisqu'on doit partir bientôt.

À ce moment précis, on a entendu sonner à la porte.

— J'y vais, Lisa. Va te préparer.

J'ai roulé sur moi-même pour me dégager du hamac et traversé toute la maison jusqu'à la porte d'entrée.

174

Le shérif T. Yellen était sur le perron.

— Salut!

Je lui ai fait signe d'entrer et il m'a suivie à la cuisine. Perché sur un tabouret, il m'a paru fatigué.

— Dure semaine, hein? Vous avez pincé votre incendiaire, fermé un labo de fabrication de drogue, résolu deux meurtres et démantelé un réseau de trafiquants de peaux de reptiles.

— Bof. C'est la Floride… Vous rentrez bientôt?

— Demain.

Je songeais au coup de fil reçu du Bureau du médecin légiste du comté de Mecklenburg, aux coups de fil que je n'avais pas reçus d'Andrew Ryan. Je me demandais où il était. Ce qu'on se dirait tous les deux si jamais il m'appelait.

Oublie tout ça pour ce soir.

— Avez-vous repêché le corps de Pierce?

— Non. Et il y a peu de chances que ça arrive. Les alligators enfouissent leur proie une fois qu'ils l'ont noyée. Il y a de fortes probabilités pour que son cadavre pourrisse sous un tronc d'arbre immergé.

Très bien.

— Et les frères Cypress?

— Ces pauvres crétins sont soit trop bornés, soit trop stupides pour mourir. Pierce leur a tiré dessus avant de vous poursuivre; ils ont perdu beaucoup de sang, mais ils vont s'en sortir.

Moi aussi, j'espère… Les moustiques m'avaient pompé un quart de mon sang.

Yellen a poursuivi.

— Ernie sera relâché en raison de son aliénation mentale. Il ne comprenait même pas ce que ses frères trafiquaient. Quant aux meurtres, il n'était pas au courant du tout. D'ailleurs, il n'a pas de casier judiciaire. Deuce, c'est une autre histoire. À mon avis, il va écoper assez pour deux.

— Il est inculpé pour assassinat?

— Non. Juste pour braconnage et élevage clandestin. L'accusation de meurtre concerne Pierce. Je remercierai le prochain alligator que je verrai pour avoir permis d'économiser l'argent du contribuable dans un procès.

Il y a eu un petit moment de silence.

— Jolie chemise.

Yellen portait une chemise hawaïenne rose et bleue qui ressemblait à une nappe de jour de fête.

— Jolie coiffure, a-t-il rétorqué.

— J'ai voulu me faire belle pour mon premier rodéo.

Il a souri en me montrant les quatre billets pour le spectacle de rodéo auquel il nous invitait. Le Championnat de rodéo de Homestead.

— Considérez, au nom du grand État de Floride, que c'est là votre salaire.

— Jordan nous rejoint là-bas ? ai-je demandé en ramassant mon sac à main.

— Et comment ! Il brûle d'impatience de monter un taureau.

— Je suis prête ! a crié Lisa en nous rejoignant, vêtue d'un tee-shirt, d'un jean et d'un chapeau de cow-boy. Allons voir comment s'en sortent nos machos locaux !

Pas si mal, comme vacances, après tout.

Note de l'auteur

Le projet *Les os du marais* a été décidé dans un embouteillage monstre, à l'heure de pointe. Tandis que j'enrageais toute seule dans ma voiture, j'écoutais une émission à la radio — sur NPR pour être précise — où une spécialiste en ornithologie médico-légale, le Dr Carla Dove, expliquait comment elle procédait à l'identification des plumes au sein de son laboratoire du Smithsonian. Cela a retenu toute mon attention car le Dr Dove, la bien-nommée — puisque son patronyme signifie *colombe* —, appliquait, comme je le fais, ses connaissances théoriques (ou comme le dirait l'agent Seeley Booth dans la série télé *Bones*, « ce regard pointu ») aux vrais problèmes de la vraie vie.

De la même manière que l'héroïne de mes romans, le Dr Temperance Brennan, utilise les os du squelette pour identifier des victimes humaines, le Dr Dove utilise son expertise pour identifier l'espèce d'un oiseau à partir des restes de ses plumes. Toutes les deux cherchent à attraper le coupable. Dans le cas de Tempe, ce sont des meurtriers. En classifiant les oiseaux happés dans des moteurs d'avion (autrement dit, le « risque aviaire »), le Dr Dove aide l'industrie aéronautique à construire des moteurs appliquant de nouvelles normes de sécurité. Son action auprès des responsables de terrains d'aviation est également déterminante. Les informations qu'elle leur fournit sur telle ou telle espèce leur permettent de mieux gérer les abords des pistes et de diminuer ainsi le risque de collision entre des oiseaux et les avions.

L'émission sur la NPR se centrait sur une forme différente de risque : des oiseaux victimes de prédateurs embusqués. Plus exactement, il s'agissait de la prolifération du python birman dans les Everglades. Originaire d'Asie du Sud-Est, le python birman est un des serpents les plus longs au monde. Alors que font ces géants en Floride ? Ils ne sont certainement pas venus là pour visiter le royaume enchanté de Disneyland.

Pour en arriver là, il s'est produit plusieurs événements concomitants. Un propriétaire de python peu scrupuleux qui se débarrasse de son « animal de compagnie » en le relâchant dans la nature. L'ouragan Andrew qui s'abat avec une violence inouïe sur le sud de la Floride, libérant les pensionnaires de plusieurs zoos. Ou encore, des pythons qui s'échappent de locaux dévastés (par ce même ouragan) dans un élevage de reptiles. Et où se sont enfuies toutes ces charmantes créatures ? Dans les Everglades.

Si nous ne savons pas exactement comment ces serpents se sont retrouvés dans les marécages, il semble évident que la vie à cet endroit convenait parfaitement au python birman. Ils se sont reproduits à grande échelle sur les six mille kilomètres carrés des Everglades. Les estimations de leur population varient de quelques milliers à cent cinquante mille. Avec leur capacité à pondre jusqu'à une centaine d'œufs par an, et l'absence de prédateurs naturels, leur nombre est appelé inévitablement à augmenter.

Ces bêtes sont impressionnantes. En moyenne, les adultes atteignent une longueur comprise entre un mètre quatre-vingts et deux mètres quatre-vingts. Elle peut aller jusqu'à six mètres cinquante pour un poids de quatre-vingt-dix kilos. Le plus grand python jamais attrapé en Floride mesurait cinq mètres soixante-dix.

Côté alimentation, ils se débrouillent pas mal. Le python birman est un prédateur alpha. Il se nourrit de tout : ratons laveurs, lapins, lynx, roitelets, ibis, hérons, opossums, chevreuils, et même des alligators et des pumas. Dans les coins où ils règnent en maître depuis longtemps, la population de ratons laveurs a chuté de 99 %, celle des opossums de 98 % et celles des lynx de 87 %. Le lapin palustre — aussi appelé lapin des marais — le lapin d'Amérique et le renard ont presque disparu. En 2012, le python birman a été ajouté sur la liste définie par une loi fédérale du ministère de l'Environnement pour empêcher et contrôler les espèces envahissantes. Le Lacey Act interdit tout commerce entre États, et toute importation de certains animaux bien précis. Pourtant, dans le cas du python birman, ça revient à refermer la porte de la cage une fois que l'oiseau s'est envolé !

En 2013, la FWC a eu l'idée d'organiser un concours : le Python Challenge. Toute personne en mesure de payer un droit d'entrée de vingt-cinq dollars et ayant envie de chasser des serpents pouvait capturer et tuer les envahisseurs. Cette compétition, qui s'étale sur un mois, est couronnée de divers prix : le plus de serpents tués, le plus long, le plus gros, etc. Les participants se répartissent en deux catégories bien distinctes : les professionnels qui ont un permis de chasse propre à la région, et les autres. Le rassemblement regroupe mille six cents chasseurs venant de trente-huit États différents. Et même du Canada. Combien cette armée a-t-elle récolté de dépouilles ? Des milliers, n'est-ce pas ? Pas du tout ! Soixante-huit. La majeure partie ayant été attrapée par les chasseurs professionnels. Dix-huit par une seule personne, Ruben Ramirez, un vieux de la vieille, détenteur d'un permis de chasse depuis des lustres.

Estimant que l'expérience avait été un franc succès, la Floride a réitéré la compétition en 2016. Cette fois, on demandait aux participants de suivre un stage de formation en ligne et d'obtenir au moins 80 % des bonnes réponses à un quiz de contrôle. Plus d'un millier de participants ont obtenu un B− ou une note supérieure. Ils ont donc pu se présenter à la compétition. Rendement au final : 106 pythons.

Pourquoi un résultat aussi dérisoire a-t-il été considéré comme une réussite ? Pour une part, cela a permis de sensibiliser le grand public. C'est là qu'intervient encore le Dr Dove. Au cours des deux éditions du Python Challenge, la FWC a ordonné que soit pratiquée une nécropsie de chaque serpent capturé.

La raison en est la suivante.

En tant que plus vaste région sauvage subtropicale des États-Unis, le parc national des Everglades fournit un habitat naturel pour un large éventail de bêtes qui marchent, volent ou nagent. Beaucoup parmi elles sont des espèces en voie de disparition. Le lamantin, le crocodile d'Amérique, un rongeur, le *Neotoma Floridana*, le tantale d'Amérique et un puma au nom amusant, le cougar de Floride. Ces animaux et ces oiseaux ne sont pas habitués à avoir pour prédateur le python. Ils n'ont pas acquis de réflexes instinctifs de défense. L'étude *post mortem* de ces pythons est utile pour savoir quelles espèces courent le plus grand risque de terminer gobées par ces reptiles.

Des restes de plumes retrouvées dans l'estomac de pythons ont été envoyés au Feather Identification Lab — le laboratoire d'analyse des plumes au sein du célèbre institut Smithsonian. Le Dr Dove a ainsi identifié vingt-cinq espèces d'oiseaux dans les intestins des pythons, en particulier cette belle cigogne en voie d'extinction qu'est le tantale d'Amérique.

Revenons à moi, coincée dans mon embouteillage. Plus j'y réfléchissais, plus je trouvais cela fascinant, quoique morbide. Il y avait vraiment une histoire à écrire là-dessus. Que se passerait-il si le résultat d'une nécropsie produisait un os qui ne devrait pas être là ? Si cet os était un os humain ? Je me suis interrogée : quel impact a la digestion d'un serpent sur des os humains. Je me suis demandé comment Tempe réagirait face à ces pythons. Face à leurs yeux dénués de paupières…

Pour en savoir davantage sur le problème du python birman dans les Everglades :
myfwc.com/wildlifehabitats/nonnatives/python

Remerciements

Comme toujours, j'ai une dette immense envers celles et ceux qui m'ont apporté leur aide précieuse pour l'écriture des *Os du marais*.

Je remercie le Dr Carla Dove pour les informations fascinantes qu'elle m'a fournies en matière d'ornithologie médico-légale. Elle dirige le Feather Identification Lab au Smithsonian.

Je dois beaucoup au Dr Skip Snow, biologiste à la retraite qui a longtemps travaillé pour le parc national des Everglades. Il a une connaissance exhaustive des pythons, et de tout ce qui concerne les Everglades et leur faune.

Ma gratitude va également à un garde forestier extraordinaire du parc national, Pete Lundberg, qui m'a expliqué en détail les actions menées par les services du parc national.

Enfin, je veux remercier ma fille — et auteur de plusieurs romans dont *L'épopée du perroquet* — Kerry Reichs. Elle a attiré mon attention sur cette histoire de pythons birmans dans les Everglades. Je loue aussi ses incomparables compétences en recherche documentaire.

Si malgré cela des erreurs ou des inexactitudes persistent, elles m'incomberaient entièrement.

Les os du glacier

Chapitre 1

Le véhicule funéraire a reculé en douceur jusqu'au sas du quai de déchargement, sombre et désert, situé à l'arrière de la morgue. Équipement standard : ces voitures-là n'ont pas besoin de gyrophares ni de sirènes hurlantes. Le logo de la société International Mortuary Shipping apparaissait sur les deux côtés du fourgon aux vitres teintées et ne laissait planer aucun doute sur la mission qui était la sienne. J'imaginais assez bien ma fille Katy baptisant l'activité de ce transporteur de restes humains depuis l'étranger de « rapatriement sur roue ».

Les portes ont coulissé. Deux techniciens en uniforme ont sauté à terre et se sont dirigés vers l'arrière du véhicule. Le plus grand avait le crâne rasé, entaché de vilaines cicatrices. Le plus petit avait les cheveux coupés en brosse et des tatouages tout le long de l'avant-bras jusqu'aux manches, roulées au coude.

Les deux employés travaillaient avec rapidité et efficacité. Ils ont soulevé la porte arrière et tiré à eux une forme oblongue, dans une boîte de carton. C'était l'emballage réglementaire pour le rapatriement en avion d'un cercueil de ce type. Ils l'ont déposé sur ma civière.

J'ai enfilé une paire de gants en faisant claquer le latex et me suis approchée. Sur la surface extérieure du carton, on pouvait lire la mention imprimée « RESTES HUMAINS ». L'autre inscription, aussi sinistre, disait « TÊTE ». Cette dernière me faisait penser aux indications CE CÔTÉ VERS LE HAUT sur les caisses de vin.

Crâne Rasé m'a tendu une planchette à pince contenant un amoncellement de feuilles imprimées. J'avais sous les yeux un certificat de décès, un permis de transit, une autorisation d'inhumer, un document de l'ambassade américaine pour le rapatriement du corps, un certificat de non-contagion, une dispense d'embaumement.

J'ai glissé la paperasse sur le côté de la civière. J'ai utilisé mon exacto pour trancher les liens en plastique qui encerclaient le carton que j'ai ainsi pu ouvrir. Dedans, il y avait un caisson réfrigérant en acier et en zinc.

J'ai débloqué les verrous papillon afin de pouvoir soulever le couvercle du conteneur. Un sifflement et une bouffée de vapeur glaciale s'en sont échappés. Après avoir soulevé la grosse compresse de gel sous zéro qui recouvrait son contenu, j'ai cherché à tâtons sous cette couverture réfrigérée l'étiquette d'identification de la housse mortuaire. La housse orange était chiffonnée comme si son occupant s'était agité durant tout le long voyage de retour à la maison. J'ai fouillé un moment, j'ai réussi à mettre la main sur l'étiquette recouverte de givre que j'ai essuyée. Puis j'ai vérifié que le nom et les références correspondaient bien à ceux des documents.

— Est-ce que vous devez récupérer le caisson ?

Ma question s'adressait aux deux, mais c'est Bras Tatoué qui m'a répondu :

— Usage unique.

— C'est un peu du gâchis, ai-je dit en promenant mon regard sur le conteneur réfrigérant en métal.

— Mon grand-père en utilisait un pareil pour stocker les poissons qu'il pêchait.

Crâne Rasé a jeté à son collègue un regard de désapprobation. Puis il s'est adressé à moi :

— Si c'est tout, m'dame… On va y aller.

Un autre cadavre attendait quelque part. Un autre passager qui ne se plaindrait pas.

— C'est tout, merci.

Crâne Rasé a démarré la fourgonnette, pendant que Bras Tatoué refermait la porte arrière avec un double bong et grimpait sur le siège passager. Petit signe d'au revoir, et les voilà repartis, me laissant avec ma cargaison gelée.

J'ai traversé le sas d'entrée en poussant la civière, soulagée d'apercevoir au loin Tim Larabee, le médecin légiste en chef du comté de Mecklenburg, et donc mon patron, qui venait à ma rencontre. Il se déplaçait avec cette démarche chaloupée qu'ont les marathoniens, car, depuis des années, il entretenait une passion dévorante pour la course à pied.

— Où tu veux que je m'installe aujourd'hui ?

— Emmène-la en salle cinq.

Les nouveaux locaux clinquants du Bureau du médecin légiste du comté de Mecklenburg, autrement dit le MCME, ont été construits en 2008 et conçus avec ce qui existait de mieux en matière de réglementation LEED — le système américain de standardisation de bâtiments à haute qualité environnementale. Le MCME est super fier d'avoir une unité de chambres froides et quatre salles d'autopsie standard. Deux salles d'autopsie supplémentaires sont équipées d'un système de ventilation spécial pour s'adapter aux cadavres les plus odorants, à savoir les corps en état de putréfaction qui peuvent être potentiellement contaminés. L'une d'elles est la salle cinq que j'appelle « la salle qui pue ». Elle possède sa propre chambre froide.

— Rappelle-moi pourquoi j'ai tiré le gros lot à la loterie ?

Je n'étais pas encore essoufflée, mais pas loin. Ma cargaison pesait lourd et, en plus, cette civière avait une roulette brisée.

Larabee m'a regardée avec étonnement, sans pour autant ralentir le pas.

— Je suis anthropologue judiciaire. Je m'occupe des os, des momifiés, des décomposés. (J'ai tendu le menton pour désigner mon chargement.) À ton avis, cette nouvelle cliente entre-t-elle dans l'une de ces catégories ?

— Bon… C'est vrai… Pas exactement, a-t-il admis avec un demi-sourire. Mais, Tempe, tu es la Reine des Neiges !

J'ai écarquillé les yeux en entendant une blague aussi nulle. Mon patron faisait allusion à mon autre poste d'anthropologue judiciaire pour le compte du Bureau du coroner de la province de Québec. Oui, je partage mon temps entre Charlotte, en Caroline du Nord, et Montréal. Une longue histoire.

Je l'avoue, c'est le grand écart. Un gouffre, même. Une langue différente, une ville différente, un labo différent et un système judiciaire différent. Et le gros bémol : des climats radicalement différents ! Quand la température frôle les quinze degrés, les habitants de Charlotte se jettent sur leurs vestes et leurs gants. Les Québécois, eux, sortent de chez eux en sandales et en short.

Au nord du 48e parallèle, la mort peut survenir de manières rarement concevables dans les États du Sud. Le chasseur surpris dans une soudaine tempête de neige. L'ivrogne qui sort en chancelant d'un bar. La conductrice pas assez chaudement habillée qui quitte son véhicule en panne. Le tout-petit encore aux couches qui s'aventure dehors durant la nuit. L'hiver glacial signifie hypothermie et corps complètement gelés.

De tels cas ne nécessitent pas d'ordinaire mon expertise. Le froid tue, mais il préserve aussi. Moi, je m'occupe des victimes mortes depuis longtemps. La famille immergée depuis les années 1950 dans un lac glacial. Le skieur momifié depuis une décennie et qu'une avalanche délivre de la montagne. L'étudiant tombé par accident dans un puits de ventilation et retrouvé lyophilisé au bout de cinq hivers. Entre alors en action la Reine des Neiges de la Caroline du Nord au climat si doux.

— Tu sais quelle est la récompense pour le vainqueur du concours du plus grand mangeur de tartes ?

À nouveau, regard surpris de Larabee.

— Une tarte supplémentaire.

— Tempe, ils ont exigé que ce soit toi en personne.

— C'est ce que tu m'as expliqué.

J'ai pivoté, poussé les portes battantes avec mon derrière, et pénétré dans la salle d'autopsie cinq. Pendant que Larabee m'aidait à manœuvrer la civière, je repensais à notre conversation de la nuit dernière. Il m'avait téléphoné alors que j'étais au Peculiar Rabbit en train de souper avec ma meilleure amie, Anne Turnip. Un vendredi soir. Un resto branché. Je discutais avec Anne du voyage que nous prévoyions de faire aux îles Turks-et-Caïcos dans les Caraïbes. Ne plus penser à Ryan. Ne plus penser à sa demande en mariage. Bref, on profitait bien du moment. Et le coup de fil de Larabee avait sacrément alourdi l'ambiance.

Rien qu'au son de sa voix, j'avais su que les mauvaises nouvelles allaient pleuvoir.

— On a un cas inhabituel.

— Inhabituel ? avais-je répété en trempant une moule dans de la sauce au vin, avant de l'introduire dans ma bouche.

— Un cas gelé.

J'avais eu une furieuse envie de me mettre à chanter à tue-tête *Libérée, délivrée* comme Elsa dans *La Reine des Neiges*. Anne et moi étions dans cette humeur-là. Au lieu de ça, j'ai demandé à Larabee si la victime n'était pas cette personne récemment portée disparue. Les flics étaient sur l'affaire, prévenus par le mari, mais jusqu'ici aucun corps n'avait été retrouvé. Peut-être que l'épouse s'était trouvé un nouveau petit mari nordique.

— Melissa McLaughlin ?

— Non, le cas dont je te parle implique une mort accidentelle sur le mont Everest.

J'avais fait signe à Anne que j'avais besoin de m'éloigner. Le restaurant était bondé et bruyant.

J'avais vraisemblablement mal compris Larabee. Je suis sortie dans la rue.

— Désolée. Tu peux me répéter ça ?

— La victime est une jeune femme originaire de Charlotte qui est morte au cours de l'escalade de l'Everest.

Plusieurs questions se bousculaient dans ma tête pour savoir laquelle serait posée en premier.

— Attends… Le Népal, ce ne serait pas un peu en dehors de notre juridiction ?

D'ailleurs, Népal ou bien Tibet ?

La réponse m'est arrivée indirectement.

— La famille est… comment dire… bien branchée. La mère, Blythe Hallis, est une amie personnelle du maire. Et du chef de la police. Et du gouverneur. Et…

— J'ai compris. (Un milliard d'endroits de notre ville avaient été baptisés de ce patronyme. Un boulevard Hallis. Un parc Hallis. Une école Hallis. Même une chaire Hallis, à l'Université de Caroline du Nord à Charlotte. Beaucoup d'argent. Grands mécènes. Gros réseau d'influence.) Quel est le nom complet de la victime ?

— Brighton Hallis.

— Comment est-elle décédée ?

— Ce n'est pas très clair. Il n'y avait pas de témoins. L'hypothèse, c'est qu'elle est morte à la suite d'une combinaison de circonstances malheureuses : haute altitude, hypoxie, épuisement, peut-être un état de confusion mentale...

Larabee avait laissé sa phrase en suspens.

Des images ont défilé devant mes yeux. Paysage de glace. Paysage de neige. Jack Nicholson errant, l'œil hagard, à la fin de *Shining*. Malgré la tiédeur du soir, j'avais frissonné.

Autant le préciser tout de suite : la Reine des Neiges, c'est-à-dire moi, déteste le froid. Et elle n'est pas très friande des hauteurs. En résumé, je n'ai jamais compris ce qui poussait des gens à escalader des montagnes dans des conditions si extrêmes. Jamais.

— Quel est l'IPM ?

Je l'interrogeais sur l'intervalle *post mortem*, le temps écoulé depuis la mort.

— Trois ans.

— L'identification de la petite n'a-t-elle pas été réalisée au Népal ? Au Tibet ?

— Oui.

— Alors où est le problème ?

— Le chaos provoqué par le tremblement de terre au Népal inquiète beaucoup la mère de la victime. Elle pense que les autorités diraient n'importe quoi pour se débarrasser d'un corps. Elle exige une identification formelle.

— Elle devrait plutôt engager un...

— Elle veut que ce soit nous.

Un camion est passé dans la rue en faisant grincer son moteur. Le gars se croyait sur un motocross à l'assaut d'une côte.

— On est bien sûrs qu'il ne s'agit pas d'un acte criminel ?

J'essayais de gagner du temps. Larabee avait déjà répondu à cette question.

— Non. C'est une question de tranquillité d'esprit. Tu n'arriverais pas à croire tout ce qui a dû être mis en œuvre pour le rapatriement du corps de cette pauvre fille à Charlotte. (Il a marqué une pause. Un essoufflement dans le débit de sa voix m'a convaincue que la suite n'allait pas me plaire.) Mme Hallis a exigé, fermement, que ce soit *toi* et personne d'autre qui procèdes à l'examen.

— Pardon ? Pourquoi ?

— Parce que tu es la meilleure.

— Oh je t'en prie.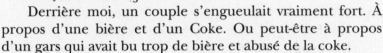

— Ça va être un jeu d'enfant.

Derrière moi, un couple s'engueulait vraiment fort. À propos d'une bière et d'un Coke. Ou peut-être à propos d'un gars qui avait bu trop de bière et abusé de la coke.

Mon côté contrarié aspirait à retourner échafauder des projets de voyage avec Anne. Aller m'acheter un nouveau maillot de bain et des palmes adaptées à la plongée en apnée. Je devais aussi me rendre à Montréal. Du boulot supplémentaire était la dernière chose dont j'avais envie. Surtout du genre « rendre un petit service à une amie proche de Monsieur le Maire ».

Une femme m'a croisée, promenant ce qui ressemblait vaguement à un caniche nain. Derrière moi, le couple continuait à s'engueuler. La fille semblait avoir définitivement pris en grippe celui qui buvait et sniffait.

Mon côté conciliant me réprimandait. Allez, ce ne sera pas bien compliqué. Vérifier les empreintes dentaires, peut-être les empreintes digitales, et le tour sera joué.

Shit. Je détestais mon côté conciliant.

— Quand sera rapatrié le corps ? ai-je soupiré sur un ton aussi mélodramatique que celui du couple derrière moi.

— Demain, à 7 heures du matin.

Sans blague ?

Comme je restais muette, Larabee a ajouté :

— T'inquiète pas, je serai là aussi aux aurores.

Et c'est comme ça qu'on s'est retrouvés tous les deux à 8 h 15 un samedi, dans la salle d'autopsie cinq.

— On fait un scan de l'ensemble du corps ? a-t-il demandé.

— À la fin. Est-ce qu'on a des photos *ante mortem* du visage ?

— Seulement des instantanés et des radios dentaires.

Larabee m'a tendu deux enveloppes qu'il avait glissées un peu plus tôt dans la poche de son sarrau. L'une, petite et brune, l'autre, blanche et de format 8 ½ × 11.

— J'espère une confirmation visuelle. Si je peux ouvrir les mâchoires, je comparerai avec les radios dentaires. Si je peux accéder aux empreintes digitales, j'essaierai le fichier. Est-ce qu'elle y est ?

Larabee a haussé les épaules. Qui sait ?

— Avec un peu de chance, cela ne sera sans doute pas indispensable pour les examens préliminaires. (J'étais en effet optimiste sur une identification visuelle. Au moment où ils meurent, les corps en hypothermie sont étrangement conservés.) Une fois que le cadavre aura dégelé, je poursuivrai l'analyse.

— Est-ce nécessaire ?

— Soit j'effectue correctement l'examen, soit je ne le fais pas du tout.

Larabee me connaissait par cœur. Avec moi, c'est tout ou rien. Je fonctionne comme ça.

— OK. Tu penses me dire ça quand ? Aujourd'hui ? Lundi ?

Un être humain gelé ne se présente pas comme un poulet que vous pouvez décongeler à votre guise. Si le processus de dégel est trop rapide, la partie extérieure du corps se réchauffe plus vite que les intestins, ce qui fera que l'extérieur se décomposera pendant que les organes internes resteront durs comme de la pierre. Alors les preuves risquent d'être perdues. Un cadavre doit dégeler lentement, à une température constante de 3,33 degrés. Selon la taille et le poids, le processus pourra durer de trois à sept jours.

Larabee le savait parfaitement.

— Espérons qu'elle est maigrichonne, a été mon seul commentaire.

— D'accord. Si tu as besoin de plus amples infos, tu contactes Blythe Hallis.

— Je n'y manquerai pas, ai-je répondu en priant pour que je n'aie pas à le faire.

— Bon… Eh bien, je te laisse…

Et Larabee est parti. Il avait, lui, un vrai samedi matin en perspective. Un aller-retour Cleveland à petites foulées ?

J'ai placé la civière parallèlement à ma table d'autopsie, et j'ai enclenché le frein. J'ai traversé la pièce jusqu'au comptoir où j'ai ramassé l'enveloppe blanche qui contenait les radios dentaires de Brighton Hallis. Je les ai disposées sur le négatoscope, j'ai allumé et rangé les clichés selon ce qu'ils représentaient dans la cavité buccale : avant, arrière, supérieur, inférieur. Les dents apparaissaient plus pâles comparées aux zones grisâtres des os, et au noir de l'arrière-plan.

Une couronne sur la première molaire maxillaire et des plombages dans deux incisives mandibulaires brillaient tels de minuscules nuages blancs entourés d'émail. J'ai noté une courbure bizarre de la racine sur la seconde molaire mandibulaire. Une canine légèrement penchée. Aucune dent de sagesse.

Oh joie ! L'identification ne serait pas compliquée.

Je suis revenue au caisson en métal qui avait servi pour le transport. Du zinc. Bon pour le contrôle de la température, mais moins bons pour les radios. J'ai utilisé le téléphone mural pour appeler un technicien.

En l'attendant, j'ai enfilé un masque et entrouvert le cercueil. Comme précédemment s'en est échappée une bouffée d'air humide et glacial. Et comme précédemment, cet air charriait avec lui une odeur familière. Quelque chose de sucré et de fétide. Quelque chose qu'on ne pouvait pas rater même si c'était très ténu. Mes sens étaient en alerte.

En haut de la housse mortuaire orange se trouvait un document indiquant les heures auxquelles il fallait changer la compresse de gel. Le protocole, mis en place tout au long du voyage depuis Katmandou, devait être scrupuleusement observé pour conserver le corps gelé. La firme International Mortuary Shipping était intraitable sur ce point.

J'ai ôté le document et retiré les compresses de gel. J'en ai gardé une et jeté les autres. Quand j'ai eu terminé, la housse s'étalait sous mes yeux. Des grosseurs et des angles aigus suggéraient la position d'une hanche, d'un genou, peut-être d'une épaule ou d'une tête. J'ai tiré sur la fermeture Éclair. Elle a glissé avec un chuintement humide : *sploouush !*

La plupart des victimes d'hypothermie meurent assises ou couchées, souvent après avoir voulu « se reposer un peu ». Cela pourrait expliquer les grosseurs et les angles aigus. Ou pas. En dehors des compresses de gel, je n'avais aucune idée de la manière dont ces restes avaient été retrouvés et conditionnés pour le transport.

Le corps gisait sur le flanc, gelé, recroquevillé sur lui-même. Il était entièrement vêtu de ces tenues spéciales pour la très haute montagne. Des guêtres rouge vif recouvraient jambes et chaussures. De longues mèches de cheveux apparaissaient sous une tuque de marque The North Face. À présent cuivrée, sa chevelure avait certainement été un jour d'une blondeur délicate.

Cette vie figée par le froid a provoqué une vague de mélancolie à laquelle je n'étais pas préparée. Les vêtements de sport aux couleurs vives, les joues roses, la jeunesse, l'aventure. Tout cela évoquait la vie et non cette mort soudaine.

Avec si peu de chair visible, je ne pouvais absolument pas évaluer l'état de conservation du corps. Impatiente, j'ai jeté un rapide coup d'œil sur la pendule murale : déjà 9 heures.

J'ai fait le point ; la victime semblait grande et mince. Il y avait peu de place dans le caisson, mais il était possible de déplacer le corps.

Espérant voir les traits du visage, j'ai attrapé l'épaule et le genou, puis ai soulevé le corps. Rien.

J'ai assuré davantage ma prise et recommencé. Le cadavre a pivoté dans un crissement lugubre.

En me retrouvant nez à nez avec un visage monstrueux, mon moral s'est effondré.

Chapitre 2

Sur la photo prise juste avant l'ascension, Brighton Hallis souriait, debout devant un sommet enneigé. Blonde et athlétique, elle aurait presque pu poser pour une publicité vantant les mérites des stations de ski du Colorado. Bronzée, plutôt jolie, elle respirait la confiance en elle.

Le visage que j'avais découvert dans la housse mortuaire était rabougri, et la peau, zébrée de plaques acajou foncé. À cause de la rigidité cadavérique, ses lèvres flétries étaient ratatinées, retroussées en un rictus hideux. Ses globes oculaires dépourvus de cils me fixaient en une supplication presque audible : *Comment une telle chose a-t-elle pu m'arriver ?*

Il n'y aurait donc pas d'identification visuelle. Pire, pas une seule dent n'était préservée. Paradoxalement, dans ce visage relativement entier, toutes les dents avaient été brisées. À moins d'avoir une petite chance au niveau des racines, le dossier dentaire *ante mortem* me serait inutile. La canine gauche légèrement de travers de Brighton Hallis ne constituerait rien d'autre qu'une brisure d'émail déchiqueté.

L'arrivée du technicien a interrompu mon très gros juron. L'homme, que je voyais pour la première fois, n'a pas entendu. Ou il a fait semblant de ne pas avoir entendu. Son badge indiquait qu'il s'appelait J. Ortiz. Je ne connaissais pas forcément tous les techniciens qui travaillaient le week-end. Ouais, j'essayais parfois de concilier travail et vie personnelle…

Après nous être présentés puis mis d'accord sur une stratégie d'attaque, on a entamé notre travail. Ortiz était du genre silencieux, et j'aime ça chez un technicien. Nous avons transféré ensemble les restes du caisson métallique à la table d'autopsie, puis les avons dégagés de la housse orange. Pendant qu'Ortiz installait la caméra, je préparais un instrument de mesure — une règle en forme de L — qui sert à la fois pour la graduation et la macro photo. Ortiz a commencé à photographier pendant que je notais quelques observations par écrit.

Pendant plusieurs minutes, les seuls sons dans la pièce se résumaient au couinement des semelles en caoutchouc d'Ortiz et au cliquètement du déclencheur d'obturateur du Nikon.

— Pas de déshabillage paradoxal. (En voyant ma mine surprise, Ortiz s'est senti obligé de développer.) J'ai participé à des opérations de secours et de recherches dans les Adirondacks. On venait en aide à des randonneurs ou à des alpinistes qui s'étaient égarés au cours d'une tempête. La plupart finissaient par enlever une partie de leurs vêtements.

J'ai bien sûr entendu parler de ce comportement. Une extrême hypothermie provoque souvent un affreux divorce entre le corps et l'esprit. L'un court-circuite l'autre. Dans un état de confusion mentale, les victimes peuvent se mettre à retirer leurs vêtements. Cette conduite est appelée «déshabillage paradoxal». Une fausse interprétation du phénomène a entraîné plus d'une enquête sur la mauvaise voie, notamment celle de l'agression sexuelle.

— Le déshabillage paradoxal ne se produit que dans 20 à 50 % des cas, ai-je précisé.

— C'est fou, hein? (Ortiz déplaçait le repère photo au fur et à mesure qu'il changeait d'angle pour photographier.) Vous gelez et alors vous vous déshabillez.

— On connaît mal le phénomène, mais il semblerait que ce soit lié à un dysfonctionnement de l'hypothalamus. (La partie du cerveau qui régule la température du corps.) Ou encore à une perte de tonus musculaire.

— Et ça vous pousse à parader à moitié nu?

Il a continué à prendre des photos.

Je lui ai servi l'explication dans sa version simplifiée.

— Quand vous vous refroidissez, vos muscles resserrent les vaisseaux sanguins, ce qui ralentit le flux de sang dans vos membres. Alors que vous entrez dans une phase d'épuisement, les muscles se relâchent. Résultat, le sang afflue soudainement et provoque des bouffées de chaleur. Certaines personnes, désorientées par le phénomène, se déshabillent alors pour soulager ces bouffées, ce qui peut leur être fatal.

— Des victimes ont adopté un comportement similaire à celui des animaux. On en a retrouvé nues, enfouies dans des trous.

— Oui, c'est l'enfouissement terminal.

L'enfouissement terminal — on l'appelle aussi syndrome « s'enterrer et mourir » — fait allusion à des victimes qui auront tendance à rechercher un espace petit et confiné, par exemple en se glissant sous un lit, en se cachant dans un placard ou en creusant un terrier. Ce comportement, une fois encore, n'est pas compris comme il devrait. Des enquêteurs de police insuffisamment formés à cette question analyseront la découverte d'un corps dans une armoire ou dans une malle comme la preuve d'un acte criminel.

L'hypothermie est souvent une mort accidentelle déguisée en meurtre.

— Mourir de froid me paraît une horrible façon de s'en aller, a balancé Ortiz sans qu'on lui demande rien.

— Ça doit être la même sensation que lorsqu'on s'endort.

J'avais été un peu vite en affaires en qualifiant Ortiz de silencieux. Cependant, son argumentation n'était pas totalement fausse.

Il a pris son dernier cliché puis a rangé le Nikon.

— Voulez-vous de l'aide pour le déshabiller ?

— C'est une femme.

Du moins, en principe.

— Nous avons pas mal d'admissions, un carambolage entre quatre voitures sur l'autoroute I-77. Mais je reste dans les parages si vous voulez.

J'étais contrariée que l'identification visuelle soit impossible. Et aussi par l'absence de dents. J'ai secoué la tête. C'est à contrecœur que je devais me résoudre à opérer d'une façon plus brutale.

— Allez-y. Je vous appellerai si j'ai besoin de vous.

— Je travaille jusqu'à 16 heures, a-t-il précisé en tournant les talons.

J'espérais avoir aussi cette chance.

Avant d'entamer la liste de tous les examens préliminaires, je me suis octroyée un Coke Diète. Ainsi fortifiée, j'ai baissé l'intensité de la climatisation et me suis attelée à la tâche la plus ingrate de mon travail : la paperasse.

Je me suis laissée tomber sur le tabouret en face de l'ordinateur et me suis connectée au réseau pour trouver mon dossier. Larabee lui avait attribué un numéro : ME215-15. J'ai inscrit les mentions d'usage, la date d'aujourd'hui, mon nom dans la case de l'anthropologue chargé de l'enquête, et diverses données administratives. Puis j'ai rempli la fiche de la victime.

Nom : Brighton Hallis. Du moins, en théorie.

Je me rendais compte à quel point j'en savais peu sur cette jeune femme. La couleur de ses yeux ? Sa taille ? Son poids ? Avait-elle des tatouages ? Des cicatrices ? Avait-elle été opérée ? J'ai laissé en blanc toutes les descriptions *ante mortem*.

Ce que je savais ? Brighton Hallis avait vingt-quatre ans à l'époque où elle s'apprêtait à réaliser l'ascension de l'Everest. Le même âge que ma fille Katy. Le certificat de décès mentionnait cette information et cataloguait la mort comme « accidentelle ». Ça voulait dire quoi ? Hypothermie ? Épuisement ? Hypoxie ? Traumatisme à la suite d'un coup fatal sur la tête ? Botulisme dû à un gel énergétique de mauvaise qualité ? Le Colonel Moutarde avec la corde dans la bibliothèque ? Frustrée, je me suis affaissée sur mon siège.

Brighton était-elle toute seule à la fin ? Souffrait-elle ? Avait-elle peur ? Pensait-elle à sa famille ? À sa meilleure amie ? À son chien ? Ou bien sa mort avait-elle été rapide ? Un bruit étrange, un frémissement dans l'air, et puis… l'oubli ?

J'ai repoussé ces pensées. Pures conjectures. J'étais une scientifique. Le corps me raconterait ce qu'il avait à raconter d'elle.

J'ai délaissé le clavier de l'ordi pour revêtir tout l'attirail nécessaire à ma tâche : un tablier en plastique par-dessus mon sarrau, un masque, des lunettes de protection, des gants en latex à usage unique. Je me suis approchée des restes.

La forme sur la table ressemblait davantage à un amon-cellement de linge aux couleurs criardes destiné au nettoyeur qu'à un être humain. Je n'ai pu m'empêcher d'admirer la qualité des vêtements The North Face et Mountain Hardwear. Ils avaient été exposés durant trois ans à un environnement impitoyable en haute altitude, et cependant les dégâts sur le tissu étaient insignifiants. Donnée marketing assez morbide, mais quand même impressionnante.

J'ai lentement fait le tour du cadavre, consignant le moindre détail et prenant des notes. Pas grand-chose à dire. La victime aimait les couleurs vives. Elle s'habillait avec des marques coûteuses. Une fois assurée de n'avoir rien oublié, j'ai pris des ciseaux dans un tiroir sous le comptoir et je me suis mise à découper des échantillons tout raides.

J'ai taillé de bas en haut à travers du rouge, du jaune, du vert pistache. Le blouson et le pantalon. Que du Gore-Tex, le tissu imperméable par excellence. Du polar. Des caleçons longs thermiques. Couche après couche, telle une archéo-logue. Pas un seul article ne manquait pour la protéger du froid. Réunis ensemble, ils démontraient avec arrogance qu'elle pouvait faire face à de très basses températures, à un environnement hostile à l'idée même de vie.

Quatre-vingt-dix minutes plus tard, j'avais atteint la chair. Quatre-vingt-dix minutes de plus, et la victime ne possédait plus que ses chaussures rouges, toujours gelées, impossible à ôter des pieds.

Au contraire de la peau desséchée des mains et du visage, le reste de son corps avait un teint d'albâtre. Et à pré-sent qu'elle était nue, je comprenais les angles inhabituels. Brighton Hallis était morte de froid en position assise, les genoux en partie pliés, le torse légèrement avachi, la tête penchée sur la droite, un bras de porcelaine en travers de sa poitrine. Réflexe défensif ? Mouvement accompagnant son dernier souffle ? Je soupçonnais Hallis de s'être figée en étant penchée de la sorte, son autre bras pendouillant.

J'ai étudié ses mains, sèches et colorées comme du vieux cuir. Il n'y aurait pas d'empreintes avant que je lui réhydrate les doigts.

Le téléphone mural a sonné. Je suis allée répondre.

— Brennan.

— Tu as avancé ? a dit Larabee.

— Un peu.

Pas vraiment, non.

Pas la réponse qu'il avait envie d'entendre.

— Le corps est-il réduit à l'état de squelette ?

— Non. Le froid extrême l'a protégé contre la putréfaction. À cette altitude, il n'y a plus d'agents destructeurs.

— Pas même de bactéries ? D'insectes ?

— Le seul organisme qui arrive à tenir si haut est une variété de mousse à six mille cinq cents mètres. Au-delà, il n'y a littéralement plus aucune vie. Même si une chose pouvait survivre à une telle altitude, la bactérie responsable de la décomposition aérobie ne fonctionne pas sous zéro degré Celcius.

Ni rongeurs, ni oiseaux, ni insectes, ni micro-organismes. Aucun des habituels compagnons de la mort.

— Alors elle est intacte ?

C'était une reformulation de sa question initiale.

— Les parties de son corps qui ont été protégées, oui. Mais l'alliance de températures glaciales et de vents violents, le tout conjugué avec l'action des rayons UV, a conduit à une momification du visage et des mains.

— Comme l'homme des glaces ?

Il existe de nombreux exemples, anciens et récents, de cadavres conservés dans la glace. Le plus célèbre est Ötzi, surnommé l'homme des glaces, qui a été découvert en 1991 dans les Alpes. Ötzi était si bien préservé qu'on a d'abord cru à un alpiniste mort de froid au cours de l'hiver précédent. L'analyse médico-légale a estimé qu'il était mort 3 300 ans avant J.-C.

— Exactement.

— Ce cas était exceptionnel. Ils ont réussi à étudier ses nombreux tatouages, à identifier ce qu'avaient été ses deux derniers repas, et comment il avait été assassiné. Ils ont même procédé au séquençage de son ADN.

J'avais rarement entendu Larabee vibrer d'enthousiasme de la sorte.

— J'en aurai terminé avant 17 heures.

— Laisse ton rapport sur mon bureau, a-t-il demandé de sa voix redevenue atone.

200

Il a raccroché.

J'ai dressé dans ma tête une liste des prochaines étapes. D'abord une fluoroscopie, qui est une radioscopie de l'ensemble du corps. La position en bretzel de ma victime rendrait la chose difficile. J'ai donc décidé d'attendre qu'elle ait dégelé assez pour pouvoir l'allonger.

Ensuite, les empreintes digitales. Pas facile sur un corps momifié. La réhydratation prendrait du temps. On me dit souvent que j'ai plein de qualités. La gentillesse. La générosité. L'intelligence. Mais pas la patience. Je déteste attendre.

Mon estomac a gargouillé, ce qui signifiait que je devais ajouter « me nourrir » à ma liste de choses à faire. Mais la suite de mon examen était prioritaire.

Une main à la peau tannée était accessible. Elle ressemblait à un gros gant de protection au bout d'un bras en gypse. Je suis retournée chercher dans le tiroir un instrument pareil à un sécateur. J'ai positionné les lames recourbées de chaque côté du pouce et j'ai appuyé. Plus fort. Rien à faire. Autant s'évertuer à découper de l'acier.

J'ai envisagé les options qui s'offraient à moi, mais elles ne me plaisaient pas. Encore cette histoire de patience. Je ne voyais pas d'autre solution. L'idée d'endommager le corps ne me plaisait pas non plus.

Avec rien d'autre à faire que de devoir attendre, je me suis concentrée à nouveau sur la dentition. Bien que mon domaine de spécialité soit les os, je me débrouille plutôt pas mal avec les dents. Toutefois, dès que les analyses dentaires s'avèrent compliquées, j'ai besoin de la confirmation officielle d'un odontologue. Étant donné que Brighton Hallis n'avait plus une seule dent intacte, son cas entrait clairement dans la catégorie « compliquée ».

Les mâchoires étaient entrouvertes en une grimace grotesque. J'ai attrapé une loupe à main et réglé la lumière du plafonnier pour scruter l'intérieur de la bouche. D'emblée, une chose m'a paru étrange. Les dégâts semblaient uniformes de l'avant vers l'arrière de la cavité, à la fois en haut et en bas. Chaque dent était foutue à partir du bord de la gencive. Était-ce le résultat d'un impact mortel ? Son visage avait-il heurté violemment une paroi rocheuse pendant qu'on transportait son corps en hélicoptère ? Ou bien trois années d'un climat impitoyable avaient-elles eu raison de sa dentition ?

Je suis retournée sur le Net. J'ai entré sur Google les mots clés « gel » et « dentition ». Il apparaissait que des scientifiques pouvaient aujourd'hui collecter et cryoconserver des cellules souches à partir de molaires adultes extraites. C'était intéressant mais pas utile pour moi. Nerveuse, je commençais à ne plus tenir en place. J'ai décidé de poursuivre plus tard mes recherches sur l'ordinateur.

Il me restait une source potentielle d'informations. J'ai repris la planchette à pince en passant en revue avec attention chaque document. Chaque page resplendissait de tampons officiels colorés et de gribouillis indéchiffrables que j'ai pris pour du népalais. Ou était-ce du tibétain ? Je devais vérifier ça.

Rien dans le fichier ne pouvait m'éclairer sur les derniers moments sur terre de Brighton Hallis.

J'ai repéré un numéro de téléphone avec un indicatif que je connaissais bien.

Merde.

J'ai pris mon courage à deux mains et j'ai téléphoné.

Chapitre 3

Un homme a répondu dès la deuxième sonnerie.

— Résidence Hallis.

Une voix grave de baryton, une voix de fumeur. Ou bien ce type développait un polype ?

— Dr Temperance Brennan à l'appareil. Je souhaiterais parler à Mme Blythe Hallis, s'il vous plaît.

En digne héritière de ma chère mère, Katherine Daessee Lee Brennan, j'avais usé de ce ton charmeur de fille du Sud bien élevée. Ma mère n'est que sucre et miel lorsqu'elle s'exprime au téléphone. Et je tentais de joindre une personne de la même tribu.

— Un moment, je vous prie.

Qui était cet homme ? Son mari ? Le majordome ? Impossible de savoir.

J'ai donc attendu. Un peu trop à mon goût, vu mon état de nervosité.

— Docteur Brennan. (Voix de femme. Un timbre à mi-chemin entre le miel dont je parlais et le cristal taillé. Oui, sans surprise, la même tribu que celle de maman.) J'attendais votre appel.

— Madame Hallis, je suis infiniment désolée pour votre fille. Nous avons reçu le corps ce matin. (*Il est en train de dégeler pendant que nous causons.* Évidemment, je n'ai pas prononcé cette phrase.) Malheureusement, la dentition est très endommagée et cela risque d'hypothéquer une identification sûre et certaine. J'ai fondé l'espoir que vous pourriez me procurer d'autres dossiers médicaux et des radios.

— Bien sûr. Je suis libre à 17 heures. Raleigh vous fournira tous les détails pour notre rendez-vous. Tenue décontractée, cela va sans dire.

Elle ne m'a pas demandé si moi, j'étais libre à 17 heures. Si je préférais venir chez elle. Une injonction. Une présomption que j'allais me plier à sa volonté, et le tour était joué.

Un silence au bout de la ligne, puis à nouveau Raleigh. Il m'a dicté une adresse que je savais appartenir à un des quartiers les plus huppés de Charlotte. Je n'arrivais toujours pas à deviner qui était ce type.

J'ai raccroché, tiraillée entre des émotions contradictoires. Bien que je ne supporte pas qu'on me donne des ordres, j'apprécie les conversations téléphoniques brèves. Je n'allais pas pour autant m'éterniser là-dessus. Voilà mon mantra préféré : ne pas m'éterniser. Ne pas m'éterniser sur la demande en mariage de Ryan. Ne pas m'éterniser sur maman et son cancer. Ne pas m'éterniser sur Katy et son affectation en Afghanistan.

Il était 16 h 10. Spontanément, j'ai tripoté mes cheveux. Je n'avais pas de miroir, mais même sans, je savais que la queue de cheval remontée à la hâte sur le sommet de mon crâne, très tôt ce matin, n'avait pas dû s'arranger au fil de la journée. Et j'avais décollé de chez moi sans me maquiller. Bon, tant pis.

J'ai poussé la civière du cas ME215-15 dans la chambre froide. J'ai foncé ensuite dans les vestiaires pour femmes, j'ai troqué ma blouse contre le jean et le petit haut en lainage que je portais en arrivant aux aurores. Je me suis lavé les mains et le visage avec soin et j'ai tiré sur l'élastique qui retenait ma chevelure. Un petit coup de brosse, deux ou trois balancements de tête pour remettre tout ça en ordre, à nouveau l'élastique, et c'est parti !

À bord de ma Mazda, dans la douce clarté du soir, je contemplais les derniers rayons du soleil, alternant ombre et lumière contre mon pare-brise, ce qui me faisait entrevoir ma ville à travers une succession d'images saccadées, tel un film des débuts du cinéma. Des petites usines et fabriques dont j'ignorais tout. Des magasins et des restaurants, puis les édifices en acier et en verre abritant de grandes compagnies au croisement de Trade Street et de Tryon Street. Et bien sûr l'Université Johnson & Wales et l'immense stade de football, le fameux Bank of America Stadium.

Au sud de la ville, j'ai tourné dans Fourth Street en coupant par le quartier des hôpitaux, dont l'imposant complexe du Presbyterian Hospital construit tout en briques rouges. Très vite, je me suis retrouvée dans Eastover, une banlieue tranquille composée de demeures cossues entourées de vastes pelouses privées.

La résidence Hallis se tenait en retrait de la route. On y accédait par une allée sinueuse bordée de chênes centenaires qui avaient dû côtoyer le général Lee. Je me suis garée devant une magnifique porte en bois à double battant, j'ai coupé le moteur et je suis descendue. L'air sentait bon la glycine et le chèvrefeuille. Ça sentait aussi l'Amex Black, le modèle de machine à café dernier cri de Nespresso et la bouteille de Macallan single malt cinquante ans d'âge.

L'emplacement de la sonnette était si subtil que j'ai mis du temps à la trouver. Bel effort, mais en vain, car avant que je puisse déclencher ce qui devait être un carillon tout aussi subtil, un homme en livrée et au visage constellé de taches de rousseur m'a ouvert. Veste et pantalon à fines rayures, cravate, mais pas de gants.

Mon interrogation n'avait plus lieu d'être : Raleigh était bien le majordome.

Après avoir scruté ma carte d'identité pendant un si long moment que j'ai pensé qu'il l'apprenait par cœur, nous avons traversé un vestibule au sol en marbre. Il m'a invitée à le suivre jusqu'à un petit bureau qui avait définitivement perdu la bataille contre Laura Ashley. Des tentures fleuries, des fauteuils tapissés de chintz, des coussins brodés, un tapis d'une sophistication déconcertante. Sans un mot, il a désigné de sa paume ouverte un fauteuil régence si rembourré que j'ai eu l'impression d'être perchée dessus plutôt qu'assise.

— Un rafraîchissement, peut-être ?

— Non, merci.

— Madame prendra un rafraîchissement.

— Merveilleux.

Raleigh s'est retiré dans un silence presque perturbant. Une fois seule, j'ai dressé mentalement l'inventaire de la pièce encombrée de bibelots de toutes sortes. Vaguement angoissée d'être assise à côté d'un milliard d'objets baroques et… fragiles, j'ai gardé mes bras le long du corps. Du cristal et de la porcelaine partout, du bois ciré à un point tel que j'aurais pu m'en servir comme miroir pour me maquiller. Une pendule rococo marquait les secondes à la cadence d'un battement de cœur de colibri. Tic tic tick tic.

Une grande enveloppe kraft gisait sur un guéridon en marbre et en fonte si étroit et si tarabiscoté que je me demandais si ce meuble aspirait à devenir un bureau ou autre chose. Le tampon extérieur sur l'enveloppe m'indiquait qu'elle contenait des radios.

J'ai entendu des bruits de pas et j'ai regardé vers la porte. La femme qui est entrée s'intégrait parfaitement à l'environnement. Tailleur Chanel de ton pastel. Escarpins à petits talons de chez Oscar de la Renta. Diamant au doigt de la taille d'un beigne Krispy Kreme.

Il n'y avait pas que la tenue. Dans une ville que quatre décennies d'investissements financiers avaient durablement modifiée, Blythe Hallis conservait cette beauté emblématique d'un Sud nostalgique. Et cela lui réussissait.

Elle avait une bonne soixantaine d'années et pourtant ses cheveux étaient d'un blond cendré parfait. Son teint pâle et sa peau à peine ridée attestaient d'un souci constant de protéger son visage du soleil sous des chapeaux à larges bords. Son corps mince et musclé suggérait une pratique sportive régulière avec un entraîneur, ou la fréquentation d'un cours de Pilates.

Ce que je veux dire, c'est qu'elle avait fière allure. À l'exception de ses yeux, gris et froids. Les yeux de quelqu'un qui pouvait vous servir une tasse de thé Sencha dans de la porcelaine Haviland et vous sourire tout en vous regardant mourir, empoisonné à la strychnine.

Mon hôtesse s'est installée dans un fauteuil Queen Anne, et a croisé ses jambes avec une élégance de dure à cuire qui lui était aussi naturelle que de respirer l'air. Je n'ai pu m'empêcher de remarquer qu'elle avait enfilé des collants. Je n'en porte qu'aux mariages et aux enterrements. Hallis les portait dans sa propre maison.

— Merci de vous être déplacée.

Je suis allée droit au but.

— Le médecin légiste en chef désire ardemment vous donner satisfaction, madame Hallis. Et tout détail dont vous pourriez nous faire part sur l'accident de votre fille nous serait fort utile.

Blythe Hallis n'était pas le genre de femme à se laisser mettre la pression.

— Il est passé 17 heures. Raleigh a préparé le thé.

Ce n'était pas une proposition, juste un fait.

Je n'ai rien dit.

— Souhaitez-vous de quoi écrire? a-t-elle demandé en fixant mes mains vides.

Je n'étais pas vraiment d'humeur à jouer à « Mon père est plus fort que le tien ». J'ai donc sorti mon carnet et mon stylo de mon sac. J'allais ouvrir la bouche quand Raleigh est entré, portant un service à thé qui aurait rendu vert de jalousie le Chapelier fou. Hallis et moi avons pris un temps infini à touiller l'excellente boisson. Puis elle s'est lancée, histoire de montrer qui était en charge, ici.

— Brighton était une enfant terrible. Insoumise. Et aussi une athlète très douée. Elle excellait dans toutes les disciplines, mais préférait celles qu'elle pratiquait seule. À l'école secondaire, puis à l'université, elle courait tous les matins. Vous le saviez?

— Je l'ignorais.

— On lui a même offert des bourses sport-études, mais bien entendu, cela était inenvisageable. (Le ton d'Hallis impliquait que d'accepter de l'argent d'une quelconque bourse serait comme d'aller vendre un rein sur le marché noir.) Ce qu'elle aimait par-dessus tout, c'étaient les sports extrêmes.

— Quand a-t-elle commencé l'alpinisme?

— Lors d'une randonnée en montagne avec ses frères et son père. Elle avait douze ans. Bien trop jeune, c'est sûr, mais je n'ai pas eu mon mot à dire. (Long regard de grande souffrance posé sur ses doigts enroulés autour de l'anse de sa tasse.) Brighton ressemblait à son père. Sterling, mon défunt mari, n'avait qu'une passion : la prise de risque. Sa drogue était la vitesse.

J'ai siroté le thé que je n'avais pas demandé. Qu'entendait-elle par drogue?

— Sterling aurait pu passer ses week-ends sur la piste du circuit automobile si d'autres responsabilités ne l'en avaient pas tenu éloigné. (Les yeux gris et froids ont croisé les miens.) C'est une définition de la maladie mentale, ne croyez-vous pas ? Tourner en rond, le plus vite possible, sans jamais aller nulle part ?

— Mmm…

J'ai reposé ma tasse dans la soucoupe, la soucoupe sur la table. Ce thé était diablement délicieux.

— Mes enfants ne pensaient qu'à épater leur père en jouant les casse-cou sur un circuit automobile.

— Brighton avait-elle été victime de blessures qui auraient nécessité un suivi médical ?

Je cherchais à recentrer la discussion sur le but de ma visite.

Blythe a déposé sa tasse et sa soucoupe près des miennes. Elle a ensuite positionné l'anse de sa tasse sous un angle qu'elle devait juger particulièrement esthétique. À moins que ce ne soit la manifestation de troubles obsessionnels compulsifs ?

— Tout est là. (Elle a pointé l'enveloppe du doigt.) Vous le constaterez, il y a eu plusieurs admissions aux urgences. Parmi les points importants, une fracture du cubitus et une autre au talon.

— Merci. (J'ai rangé l'enveloppe près de mon sac.) Y aurait-il des éléments que vous aimeriez me communiquer au sujet des événements survenus sur l'Everest ?

— J'ai bien peur d'avoir très peu d'informations. Ma fille est décédée il y a trois ans. Ce que je sais, c'est qu'elle a réussi, mais a trouvé la mort juste après, pas très loin du sommet, sur le chemin du retour. Elle avait vingt-quatre ans.

— Vous ignorez donc les conditions qui entourent le drame ?

— Je n'ai eu que de l'information indirecte. On m'a expliqué que les personnes de sa cordée avaient déjà entamé leur descente. Le mauvais temps s'était brusquement installé et il régnait une grande confusion. (Elle débitait son histoire par cœur. C'était un récit qu'elle avait déjà fait maintes fois.) Le lendemain, un autre groupe d'alpinistes a découvert son corps. Ils ont ramassé quelques affaires de Brighton et me les ont envoyées. Aucun des membres de sa cordée n'est ensuite retourné sur les lieux.

Au-delà des mots, une approche insensible.

— Aucune tentative n'a été menée pour redescendre le corps de votre fille ?

Moue désabusée sur des lèvres délicatement peintes.

— Docteur Brennan, avez-vous la moindre idée des conditions climatiques sur l'Everest ?

— Je ne suis pas spécialiste de la météo.

J'ai regretté ma pique à peine l'avais-je prononcée. Mais l'arrogance de cette femme m'agaçait au plus haut point.

— Avant une ascension, chaque grimpeur est dans l'obligation de choisir une option en cas de décès. Soit le corps reste sur place, soit il est transporté à Katmandou pour crémation, soit encore il faut payer pour l'opération de récupération du défunt. Le montant peut s'élever jusqu'à trente mille dollars. (Un autre sourire poli.) N'est-ce point une forme de folie ? S'adonner à un passe-temps qui nécessite que vous preniez des dispositions en vue de votre décès ? Bien évidemment, nous avions choisi l'option numéro trois.

— Bien évidemment. Alors pourquoi cela a-t-il duré trois ans ?

— Le mont Everest se moque de nos choix personnels.

Hallis a bu une gorgée de thé, puis a reposé sa tasse sur sa soucoupe avec le même ajustement d'angle. Son visage restait impassible.

— On appelle le périmètre situé au-delà de huit mille mètres la zone de la mort. Il est pratiquement impossible de récupérer des corps dans cette zone. (Elle a baissé les yeux. Que cherchait-elle à cacher ?) Le terrain est impraticable et l'oxygène très rare. Voilà pourquoi Brighton a été abandonnée là où elle est morte. Gelée sur place, tandis que d'autres rêveurs fous, niant la réalité, ont continué à grimper non loin d'elle…

— Mais quelque chose a changé, l'ai-je interrompue.

— Êtes-vous au courant que plus de deux cents corps sont toujours là-haut, sur le toit du monde ?

Elle ne sollicitait pas de réponse, je ne lui en ai donc pas fournie.

— Une partie de l'Everest a été surnommée Rainbow Valley, à cause des vêtements multicolores des cadavres gelés qui balisent le sentier. (Elle a relevé la tête, plantant ses yeux gris dans les miens.) Les détritus sont devenus un véritable problème là-haut. Ces dernières années, des groupes ont essayé de nettoyer la montagne et ont récupéré certaines de ces pauvres âmes abandonnées. Les méthodes pour ce faire se sont améliorées. J'ai contacté une de ces organisations spécialisées, mais Brighton restait hors d'atteinte. Jusqu'au récent tremblement de terre. Je suppose que vous en avez entendu parler ? De cette catastrophe au Népal ? C'est si déchirant.

J'ai hoché la tête. Le désastre avait été annoncé en boucle sur les chaînes d'infos. Le bilan des victimes était très lourd : plus de huit mille cinq cents personnes. Un pays, ayant déjà peu de ressources, avait été dévasté. Cette catastrophe avait monopolisé l'attention des médias jusqu'à ce qu'un train déraille à la sortie de Philadelphie, et devienne la tragédie suivante.

— J'ai craint alors que cette triste histoire du malheur d'une personne ne profite à quelqu'un d'autre. Après le séisme, des sherpas ont identifié des corps qui avaient été déplacés à cause de plusieurs avalanches liées au séisme. Brighton était parmi eux. J'étais heureuse d'assumer les frais de tout ça.

— Votre fille a été héliportée ?

Hallis a émis un rire de gorge, ce qui m'a quelque peu mise mal à l'aise.

— N'est-ce pas étonnant toutes ces choses que nous apprenons lorsque nécessité fait loi ? (Profonde inspiration.) Les hélicoptères ne peuvent pas fonctionner au-dessus du camp 2, car ils ne peuvent affronter la baisse de la pression de l'air et envisager une mission de sauvetage. L'héliportage vers Katmandou n'est envisageable que du camp 1. Les cadavres retrouvés à une altitude supérieure sont emmaillotés et descendus avec une corde, et soutenus à la main au-dessus des crevasses. À certains endroits, la pente est escarpée à soixante degrés. L'opération mobilise de six à huit sherpas pendant une journée entière.

J'ai visualisé des os gelés, cassants, dévalant tant bien que mal une falaise sur une luge en tissu. Du point de vue médico-légal, ce n'était guère encourageant.

— La descente, si elle est abrupte, peut générer des dommages supplémentaires au corps, ai-je dit par principe de précaution.

— Pas davantage que la montée, serais-je tentée de dire…

Toujours pas la moindre trace d'émotion dans sa voix.

— J'ai été surprise de constater que les restes nous parvenaient gelés. Les lois internationales recommandent l'embaumement.

— La firme International Mortuary Shipping est d'excellente réputation. Leur personnel était en mesure d'obtenir les dérogations indispensables pour que Brighton puisse rentrer à la maison dans l'état où elle avait quitté la montagne. En tout cas, c'était mon souhait le plus cher.

Et, en plus, vous êtes Blythe Hallis, l'amie du maire, et du gouverneur. Et peut-être aussi l'amie du pape.

— J'ai bon espoir que le Dr Larabee et moi-même puissions confirmer l'identité de votre fille. Par contre, je suis moins catégorique quant à ce que nous pourrons établir grâce à nos analyses. Trois ans, c'est une longue période dans des conditions aussi extrêmes.

Hallis a planté son regard dans le mien.

— Je sais que votre domaine d'expertise est davantage celui de l'examen médical que celui des sciences humaines, mais il est essentiel que vous compreniez ce qui motivait ma fille. De mes trois enfants, Brighton était la plus tenace, et la plus intelligente. Une fois qu'elle s'était donné un but, plus rien ne pouvait l'en détourner.

— Votre fille avait-elle entrepris l'ascension d'autres montagnes réputées ?

— Oh, bien sûr. Son ambition était de relever le défi des sept sommets. Savez-vous ce que cela signifie ?

— Le rêve de tout alpiniste. Les sept sommets sont les montagnes les plus élevées sur chacun des sept continents, ai-je répliqué.

Et vlan. Je n'étais pas complètement ignare.

— Brighton a commencé dès la fin du secondaire. Elle et son père ne cessaient de planifier des expéditions. L'Everest était le projet qui leur tenait le plus à cœur. Elle était à la moitié du cycle lorsque Sterling est mort de façon subite.

— Un accident sur un circuit automobile?

— Un cancer du côlon. Brighton était dévastée par le chagrin. Après son décès, l'Everest est devenu son obsession. Le fonds de placement de ma fille lui permettait de se concentrer sur son entraînement à plein temps. J'ai mille fois tenté de la raisonner, mais plus rien ne comptait hormis cette atroce montagne.

Hallis a cligné des paupières rapidement. Était-ce là la première fissure dans la carapace?

J'ai ressenti un élan de compassion. Elle avait perdu son mari. Elle avait perdu sa fille. Une progéniture qui aurait préféré avoir une autre mère qu'elle.

— Ce que je veux dire, c'est que, lorsque Brighton avait quelque chose dans sa ligne de mire, plus rien ne se mettait en travers de sa route. (Le visage d'Hallis avait repris son impassible expression.) Je n'arrive pas à comprendre que l'Everest, univers pourtant si familier, ait eu raison d'elle.

Cette femme croyait-elle naïvement que l'erreur était impossible pour quelqu'un comme Brighton? Ou bien sa remarque sous-entendait-elle autre chose? Autre chose de bien plus macabre?

Hallis m'a observée et a pris ma perplexité pour du mépris.

— Je vous en prie, docteur Brennan, ne me jugez pas hâtivement. Je ne suis pas idiote. Je ne crois pas que ma fille soit irréprochable. Grimper était sa passion. Personne n'était mieux préparé qu'elle aux risques de la montagne, risques qu'elle connaissait parfaitement. J'ai simplement besoin de savoir comment elle est morte.

J'étais perturbée par son raisonnement. C'était vraiment cela sa requête? Faire en sorte que l'image de sa fille reste intacte, quitte à chercher ailleurs des coupables?

— Je ne peux rien vous promettre.

— Tout ce que je vous demande, c'est un examen minutieux. S'il y avait la moindre preuve que cet accident ait été causé par un équipement défectueux, ou par tout autre élément qui aurait pu s'avérer défaillant, je tiens à le savoir.

Bingo. Procès. Voilà comment les riches gèrent le deuil. Mon capital de sympathie commençait à s'effriter.

— Je vous promets que nous ferons le maximum. (Je me suis levée, j'ai balancé mon sac par-dessus mon épaule et coincé l'enveloppe sous mon bras.) Vous trouverez mes conclusions dans le rapport.

Hallis s'est levée. Son tailleur Chanel n'avait pas un pli.

— Je vous ai organisé un rendez-vous avec les alpinistes de l'expédition de Brighton. Dara Steele, Cash Reynolds et Damon James vous attendront demain midi au Leroy Fox. Je vous ai réservé une table. Je les ai laissés choisir l'endroit. (Le ton sur lequel elle avait prononcé cette dernière phrase indiquait combien elle était navrée d'un restaurant aussi bas de gamme. Je m'en fichais totalement vu que c'était l'un de mes pubs préférés.) Je m'occupe de l'addition, cela va sans dire. Sentez-vous libre de leur demander tout ce que vous voulez. Dans mon souvenir, ils ne sont pas du genre à faire les premiers pas.

Hallis a souri, de ce sourire de façade qui en appelle un autre, de soumission. Je ne lui ai pas souri. Cette femme avait une conception unilatérale des relations humaines, comme si elle n'avait que des droits, et moi, que des devoirs. C'était effarant.

— Je vais vérifier dans mon agenda si je suis libre, ai-je tenté, pour la forme.

— Mes amis et moi vous sommes reconnaissants pour tous vos efforts.

Pas la peine de citer le nom des amis.

Une main manucurée à la perfection s'est approchée de la mienne et l'a serrée. Hallis n'a pas prolongé le contact plus que nécessaire.

Dehors, le ciel s'était embrasé, strié de longs rubans nuageux roses et jaunes. La nuit s'annonçait. Je suis restée un instant sur le seuil de la demeure à écouter le bruissement du vent dans le feuillage des chênes centenaires. J'ai humé le parfum des crocus qui sortaient enfin de terre après le long sommeil de l'hiver. Je savourais à sa juste mesure la plénitude que me procurait ce crépuscule printanier.

J'ignorais alors que je vivais là mon dernier moment de sérénité avant longtemps.

Chapitre 4

Mon dimanche avait commencé avec une petite patte en fourrure blanche me tapotant le nez. Birdie voulait son petit déjeuner. Après avoir tenté de le repousser à plusieurs reprises avec des coups de coude inefficaces, j'ai finalement renoncé et je me suis extirpée du lit. Le désir de sommeil ne peut pas lutter contre la volonté implacable d'un chat.

La punition de Birdie a été de manger seul : j'ai emporté mon bagel et mon café sur la terrasse. J'ai ignoré le voyant des messages téléphoniques qui clignotait… Ryan, très certainement. Le chat a contrecarré mon affront en plongeant sa tête dans le bol de croquettes. Ou alors, il faisait semblant de s'en foutre.

Autour de moi, les azalées s'épanouissaient, rose et blanc, au milieu des feuilles vertes et brillantes de buissons plantés il y a des années, bien avant que j'emménage à Sharon Hall. L'air était lourd de pollen et de spores, avec la promesse d'allergies prêtes à vous faire éternuer. Au-dessus du mur, une cloche d'église sonnait l'appel aux fidèles.

Le ciel était d'un bleu sans nuages, le soleil doux et tiède caressait mes épaules et mes cheveux. C'était un matin idéal pour la randonnée ou le vélo, pour faire du jardinage, pour bouquiner sur un transat. Certainement pas pour étudier des corps momifiés ou des gens morts de froid.

Mon cellulaire a vibré, interrompant le fil de mes pensées. J'ai répondu tout en réactivant la sonnerie de mon téléphone.

— Tu as raté une super soirée, hier.

214

Anne et moi avions été invitées à un dîner chez un ami commun. Elle y était allée, j'avais décliné. L'entrevue avec Blythe Hallis m'avait quelque peu déprimée.

— Mais je m'offre une super matinée, ai-je répondu, la bouche pleine de fromage à tartiner.

— Qu'est-ce que tu manges ?

— Un bagel.

— Comment se porte la femme rigide ?

Jamais très subtile et pas tout à fait sobre, Anne m'avait téléphoné la veille au soir pour exiger des détails sur le cas qui m'occupait. Sans lui lâcher le moindre nom propre, j'avais expliqué dans les grandes lignes l'état du cadavre.

— Aussi glaciale qu'une rencontre entre l'Allemagne et la Grèce au sommet de la zone euro.

— Elle est bonne.

Anne et moi, on adore faire des comparaisons farfelues à tout bout de champ.

— Un peu tirée par les cheveux.

— Un peu.

Silence au bout du fil. Un ange est passé. J'ai mordu dans mon bagel. Siroté mon café. Puis Anne a repris :

— Tu veux mon avis ? Pour sauter en parachute ou grimper sur des parois vertigineuses, il faut être complètement fou.

En effet.

— Ça reste quand même triste. Une jeune femme ne devrait pas mourir à vingt-quatre ans. Mais je suis d'accord avec toi, je ne comprends pas cette envie de mettre sa vie en danger juste pour une poussée d'adrénaline. Le deltaplane, le saut en *bungee*, l'escalade de glace.

— Acheter des sushis à un vendeur dans une rue de Tijuana.

— Pourquoi faire ça ?

— Parce que c'est moins cher.

J'ai levé les yeux au ciel. Mais elle ne pouvait pas me voir.

— Je parle des sports extrêmes.

— Pour l'attrait du risque ? Pour le besoin de frissons ?

— Ça ressemble plutôt à un désir de mort subliminal. Savais-tu que les probabilités de mourir par hasard dans un accident sont de 3 % ? Celles de mourir en escaladant l'Everest sont plus du double. Cette fille avait tout ce qu'on peut espérer. Et maintenant elle est dans une morgue avec une étiquette à son gros orteil.

— Tu ne serais pas un tout petit peu hypocrite ?

Anne aimait me taquiner.

— Quoi ?

— Tu applaudis toujours à deux mains les femmes qui réalisent des exploits.

— De quoi tu parles ?

— Amelia Earhart ? Sally Ride ? Diana Nyad ?

— C'est totalement différent.

— Vraiment ?

Les tours et les détours que prenait la conversation m'étourdissaient. C'est le cas de le dire. Ça arrivait souvent quand je discutais avec mon amie.

J'ai changé de tactique.

— La mère assure que toutes ces cascades, c'était pour épater le père.

— Alors, là, tu m'étonnes ! N'y aurait-il pas de légères similitudes avec une jeune Tempe et sa maman ?

— Tu peux me rappeler ce que me vaut l'honneur de ce coup de fil matinal ?

Anne s'est lancée dans un incroyable récit sur ses aventures du début de journée impliquant un tuyau d'arrosage, un raton laveur et un genou amoché. Je l'écoutais à moitié, non sans émettre des gargouillis d'approbation aux moments appropriés.

— Tu as bien fait, ai-je conclu.

— C'était lui ou moi.

— Faut que j'y aille.

— OK, *bye*.

J'ai toujours apprécié chez elle cette manière rapide de mettre fin à nos conversations téléphoniques.

J'ai penché la tête en arrière et fermé les paupières afin de laisser les rayons du soleil inonder mon visage. Je revoyais mentalement les images de Blythe Hallis. Son tailleur haute couture, son maquillage ultra sophistiqué, son arrogance décomplexée. Le bref instant où elle avait baissé la garde. Quelles que soient ses fautes, cette femme avait perdu sa fille.

Je me suis levée en massant l'arrière de mes cuisses. Le motif en treillis de la chaise métallique s'y était imprimé. Pas la peine de se précipiter au labo, il y avait peu de chances que le cas ME215-15 soit déjà complètement dégelé. Et puis au diable, pourquoi pas? C'était plus fort que moi.

J'ai débarrassé en vitesse en repensant à Anne. N'avait-elle pas un tantinet raison? J'avais tout le temps besoin d'être sous tension. Un peu comme Brighton Hallis?

**

Les locaux du MCME étaient vides à l'exception de l'équipe de garde du week-end. C'était si calme que le moindre bruit avait l'air de faire un raffut de tous les diables. Un chuintement provenant du système de chauffage, de ventilation et de climatisation, le claquement d'une porte se refermant, la sonnerie lointaine d'un téléphone. J'ai revêtu la tenue obligatoire, me suis rendue à la salle d'autopsie cinq et j'ai sorti la civière de Brighton Hallis de son petit coin frisquet.

Son teint de porcelaine avait perdu la patine brillante au profit d'un aspect plus blafard. J'ai appuyé mon pouce sur la chair au niveau de l'épaule. Ça avait ramolli. J'ai tenté de plier l'avant-bras droit. C'était loin d'être souple, mais mieux qu'hier. En imitant la méthode de ma grand-mère après son opération du genou, j'ai massé chaque membre lentement et avec méthode. Quatre-vingt-dix minutes plus tard, mes progrès se calculaient en microns.

— C'est un début, Brighton, tu feras mieux demain. (J'ai recouvert le corps avec la bâche en plastique.) Bientôt tu seras assez allongée pour une séance de sexe à la victorienne.

Jesus! J'avais vraiment prononcé ces paroles? Et à voix haute, en plus? Il était temps que je m'en aille.

J'ai enlevé tablier, masque et gants, je me suis lavée et j'ai foncé à mon rendez-vous imposé au Leroy Fox. Ce resto possédait plusieurs atouts en sa faveur: une nourriture excellente, on s'y garait facilement, il n'était pas loin de chez moi, pas le genre déjeuners-entre-dames-de-la-haute. Bref, j'étais ravie que Blythe Hallis ait laissé le choix du lieu aux autres.

Bingo! Une place de stationnement tout près de la porte. À l'intérieur, un décor sobre, entre loft new-yorkais et ambiance virile de vestiaires chics. Partout des écrans plats accrochés aux murs, avec une qualité d'images telle qu'on pourrait en recevoir de Mars. Des chaînes sportives, principalement. Baseball, basket, football. L'hôtesse, une femme d'une vingtaine d'années avec un petit haut cintré et un jean noir, a murmuré « Hallis » à une serveuse d'une vingtaine d'années avec un petit haut cintré et un jean noir. Celle-ci a souri largement, une erreur, vu l'état de sa dentition. Jean Noir Numéro Deux m'a conduite vers l'alignement de banquettes contre le mur du fond.

Sur un banc, épaule contre épaule, un homme et une femme étaient assis. Jeune trentaine, voire moins. En m'entendant approcher, ils ont échangé un regard avant de m'observer. Aucune expression dans leurs yeux. J'ai deviné qu'elle devait être Dara Steele. Lui, impossible de savoir.

— Dr Temperance Brennan.

Je lui ai offert ma poignée de main et mon sourire le plus craquant.

La main de Steele était aussi molle que sa queue de cheval. Elle a laissé retomber son bras sur ses genoux et s'est recroquevillée comme si elle voulait encastrer sa frêle silhouette dans le corps de son camarade.

— Cash Reynolds, a-t-il déclaré sans la moindre chaleur dans la voix, mais la poigne était plus ferme.

— Puis-je… ? ai-je répondu en désignant du menton le banc libre.

Reynolds a hoché la tête, évitant sciemment de croiser mon regard.

Je me suis glissée à table, évaluant du coin de l'œil le couple face à moi. Reynolds était beau, costaud, musclé, et sans doute habitué à ce qu'on le lui dise. Des yeux brun foncé. Des cheveux châtain arrangés avec soin sans donner l'impression qu'ils étaient coiffés. Il portait une chemise en coton aux manches remontées sur des avant-bras noueux. Steele ressemblait à un épouvantail décoloré survivant dans son ombre.

— Mme Hallis m'a annoncé que je rencontrerais les trois alpinistes de l'expédition de Brighton.

Mon ton impliquait une question muette.

— Damon est en retard, a dit Reynolds, un doigt frottant la condensation sur son verre.

— Comme d'habitude, a rétorqué Steele avec une mine indiquant sans ambiguïté que cela ne l'amusait pas du tout.

Une serveuse est arrivée. Oui, avec un petit haut cintré et un jean noir. Mais elle avait noué un tablier par-dessus.

— On sait jamais avec Damon... On n'a qu'à commander.

Sans me consulter, il a demandé deux hamburgers frites et le même soda qu'ils venaient de boire, deux *ginger ale*. Qu'essayait-il de prouver ? Qu'il était celui qui entretenait Steele ? Qu'il voulait en finir au plus vite ? Qu'il était un crétin égocentrique ?

J'ai préféré ne pas en tirer de conclusions hâtives. J'ai pris du poulet frit, des courgettes frites et un Coke Diète. Pourquoi me priver ? On était dimanche après tout. Et je n'avais pas eu le temps de consulter le menu.

— Merci d'avoir accepté de me rencontrer, ai-je commencé (comme si nous avions eu le choix). J'aimerais apprendre le plus de choses possible sur ce qui s'est déroulé sur le mont Everest le jour de la mort de Brighton.

À nouveau, ces regards furtifs, ces visages fermés. Et un long silence pesant.

Les secondes, puis les minutes se sont écoulées.

OK, essayons une autre approche.

— Comment vous êtes-vous tous rencontrés ?

— À une réunion des SheClimbs Charlotte, a lâché Steele sur un ton plutôt froid. C'est un groupe de femmes alpinistes.

Reynolds m'a paru mal à l'aise. Il ne disait pas un mot, mais avait les joues en feu.

— Cash, continue, toi... (Voyant qu'il se taisait toujours, elle a enchaîné.) Brighton et Cash sortaient ensemble.

— Christ, Dara, laisse tomber !

Steele s'est repliée sur elle-même, avec un regard de chien battu.

— Vous et Brighton étiez en couple ?

— Brièvement.

— Sur le mont Everest ?

Long silence.

— Ça dépend à qui vous posez la question, a précisé Steele dans un message énigmatique.

Reynolds étudiait sa fourchette avec intérêt.

Je m'apprêtais à poursuivre lorsque notre serveuse nous a apporté assez de nourriture pour alimenter une classe de deuxième secondaire. Nous avons pris le temps d'ajouter sel, poivre et condiments à nos plats. Puis j'ai demandé :

— Qui d'autre était avec vous sur le mont Everest ?

— Damon James. Il était l'associé de Brighton sur un projet commercial, a précisé Steele avec un coup d'œil à Reynolds, qui l'a ignorée. Elle connaissait Elon Gass depuis l'université. Bright a commencé à rassembler les membres d'une cordée pour escalader l'Everest, mais c'était une éternité avant le concours.

— Le concours ?

— Plutôt un show de téléréalité, a corrigé Reynolds. Un peu comme l'émission de CNN, *Parts Unknown*, d'Anthony Bourdain, mais sur l'alpinisme. La boîte de production cherchait un animateur. La communauté des alpinistes s'est donc emballée.

Je me suis adressée à Steele.

— Brighton avait envie de passer l'audition ?

— Qui n'en aurait pas eu envie ? Être payé pour porter un super équipement de pointe, voyager dans des super endroits, tester les hôtels, organiser des cordées, devenir célèbre ? N'importe qui aurait fait n'importe quoi pour être choisi.

— Y compris vous ? (À nouveau, ce regard fixe et vide.) Espériez-vous être sélectionnée ?

Elle a haussé ses épaules osseuses.

— Comme si elle avait ses chances, a répliqué Reynolds d'un ton acerbe. (J'étais à présent sûre de l'option « crétin ».) Dès qu'ils l'ont vue, les gars ont adoré Brighton et elle, elle était sûre que l'affaire était dans le sac. Il lui suffisait d'atteindre le sommet de la plus haute montagne de la planète, et le tour était joué.

— Elle nous avait convaincus que nous aurions besoin de l'Everest pour être des concurrents crédibles, a renchéri Steele.

— Et maintenant, le champ est libre, n'ai-je pu m'empêcher d'ajouter.

Vilaine habitude. J'avais l'esprit mal tourné.

Reynolds a secoué la tête.

— Elon est devenu leur nouveau chouchou. Si jamais il arrive à rentrer de Russie !

— Tu parles, a ricané Steele. Ils ne peuvent pas choisir un gars qui a renoncé avant d'atteindre le sommet.

— Elon n'était pas avec vous jusqu'à la fin de l'ascension ?

— Non. Et maintenant il est parmi les finalistes. Cette émission, c'est une vraie farce.

C'était la première fois que Steele semblait éprouver quelque émotion. Visiblement un sujet sensible chez elle.

— Alors, comme ça, Brighton était votre guide ?

— Vous voulez rire ? (Reynolds a écrasé une frite dans son ketchup.) Aucun de nous n'a les compétences pour être guide. Nous sommes des adeptes des sept sommets.

— Oui, je sais, les montagnes les plus élevées sur chacun des sept continents, ai-je répliqué en me remémorant mes notions d'escalade.

Depuis que cette histoire m'avait été racontée la veille par Blythe Hallis, quelque chose me tracassait. Je cherchais dans mes souvenirs de géographie, en première année d'université.

— Les continents… On en compte six, non ? L'Afrique, l'Antarctique, l'Australie, l'Eurasie, l'Amérique du Nord, l'Amérique du Sud.

— D'un point de vue géologique, c'est exact. D'un point de vue politique, non. L'Europe et l'Asie sont considérées comme deux entités séparées, alors il faut inclure le mont Blanc entre la France et l'Italie, et le mont Elbrouz, à la frontière de la Russie et de l'Asie. En fait, il y a huit sommets parce que vous devez en compter deux pour l'Océanie. Le mont Kosciuszko est le plus haut sommet d'Australie, mais techniquement, le plus haut point de l'Océanie est la pyramide Carstensz, une montagne en Papouasie-Nouvelle-Guinée.

Reynolds pouvait paraître odieux, il n'en était pas pour autant stupide. J'ai voulu poser une autre question, mais il m'a aussitôt coupé la parole.

— Le problème, c'est que… (petit arc de cercle avec sa fourchette plantée dans une frite), comment dire… aucun des sept sommets n'est une ascension extrêmement compliquée.

Même avec le défi que représente la très haute altitude, grimper sur l'Everest n'est pas une prouesse technique. Nous pensions être suffisamment entraînés et en forme.

— Oui, nous avons cru que nous pourrions le faire, a marmonné Steele.

— Alors que s'est-il passé ?

Ma patience s'émoussait avec toutes leurs esquives et leurs façons de contourner le sujet.

— L'altitude.

— Continuez, l'ai-je encouragé, avant de jeter ma serviette roulée en boule dans l'assiette, désormais vide.

— Nous ne savions pas vraiment dans quoi nous nous engagions. Aucun de nous n'avait escaladé un des huit mille.

— Faites comme si je n'étais pas abonnée au magazine *Outside*, et expliquez-moi.

— Les huit mille, c'est le nom des quatorze sommets dépassant huit mille mètres et situés dans le massif de l'Himalaya et dans celui du Karakoram au Pakistan. Ils sont tous dans la zone de la mort.

— C'est l'altitude où il n'y a plus assez d'oxygène pour rester en vie.

Ça, je le savais. Ça ne pardonne pas pour un être humain. Au-delà de huit mille mètres, les taux d'oxyhémoglobine chutent.

— Nous étions vierges en matière de zone de la mort, a poursuivi Reynolds. (Au fur et à mesure qu'il s'exprimait, Steele se rabougrissait, le regard tourné vers le sol, le visage aussi immobile qu'un papillon de nuit posé sur une branche. J'aurais parié qu'elle n'avait pas du tout apprécié son séjour là-bas.) Tout devient un enfer au-delà de huit mille mètres. Respirer, manger, pisser, dormir. Avez-vous entendu parler des termes OPHA et OCHA ?

Reynolds venait d'utiliser les acronymes pour « œdème pulmonaire de haute altitude » et « œdème cérébral de haute altitude ». Pour faire simple, excès de liquide dans les poumons et dans le cerveau. Déclenchés par la privation d'oxygène, l'OPHA et l'OCHA sont les premières causes du mal des montagnes dans sa forme aiguë.

— C'est ce qui a tué Brighton ?

— Je suis pas médecin !

La répartie trahissait une émotion forte. Angoisse ? Culpabilité ?

J'ai eu une intuition fulgurante.

— Vous n'étiez ni l'un ni l'autre avec elle quand elle est morte, c'est ça ?

Steele a semblé hagarde d'un seul coup.

Reynolds frottait nerveusement son pouce contre son verre.

J'ai repoussé mon assiette sur le côté. J'ai siroté mon Coke et laissé le temps s'étirer. Reynolds a brisé le silence.

— Vous n'avez aucune idée comment c'est là-haut.

— Racontez-moi, ai-je suggéré du tac au tac en faisant un geste à la serveuse pour qu'elle s'éloigne.

— Tout va de travers. L'air a un parfum différent, vos vêtements n'ont plus la même odeur, même votre nourriture a un goût différent. Si toutefois vous parvenez à l'avaler. (Il a fait une pause, apparemment pas satisfait de ce qu'il venait de déclarer.) Là-haut, votre cerveau ne fonctionne plus normalement. Mettre un pied devant l'autre est un effort aussi grand que si vous couriez le marathon.

— Il a fallu que je contourne un cadavre, a murmuré Steele d'une voix sortie de nulle part. Mon cerveau me commandait de pleurer, mais tout ce que j'arrivais à faire, c'était avancer, reculer, m'éloigner.

— La descente, c'est la partie la plus difficile.

— C'est ce qui a causé la mort de Brighton, a chuchoté Steele.

— Personne ne sait ce qui a causé sa mort, l'a brutalement contredite son ami avant de me regarder. La dernière fois qu'on l'a vue, on redescendait et elle montait.

— Pourquoi ne pas avoir grimpé avec elle ?

— Elon repartait vers le flanc du Kangshung, c'est le flanc est de l'Everest. Il était très mal. (Les lèvres de Steele tremblaient, ses yeux s'humidifiaient.) Nous avons perdu Bright en haut de Hillary Step, une paroi rocheuse de douze mètres. Elle…

— C'est le dernier défi avant le sommet, l'a coupée Reynolds. On doit l'escalader en étant arrimé à des cordes fixes, et l'endroit peut se transformer en goulot d'étranglement. Mais pas ce jour-là. (Il a dégluti, puis inspiré profondément.) Bright était devant nous.

— Elle était toujours en tête.

— Elle est restée en haut pour attendre une autre alpiniste qui montait derrière nous.

— Nous, nous avons continué à escalader jusqu'au sommet juste avant le délai.

— Quel délai ?

— Vous devez entamer la descente à 14 heures, sinon vous ne pouvez plus rejoindre le camp avant la nuit.

J'ai acquiescé d'un hochement de tête.

— Au-dessus de huit mille mètres, vous avez constamment besoin d'oxygène supplémentaire. Il est impossible de bivouaquer à cette hauteur sans risquer d'être à court sur vos réserves. Nous avions assez pour atteindre le sommet et redescendre.

Reynolds était sur la défensive.

— Nous ne sommes restés au sommet que dix minutes. (Le regard de Steele était fiévreux.) Pas plus. Personne n'y demeure davantage.

— Arrête un peu ton mélodrame, Dara, ça va. En redescendant, on a croisé Bright, à environ une centaine de mètres du pic.

— Elle était avec un guide ?

— Vous voulez rire ? On était trop cool pour prendre un guide !

La voix a surgi derrière nous. On a tous regardé dans la même direction.

Chapitre 5

L'homme était un grand gaillard barbu au corps musclé. Il portait un jean et un chandail dont il avait découpé les manches au niveau des épaules. Un tee-shirt troué en dessous. Des bottes. De superbes yeux verts. Sans qu'on le lui propose, il s'est laissé tomber sur le banc à mes côtés. J'en ai déduit que c'était le Damon James en retard. Je me suis tassée sur la gauche pour lui faire de la place.

Petit salut pas très chaleureux au nouveau venu, et puis Reynolds a repris son récit.

— Nous utilisions les services d'une entreprise semi-indépendante ou, si vous préférez, commanditée. Nous avions des sherpas qui s'occupaient des tentes, de la nourriture, des réserves d'oxygène et des cordes fixes. Mais pas de guides.

— C'est parce qu'on est tellement bons qu'on arrive à grimper et à redescendre sans l'aide de personne ! (James versait dans le sarcasme. Peut-être son comportement habituel.) C'était le choix de Bright. Ou plutôt le choix des producteurs télé. (Il s'est tourné vers moi.) Ils vous ont parlé du Saint-Graal des grimpeurs ?

— Ils l'ont fait. (Je me suis à nouveau adressée à Reynolds.) Donc Brighton aurait dû être en mesure d'atteindre le sommet avant le délai ? Il lui restait trente minutes pour parcourir quatre-vingt-dix mètres, c'est ça ?

Quatre-vingt-dix mètres. La distance à courir après un coup de circuit au baseball. La longueur de trois terrains de basket. Celle d'un terrain de football.

Trois paires d'yeux m'ont observée.

— Peu probable, a déclaré James.

— Les gens ne comprennent pas ce qui se passe là-haut, a marmonné Steele, les coudes à présent calés sur la table. Vous avez la tête qui tourne tout le temps. Votre cerveau ne fonctionne plus. Un matin, j'étais dans ma tente à regarder des chaussures en me demandant quelle paire était la mienne. Quand enfin, je les ai enfilées, il m'a fallu vingt minutes pour comprendre que je devais les lacer.

— Imaginez que vous gravissiez un millier de marches en portant vingt-deux kilos d'équipement, et que vous respiriez à travers une paille à cocktail, a continué Reynolds. Une seule enjambée peut vous prendre dix minutes. La règle est de ne jamais excéder 60 % de votre capacité physique.

— Qui est quasi nulle là-haut, a ajouté James.

— La règle absolue, c'est de faire demi-tour avant 14 heures, a redit Steele, cette fois avec un regain d'exubérance.

— Les règles ne signifiaient rien pour Bright. (James à nouveau.) J'ai essayé de la convaincre de redescendre avec nous, mais elle n'a rien voulu entendre. Elle était déterminée à grimper jusqu'au sommet. Pire, elle était persuadée que cela ne l'amènerait pas à dépasser l'heure limite.

— On aurait dû les obliger à redescendre, a chuchoté Steele.

— *Les* obliger ? ai-je répété.

— Oui, elle et la femme qu'elle attendait pour pouvoir l'aider, a répondu Reynolds.

— Vous ne pouviez pas *obliger* Bright à faire quoi que ce soit, a affirmé James, un brin méprisant.

Un détail ne collait pas avec le portrait que je me faisais de Brighton.

— Si elle était si obsédée par l'idée d'atteindre le sommet, pourquoi s'arrêter à Hillary Step pour proposer son aide ?

— C'était étrange, a marmonné Steele.

— Étrange ?

— Il fallait qu'elle soit toujours la première de cordée.

— Peut-être qu'elle avait un OPHA ou un OCHA ? a suggéré Reynolds sur un ton pas très convaincu. C'est comme être ivre. Ça vous entraîne à faire les mauvais choix.

— Ç'aurait pu bien marcher, a dit Steele, s'il n'y avait pas eu cette tempête.

— Il y avait une tempête ?

Ces trois-là me racontaient-ils la vérité ? Ou me servaient-ils des extraits du livre *Tragédie à l'Everest* ?

— Pour être exact, a rectifié James, pas une tempête, une bourrasque. Ça fond sur vous très vite et ça vous ralentit.

— On était morts de froid en rentrant au camp, a expliqué Steele. Mon masque d'altitude ne fonctionnait plus, le régulateur d'oxygène était recouvert de glace. Cash délirait et il a failli s'égarer dans la neige. (Reynolds a soufflé avec agacement.) On s'est à moitié évanouis en arrivant dans nos tentes respectives. Ce n'est qu'une fois la nuit tombée qu'Elon a réalisé que Bright n'était pas redescendue.

À nouveau, j'estimais leur récit assez incohérent.

— Je ne comprends pas… Vous vous reposez, et ensuite, alors que peut-être vous êtes en train de vous faire quelques *selfies*, personne ne remarque que votre chef de cordée n'est pas là ?

— On n'imaginait pas qu'elle avait des problèmes, a rétorqué Steele sur un ton véhément. (Trop véhément ?) Elle n'a pas envoyé de message radio. Après l'avoir croisée juste en-dessous du sommet, on n'a plus jamais entendu parler d'elle. Ça n'avait aucun sens.

— Un autre guide a alerté notre sherpa. (Reynolds reprenait le fil de l'histoire.) Il lui a dit que la seconde grimpeuse — celle en retard — était très mal en point, qu'il fallait la redescendre au camp 1 et la rapatrier dans la vallée en hélicoptère. Damon a voulu remonter chercher Bright, mais c'était impossible. Nous étions épuisés, il faisait nuit et, pour être tout à fait honnête, on n'avait pas les compétences pour s'improviser sauveteurs.

— C'était horrible, on n'arrivait plus à la joindre par radio.

Soit Steele était réellement bouleversée, soit c'était une comédienne dans l'âme.

— Nature 1, humains 0, voilà le score final, a résumé James. Le lendemain, une expédition de Taïwanais a découvert son corps dans un renfoncement du sommet Sud, le deuxième pic le plus haut après celui de l'Everest. Bright

227

gisait à cent cinquante mètres du sommet. Deux sherpas ont tenté de la bouger, mais elle avait gelé sur place. Elle n'a pas sombré dans un coma hypothermique comme Beck Weathers ou David Sharp, qui étaient encore vivants. Elle est morte congelée.

En voyant ma mine interloquée, Reynolds a expliqué qui étaient les deux personnes citées.

— Sharp est un alpiniste mort gelé. Il respirait encore faiblement quand il a été abandonné. On croyait ne plus pouvoir faire quelque chose contre son hypothermie. Son corps sert aujourd'hui encore de repère sur la piste d'escalade. Weathers, c'est une autre histoire. Il a été abandonné parce que les gens étaient vraiment persuadés qu'il était mort. Il a pu marcher jusqu'au camp et être sauvé.

— Enfin, si on peut dire, a ajouté James. Il a laissé derrière lui une main, le nez et la plupart de ses orteils. J'avais vu des photos de lui avant son expédition. Le pauvre, il n'était déjà pas beau à voir.

Jesus Christ…

James a continué sur sa lancée, dans une démonstration qui se voulait neutre, clinique.

— Brighton était morte. Il n'y avait plus rien à faire. C'était descendre ou crever. Chacun connaissait les risques d'une telle aventure.

Elle n'a pas sombré dans un coma hypothermique. Elle est morte congelée. Les mots qu'il avait prononcés ne me quittaient pas.

— Qu'est-ce que vous croyez qu'il a pu lui arriver au sommet?

James a haussé les épaules.

— Comment savoir? Elle était peut-être dans un état de confusion, ou simplement trop épuisée, et elle n'aura pas retrouvé les cordes pour redescendre Hillary Step. Elle s'est assise et a gelé sur place. Ça arrive. Si la température n'avait pas dégringolé cette nuit-là, elle aurait pu tenter un retour, même dans le noir. Mais avec ce froid maudit, et pas assez d'oxygène, elle était foutue.

C'était au tour de Steele de continuer le récit:

— L'autre alpiniste a raconté aux sherpas que Bright avait insisté pour qu'elle redescende Hillary Step la première. Elle a juré qu'elle l'a attendue au bas de la falaise, mais Bright n'est pas réapparue. Elle a dit qu'elle n'a pas eu la force, ni assez d'oxygène, pour remonter la chercher. Alors elle est redescendue chercher de l'aide au camp.

— Quel est le nom de cette alpiniste ?

Dix secondes de silence.

— Je crois qu'elle était Italienne, a répondu Steele en regardant Reynolds.

— Non… Colombienne.

— Elle faisait de l'escalade en solitaire, a ajouté James. On ne la connaissait pas.

— Et vous n'avez pas essayé de la revoir. Je veux dire… un peu plus tard, une fois que vous étiez tous redescendus ?

Ces trois-là avaient toute une mentalité.

— Qu'est-ce que vous vouliez qu'on fasse ? Y avait plus rien à dire, a répliqué Reynolds. Bright était morte.

Nouveau silence. Cette fois, brisé par Steele.

— Je suis désolée, mais je ne peux pas continuer à m'en vouloir le restant de mes jours. Cela fait trois ans et il est temps de passer à autre chose.

En un ordre implicite, Reynolds a bougé ses jambes sous la table pour se lever.

Steele l'a imité.

— C'était dur. (Voix chevrotante.) Vous n'en avez aucune idée.

Puis, sans que leurs corps se touchent, ils ont marché tous les deux vers la porte d'un pas martial.

— N'est-elle pas craquante ?

J'ai regardé James. Lui regardait ses deux compagnons s'éloigner. Si son visage n'exprimait aucune émotion, le venin dans sa voix ne pouvait être ignoré.

— Vous ne l'aimez pas, n'est-ce pas ? Je parle de Dara.

— Si quelqu'un avait un motif pour abandonner Bright sur cette foutue montagne, c'était bien elle.

Ça, je ne l'avais pas vu venir.

— Sérieux ?

— Dara haïssait Brighton. Elle crevait de jalousie. Elle voulait être elle.

— Que voulez-vous dire ?

— *Stand by your man.*

Il avait presque fredonné cette chanson.

— Dara voulait sortir avec Cash ?

James a eu un mouvement de sourcils révélateur.

— Elle semble si passive.

— Ouais… Passive comme un serpent enroulé sur lui-même juste avant l'attaque. Bon, je ne devrais pas la pointer du doigt comme ça. En paroles, tout le monde adooooooorait Brighton. Mais au fond, ils essayaient tous d'obtenir quelque chose d'elle. Même moi.

— Oh ?

— Ils vous ont dit qu'on était associés sur un projet ?

— Oui, Dara l'a mentionné.

— Bright avait eu l'idée de lancer une organisation à but non lucratif pour aider les sherpas du Népal. Elle voulait l'appeler « Ascensions Brighton ». Ça, c'était la façade. Le but caché, c'était de nous faire connaître pour nous rendre attrayants auprès d'une émission de téléréalité. Elle, elle avait le charisme, mais moi, j'avais le réseau qu'il fallait dans l'Himalaya. Elle détenait le nerf de la guerre grâce à ses amis riches. En moins d'un an, elle avait réussi à amasser des fonds de plus d'un million de dollars.

— Votre rôle là-dedans ?

— Mon charme fou de beau bonhomme. (N'obtenant de ma part aucune réaction, il a poursuivi.) Je connais bien la communauté des alpinistes dans cette partie du monde. Je connais bien la bureaucratie tatillonne du Népal. Si nous devions démarrer un projet, je serais celui qui saurait mettre de l'huile dans les rouages. En attendant, je n'étais là que par parure. (Gros clin d'œil séducteur.)

— Et pour un salaire ?

— Travaillez-vous gratuitement, vous ?

Bon, fallait bien avouer qu'il marquait un point.

— Elon Gass ?

— Ce pauvre Elon était toujours fauché. Bright a financé son voyage. Il lui devait trente mille dollars.

— Plutôt cher pour grimper une montagne.

— Et ça, c'est seulement le montant estimé, a-t-il répliqué avec sa mine narquoise.

— Ça dépend comment vous calculez.

Mon ton était cinglant. Brighton Hallis avait payé le prix fort.

James s'est glissé vers la droite du banc et s'est levé en un bond gracieux. Il m'a dévisagée.

— Entre Dara et moi, ce n'est pas le grand amour, vous l'avez constaté. Elle n'est pas la plus allumée du groupe, mais elle a raison sur un point: vous n'étiez pas là-haut, vous ne pouvez pas comprendre la situation. Brighton a pris des risques, et oui, elle en a payé le prix. Mais c'est toute la cordée qu'elle a mise en danger! On aurait tous pu y passer! Je suis triste qu'elle soit morte, mais c'était pas de notre faute. Je refuse de porter le blâme, simplement parce que c'était une jolie blonde dont le nom de famille est Hallis. Affaire classée.

Sur ces entrefaites, il est sorti du restaurant à grandes enjambées.

En moins de quarante-huit heures, j'allais apprendre combien ces trois-là avaient tout faux.

Chapitre 6

Il m'a fallu attendre mardi matin pour que la méthode de ma grand-mère soit concluante. À exactement 10 h 47 et 22 secondes, j'ai enfin réussi à déplier la jambe droite de Brighton Hallis. J'ai aussitôt contacté Larabee.

— Tu fais une fluoroscopie ? a-t-il demandé.

Sa voix étouffée me prouvait qu'il était occupé à autre chose, le téléphone certainement coincé dans le cou.

— Oui.

— Va falloir que tu te débrouilles seule.

— Pas de problème.

Faux.

— Même chose pour les empreintes digitales.

— Je pense que ses doigts sont assez dégelés pour que je puisse les réhydrater et prendre des empreintes.

— Tu as une idée de ce qui lui est arrivé ?

— Hypothermie, hypoxie, OCHA, épuisement, traumatisme crânien… (J'énonçais la liste des suspects.) Un scan de la tête serait une bonne idée si tu veux établir les causes précises du décès.

Les tissus mous et les organes, c'est sa partie.

Pas étonnant qu'il ait grogné, puis raccroché. Ou qu'il ait lâché le téléphone. Difficile à dire.

Une fois sarrau et gants enfilés, j'ai planifié les étapes du boulot à venir. D'abord, m'occuper des empreintes. Ensuite, la radio. Et ensuite ? Je ne savais pas trop encore…

J'ai attrapé la main la plus accessible et j'ai enserré le pouce entre les cisailles. J'ai serré de toutes mes forces

232

avec mes deux paumes, comme précédemment. Les lames ont mordu la peau desséchée et sectionné l'os. Le pouce est tombé avec un léger bong. J'ai répété le processus sur chaque doigt. Quand j'ai eu fini, cinq doigts gisaient sur la table telles des petites branches brunes pétrifiées. Mes paumes avaient chauffé sous le latex.

J'ai déposé un bol en acier inoxydable dans l'évier que j'ai rempli d'une solution permettant aux tissus de recouvrer une certaine élasticité, le genre de produit qu'utilisent les thanatologues pour redonner un aspect apaisé à grand-papa ou à tante Dee. J'y ai plongé les bouts de doigts. J'ai fait un pas en arrière pour contempler le résultat en songeant à ce proverbe : *Tout vient à point à qui sait attendre.* Cela prendrait des heures, sinon des jours.

Les os en surimpression sont difficiles à interpréter sur des radios. Les corps allongés sont plus faciles à traiter. J'ai appuyé doucement mais avec fermeté sur la silhouette courbée jusqu'à obtenir une position quasi allongée, sur le dos. Pas évident, mais j'ai réussi. Tout semblait rentrer dans l'ordre, à l'exception des chaussures encore dures comme de la pierre. Impossible de les retirer pour le moment. J'ai pesté un peu parce que chaque technique que j'avais envisagée nécessitait de me déplacer ailleurs. Comme remonter tout le couloir en poussant ma civière pour me rendre à la salle de radiologie.

La fluoroscopie est une méthode d'imagerie médicale en temps réel dans laquelle les images sont rapatriées instantanément vers un écran à partir duquel on peut les analyser. Bon, j'ai simplifié au maximum, mais vous voyez le principe.

J'espérais qu'une radio de l'ensemble du corps me révélerait un détail anormal, comme un traumatisme, ou la preuve d'une maladie au niveau du crâne, du squelette, de la musculature ou des intestins. Cette technologie me permettrait aussi de comparer les radios ainsi obtenues avec celles — *ante mortem* — du dossier médical de Brighton Hallis.

J'ai poussé la civière jusqu'à l'appareil qui ressemble beaucoup à un IRM à champ ouvert (ces nouveaux modèles où le patient n'est plus obligé d'être dans un tube étroit). J'ai ensuite installé le corps sur la table de fluoroscopie, en commençant par la tête et les épaules et en finissant par les jambes et les chaussures. J'ai mis un tablier en plomb, des lunettes de protection spéciales anti-radiations, puis, avant de m'installer derrière l'écran de contrôle, j'ai effectué les réglages comme que je l'avais vu faire de nombreuses fois par les techniciens.

Quelques ronronnements et cliquetis plus tard, le spectacle pouvait commencer. Le bras de l'appareil en forme de crochet a entamé son lent voyage au-dessus du cadavre de Brighton, de la tête aux orteils, me balançant des images au fur et à mesure de sa progression. Un panorama en perpétuel mouvement, avec des contrastes en gris, en noir et en blanc, envahissait mon écran.

Voir défiler l'intérieur de Brighton Hallis avait de quoi fendre le cœur. Les traumatismes sur son squelette se révélaient au-delà de mes pires craintes. Des cassures nettes apparaissaient, d'autres dentelées. Tout cela témoignait d'un grand nombre de fractures *post mortem*. Je me demandais ce qui avait bien pu arriver au moment du rapatriement du corps entre la récupération, la descente de la montagne et le transport par hélicoptère. Sans compter les heures d'avion. J'ai réitéré l'opération pour être certaine de prendre tous les clichés nécessaires, sachant d'avance que dissocier les blessures *ante mortem* et *périmortem* d'avec celles *post mortem* serait une source d'emmerdements.

Je sentais la colère me gagner. Qu'est-ce que m'avait dit Larabee, déjà? « Ça va être un jeu d'enfant. » Bien sûr. Un visage distordu et momifié. Des mains ratatinées. Plus aucune dent. Des os brisés.

Un début de migraine a frappé à l'arrière de mon œil gauche. Un accès de culpabilité m'a submergée. La fille qui reposait sur la table de fluoroscopie n'avait rien demandé non plus.

Reconcentre-toi sur le boulot.

Les bases de l'identification. Vu que j'avais un corps entier à ma disposition, je pouvais procéder à des mesures correctes. Un mètre soixante-douze en soustrayant les chaussures. Le développement musculaire dénotait soit un individu de sexe masculin et petit, soit un individu de sexe féminin et grand.

Le bassin, quoique en plusieurs morceaux, restait articulé par la chair. J'ai relevé une large échancrure sciatique,

234

un large os pubien, et un angle sous-pubien en forme de U : que des caractéristiques propres aux femmes.

Cela, plus la masse grise à l'écran représentant son utérus et ses ovaires. Le doute n'était plus permis. Sans compter le vagin que j'avais vu en la déshabillant. Les fameux « indices anatomiques », comme on dit dans le métier.

Les extrémités distales et proximales des longs os ne montraient aucun trouble osseux ni aucune indication de fusion de l'épiphyse récente. Peut-être une trace sur la clavicule médiane. Vu l'état du développement du squelette, j'ai établi un âge entre dix-sept et vingt-cinq ans. Ça collait avec celui de Brighton au moment de son décès.

Race. C'est toujours la question qui pose problème. Cette peau pâle et ces cheveux blonds indiquaient un individu de type caucasien. Mais la mort peut jouer de drôles de tours à la pigmentation de la peau. Des os malaires rapprochés et la forme du crâne confirmaient une origine européenne. Le reste de l'architecture faciale ne m'était que de peu d'aide.

Pourquoi ? La distorsion faciale n'était pas due uniquement à la seule action du gel. En plus du traumatisme dentaire, les maxillaires inférieur et supérieur, et la cavité nasale avaient été endommagés d'une manière globale. Ma première hypothèse était qu'elle avait dû tomber en avant sur une surface terriblement dure, par exemple un rocher conique ou une énorme stalactite de glace. L'interprétation n'était pas aisée à cause de la présence de plusieurs fractures à l'arrière du crâne en plus de ces dégâts causés au visage.

Après avoir travaillé trois quarts d'heure sur l'écran, mes notes se résumaient ainsi : sexe féminin, sans doute Blanche, âge entre dix-sept et vingt-cinq ans, blonde, taille un mètre soixante-douze. Le profil correspondait à celui de Brighton Hallis, mais ce n'était pas assez pour une identification à 100 %.

Convaincue que cette confirmation viendrait grâce au fichier médical, j'ai glissé les radios *ante mortem* sur le négatoscope pour les étudier en détail. En plus de la fracture du cubitus, j'ai repéré une fracture soignée du calcanéum gauche. Rien d'autre à signaler.

Retour à l'écran. En quelques secondes, j'ai vu l'opacité qui suggérait la vieille fracture au cubitus. Ça remontait à loin. Du moins, ça en avait l'air. À présent, j'étudiais les diverses fractures de l'avant-bras qui impliquaient à la fois le radius et le cubitus. Le chevauchement des os et des tissus empêchaient de les examiner clairement. J'ai appuyé sur un bouton pour imprimer une copie de la radio.

Passons aux pieds. Y jeter un œil était exclu. Les chaussures d'expédition pour ascension technique de chez Millet — modèle Everest Summit GTX — comportaient trop de métal pour espérer un résultat satisfaisant à la radio.

Frustrée, j'ai redressé mon dos et roulé les épaules afin de soulager les tensions musculaires. OK. Peut-être une fracture du cubitus *ante mortem*. Peut-être des caractéristiques de type caucasien. Ce cadavre semblait vouloir défier toute tentative d'identification. Je devais donc me résoudre à régler ça à l'ancienne. Faire bouillir les os, puis pratiquer une excarnation, car, une fois les os débarrassés de la chair, un face à face visuel serait possible. Un jeu d'enfant, mon cul !

J'ai fait claquer mes gants en latex en tirant dessus au niveau des poignets. J'ai vérifié l'heure sur ma montre. Presque midi. Après avoir avalé un sandwich aux œufs et un Coke Diète, j'étais à nouveau à pied d'œuvre. Face à l'ordinateur, j'ai commencé à cataloguer et à dessiner les diagrammes du cas ME215-15 à partir de cette corne d'abondance qu'était la liste de ses blessures.

Les images à l'écran constituaient un réseau de lignes parallèles, convergentes et divergentes, semblable à une carte routière. Elles croisaient les os et les fractures. Ce traumatisme du squelette m'évoquait un tableau peint par Andrew Wyeth : plusieurs meules de foin entremêlées. Ma tâche était de faire le tri dans tout ça et de ne conserver que ce qui s'avérerait pertinent.

Le traumatisme crânien suggérait deux impacts, un par l'avant et un autre par l'arrière. OK. Ça, ça collait avec l'hypothèse d'une mauvaise chute où la victime aurait eu le coup de fouet cervical. À la fois le visage et l'arrière du crâne avaient reçu un choc. Ou alors Brighton avait hérité de ce double traumatisme en dévalant le rocher le plus haut du monde sur un traîneau de fortune. En scrutant une dernière fois le cliché, mon attention a été attirée par une blessure près du cou, entre la troisième et la quatrième cervicale. Je me suis approchée tout en cherchant une explication. Il y en avait des millions.

Cette blessure ressemblait à un cas très souvent observé au MCME. Ce sont des plaies contractées lors d'une mort violente et plutôt associée au milieu urbain.

J'ai noté d'autres détails que j'ai consignés. L'apophyse transverse droite de chaque vertèbre était déplacée très nettement vers le bas. Je ne voyais rien sur les os qui suggère la moindre altération, ni de traces de soins. La fracture était indéniablement *périmortem*. Pourtant, ce n'était pas ça qui avait provoqué l'accélération de mon rythme cardiaque.

Les dégâts étaient limités à un côté, et dans une même direction. Cela suggérait un unique coup, perforant. Très certainement, Brighton Hallis avait fait une chute sur un objet dur et effilé. Cela avait pu provoquer la perforation d'un vaisseau sanguin.

Venais-je de découvrir les circonstances de sa mort? Elle serait tombée si violemment qu'un objet aurait transpercé son cou? En chutant, sa tête aurait-elle percuté le sol en rebondissant, ce qui expliquerait les chocs à l'avant et à l'arrière?

Quelque chose de dérangeant s'insinuait dans mon esprit, mais quoi?

Je titillais les raisons de mon malaise. Et là, j'ai soudain repensé à Ortiz. Qu'avait-il dit exactement?

Pas de déshabillage paradoxal.

Ça n'arrive pas systématiquement, me suis-je mise en garde.

Cependant, ça survenait assez souvent, me disait une autre petite voix dans mon cerveau. Rob Hall, Scott Fischer, presque toutes les victimes en haut de l'Everest avaient eu un comportement de déshabillage paradoxal.

Mais quand même.

Cette femme était morte sans gants.

Cependant la fermeture Éclair de son blouson était toujours remontée jusqu'au menton.

Si Brighton Hallis avait ôté ses gants, ses mains exposées au froid extrême auraient rapidement gelé. Je me suis précipitée à la table de fluoroscopie pour examiner les doigts restants. La momification était uniforme. Le bout de ses doigts n'était ni noirci, ni déformé, ni boursouflé. Aucun des cinq.

Autrement dit, je ne voyais là aucune des caractéristiques habituelles des engelures. Il n'y avait pas eu d'apparition de cristaux de glace dans les milieux cellulaires, pas de nécrose. Pas d'hypothermie. Traduction : elle était morte rapidement.

Je tournais en rond. Que s'était-il passé ? Une chute grave ? Un rocher lui avait dégringolé dessus ? Une défaillance de l'équipement ayant mené à une hypoxie ? À un état de confusion mentale ?

Alléluia. De retour à la case départ.

Une idée m'a brusquement traversé la tête. Je me suis jetée sur l'ordinateur pour sortir les photos qu'Ortiz avait prises et enregistrées dans le dossier ME215-15.

Voilà : Brighton, en chien de fusil, sur le flanc. Le blouson en polar bien en place et dans un très bon état. Mes doigts couraient sur le clavier. Davantage de photos. Les couches de vêtements en-dessous montraient des petites déchirures et des perforations. Le tissu de ces habits-là était-il bas de gamme ? Bizarre. J'ai noté : réexaminer les vêtements.

J'ai foncé vers la table de fluoroscopie. En m'aidant des bras de la victime, j'ai réussi à la mettre à plat ventre. Sous la lumière crue fluorescente, le dos et les fesses d'un blanc lugubre semblaient couverts de ridules. Des entailles zébraient la peau blême, témoins de sa rude — et dernière — expédition en montagne. Une écorchure assez importante était située à l'endroit des dégâts constatés sur la radio, entre la troisième et la quatrième cervicale.

J'ai trouvé une loupe à main que j'ai placée juste au-dessus de la blessure. La partie abîmée était rugueuse sur environ cinq centimètres à partir du bord, et peu profonde. Sauf au point le plus central. Oui, au beau milieu, c'était profond.

Très profond.

Je me suis penchée en avant pour vérifier.

J'ai cessé de respirer.

Chapitre 7

Ma déclaration a provoqué la réaction que j'avais imaginée.

— Un meurtre ?

Larabee a haussé les sourcils comme jamais je ne l'avais vu faire auparavant.

Nous étions tous les trois enfermés dans le bureau de mon patron. Le détective Erskine Slidell, dit Skinny, de la Section des homicides de Charlotte-Mecklenburg, nous honorait de sa présence, mais pas de sa patience.

— C'est quoi ce bordel ?

Je me suis tournée vers lui. Sa posture avachie et ses jambes étendues de tout leur long annihilaient le bénéfice du siège ergonomique sur lequel son imposant postérieur, emmailloté de polyester, était posé. J'ai donc réexpliqué. Plus lentement.

— Je pense que quelqu'un a tué Brighton Hallis. Ou l'a immobilisée de telle façon qu'elle ne pouvait ensuite que mourir sur cette montagne.

— Vous m'avez fait venir ici parce qu'une fille s'est fait zigouiller en Chine ?

Même les chaussettes orange de Slidell avaient l'air blasé.

— Au Népal, ai-je rectifié.

— Peu importe, c'est pas dans ma juridiction.

— Elle avait vingt-quatre ans et vivait à Charlotte.

— Si elle était assez stupide pour escalader cette montagne, la stupidité l'a tuée.

— Ce n'est pas ce que les radiographies de son cadavre suggèrent.

— Les images sont... (Larabee cherchait ses mots.) concluantes ?

— Les images sont un désastre, ai-je reconnu. Mais une fois les os nettoyés, ils prouveront que Brighton Hallis a reçu une blessure *périmortem* intentionnelle qui a provoqué sa mort.

Larabee doutait encore.

— Causalité ?

Larabee voulait savoir si c'était l'acte violent qui l'avait tuée ou si un acte moins délibéré comme une chute en était la cause.

— Je crois que la forme de la fracture établira que le traumatisme soit a directement causé sa mort, soit l'a conduite irrémédiablement à la mort dans ce contexte particulier.

— D'après ce charabia (Skinny a désigné de son pouce la radio que je venais juste de montrer), la montagne, ou bien les sherpas, a dû lui refiler de solides coups. Je parierais ma chemise que le seul à blâmer ici, c'est l'Everest, plutôt qu'un crétin qui lui grimpe dessus.

— Elle n'a pas pu s'empaler à l'arrière du cou par accident, à cause d'un pic à glace, d'un piquet de tente, ou quoi que ce soit.

Point barre. J'avais assez réfléchi à la question. Je ne pouvais proposer aucune autre explication.

— Vous avez jamais entendu parler de l'arme parfaite ?

La bouche de Skinny s'était affaissée sur un côté.

J'ai haussé un sourcil.

— Une stalactite de glace. Le criminel poignarde sa victime, l'arme fond. (Slidell nous ressortait une vieille devinette d'histoire criminelle.) Pouf ! Plus de preuve !

— Une stalactite de glace n'aurait pas transpercé une vertèbre.

— Le détective pourrait avoir raison, est intervenu Larabee en soutien à Slidell, chose rare.

— Sérieux ? Une stalactite de glace ?

— Non, non. Mais le fait qu'on est loin de l'homicide. Un coup violent sur un rocher ou un morceau de glace qui se serait détaché pourrait facilement imiter un impact intentionnel.

— Je crois maîtriser la biomécanique d'une fracture sur un os humain, ai-je répliqué sur un ton plus désagréable que je ne l'aurais voulu. J'estime que la zone de la mort fournit le décor idéal pour camoufler un acte criminel. C'est mon avis. Le tueur, ou la tueuse, ont utilisé leur connaissance de la montagne à leur avantage.

— Admettons que vous ayez raison. Ça n'a pas d'importance. (Slidell a tendu en avant ses paumes dodues.) Peu importe ce qui s'est passé, ça s'est passé en Chine.

— Au Népal.

— Je m'en fous. Ç'aurait pu se passer dans ce foutu Neverland ! Ce n'était pas ici, donc ce n'est pas de mon ressort.

— Un crime est de votre ressort.

Skinny a fait un geste dédaigneux de la main. Attendez… À ma grande surprise, ses ongles semblaient manucurés.

— Mais vous avez rien du tout !

On se calme, Brennan, me suis-je dit en respirant profondément.

— Ils ont fait l'ascension à cinq et sont redescendus à quatre.

— Et aussi un sherpa ou deux, et cinq cents autres zozos qui pensent qu'aller se geler les couilles, c'est une idée géniale !

Larabee s'est levé d'un bond, en partie pour calmer le jeu, et aussi pour rattraper la pile de documents sur son bureau qui menaçait de tomber.

— Tempe, tu interprètes un peu trop, je pense.

— Je suis d'accord avec toi. Mais sur la radio, on a la preuve qu'il y a eu un coup porté, violent, et qui a pénétré dans le corps. Il y a une preuve avec les tissus mous qui contredit l'hypothermie comme cause de la mort. Et le criminel pourrait bien être ici, à Charlotte. (Regards perplexes.) La liste des suspects est assez réduite. À l'exception d'Elon Gass qui doit arriver plus tard, tous les camarades de cordée de Brighton Hallis sont en ville. Je leur ai parlé. Vous voulez des motifs ? Ces trois-là en ont à revendre. (J'ai fixé Larabee, puis Slidell.) Quel mal y aurait-il à creuser un peu cette affaire ?

— En ce qui me concerne, c'est fini.

Slidell a frappé les accoudoirs de son fauteuil et s'est relevé.

Avec moins d'efforts que d'ordinaire ? Aurait-il maigri ?

— Détective, je peux prouver qu'une jeune femme de Charlotte a été assassinée.

— Appelez-moi quand vous pourrez prouver qu'elle a été tuée ici, a-t-il lancé en se dirigeant vers la porte.

Des images ont surgi dans mon esprit. Brighton Hallis rayonnante de joie, bouleversante de jeunesse, posant devant un pic enneigé. Puis, seule et terrifiée, la vie désertant son corps sur un coin de montagne balayé par un vent glacial.

Je devais abattre ma dernière carte. Même si ce que je m'apprêtais à faire était un coup bas, je devais le faire,

— Je suis sûre que Blythe Hallis ne sera pas si déçue que ça quand je lui expliquerai que la Section des homicides de Charlotte-Mecklenburg n'est pas en mesure d'enquêter sur le meurtre de sa fille. Vous saviez qu'elle était très amie avec votre patron ? Ça tombe bien. Il pourra lui démontrer que l'affaire ne relève pas de sa juridiction, et elle, elle gardera son chéquier au fond de son sac au prochain souper-bénéfice organisé par la police.

Slidell s'est arrêté net. Le visage de Larabee s'est tourné vers moi, avec cette expression du gars pris entre l'arbre et l'écorce.

— *Shit !* a lâché Slidell en revenant vers nous.

Il s'est affalé dans le fauteuil qu'il venait de quitter, épaules tombantes et mine défaite.

— Bon, on fait quoi, maintenant ? a soupiré Larabee, résigné.

— Les os.

J'ai risqué le tout pour le tout.

Larabee s'est gratté le nez.

— Tu veux enlever les chairs du corps.

Présenté de cette façon, on aurait eu du mal à croire que j'étais du côté de Brighton.

— Juste la partie où il y a eu le traumatisme.

— Combien de temps ça prendra ?

— Un certain temps. Mais le jeu en vaudra la chandelle.

— Bon… OK. Quand tu reverras Mme Hallis pour lui expliquer, épargne-lui les détails.

— Bien sûr. (J'ai regardé Slidell.) Qu'est-ce que vous attendez de moi ?

— Toutes les infos sur vos nouveaux copains, surtout celles qui sentent mauvais.

— Dans mon bureau ?

— Au resto. (Il s'est redressé.) Et c'est vous qui payez, doc.

**

L'endroit choisi par Slidell ne m'a pas surprise outre mesure. Le King's Kitchen est l'un de ses restaurants préférés, juste après le Wendy's et le Burger King. Non, ce qui m'a étonnée, c'est sa commande : saumon, plutôt que son habituel trio bœuf-patates-pain. Je n'ai pas posé de question. Mais quelque chose se tramait…

J'ai pris un sandwich à la salade de poulet et, entre deux bouchées, je lui ai raconté les détails sur Brighton. Il faut reconnaître qu'il a été correct : Slidell m'a écoutée sans trop m'interrompre.

— Si je résume la situation, cette petite, Brighton Hallis, elle embarque sa joyeuse bande de copains dans l'ascension de l'Everest pour que son défunt papa soit fier d'elle. Ils redescendent tous, sauf elle, qui reste la langue collée sur un poteau.

— À cette altitude, une personne gèle en une heure. Un alpiniste britannique, David Sharp, s'est arrêté pour se reposer dans un endroit appelé la grotte de Green Boots, en référence à *l'autre* grimpeur mort là aussi. Son corps y est toujours.

Slidell a déposé sa fourchette sur son assiette, alors que ses haricots blancs étaient pourtant à deux doigts de ses lèvres.

— Plus d'une trentaine de grimpeurs sont passés devant Sharp qui se tenait immobile à cause de l'hypothermie. Au moment où quelqu'un a enfin compris qu'il respirait encore, l'état de Sharp était trop avancé pour qu'il soit possible de l'aider. Il a été abandonné sur place et sert désormais de repère sur la piste d'escalade.

Les haricots blancs sont parvenus à destination, dans la bouche de Slidell. Mais ça n'a pas pour autant ralenti le débit de mon interlocuteur.

— Vous avez dit que votre victime était morte avant de geler.

— Oui. D'une manière ou d'une autre, avec les blessures reçues, elle n'aurait pas survécu à la descente. Même si elle était toujours en vie lorsque son assassin l'a quittée.

— Ça n'équivaut pas à un meurtre.

Skinny se faisait-il l'avocat du diable ?

— Vous devriez avoir une petite conversation avec ses camarades d'expédition. À eux trois, ils ont des tonnes de motifs à revendre. Y a qu'à choisir. (J'avais la bouche pleine de pain de maïs en lui répétant ce détail. Offert à volonté. Délicieux au goût.) J'interprète peut-être, mais aucun des trois ne paraît dévasté par le chagrin.

Slidell a résumé à sa façon.

— Donc le petit ami a envie de vivre sa vie. La meilleure amie a envie de se taper le petit ami. Le copain d'école lui doit un gros paquet d'argent. Tout le monde veut devenir une vedette de télé. Et son associé a l'air d'un parfait salaud.

— D'accord, peut-être que Damon James n'a pas de motif valable, ai-je admis. Mais son nom ressemble à celui d'un voleur de banques.

Skinny a ignoré ma plaisanterie.

— Ils vivaient tous au crochet de Brighton Hallis ?

— Pour ce que j'en sais, elle n'avait financé que le voyage de Gass. Mais je parierais tout le service en porcelaine hérité de ma grand-mère que les autres en profitaient largement aussi.

— L'argent, c'est ce qui attire la plupart du monde. Sans sous-estimer le sexe et la drogue.

— Vous avez raison. Ils voulaient tous participer de près ou de loin à cette émission de téléréalité.

— Je vais aller jaser avec ce Gass. (Skinny a essuyé sa bouche puis a inspecté la serviette.) Quel abruti peut donner un nom aussi débile à son fils ? Eee-lon ?

— Elon est en Russie où il participe à une expédition, mais il est censé rentrer bientôt.

— OK. Pour commencer, je vais serrer la vis aux trois comparses et voir ce qu'il en sort. (Puis il s'est levé d'un coup.) Merci pour la bouffe, a-t-il lancé par-dessus son épaule en s'éloignant.

J'ai réglé l'addition et laissé un peu d'argent en plus pour soutenir l'action de ce restaurant qui organise des soupes populaires. Ensuite, direction le labo. Sur la route, j'ai utilisé mon appareil mains libres pour téléphoner à Blythe Hallis. Vive Bluetooth.

Raleigh a répondu et, comme la dernière fois, m'a priée de patienter.

— Mme Brennan, ainsi vous avez du nouveau?

Elle allongeait les voyelles qui glissaient tels de longs rubans de soie.

— Nous avons terminé l'examen complet du corps de Brighton grâce aux radios. Comme je le craignais, les dégâts causés par le rapatriement sont importants.

— Je suis certaine que vous avez surmonté ces difficultés.

— J'ai relevé d'autres anomalies. (J'ai marqué une pause afin de choisir les bons mots.) En nous basant sur certains modèles de blessures, nous pensons que votre fille a pu être victime d'un acte criminel.

Ce n'était pas exact d'utiliser la première personne du pluriel, mais ça se présentait mieux.

À l'autre bout du fil, juste une courte inspiration.

J'ai tourné à gauche, puis à droite. Me suis garée dans le stationnement du MCME. Enfin, Hallis a repris la parole de sa voix mélodieuse.

— Êtes-vous en train d'insinuer que quelqu'un a intentionnellement fait du mal à ma fille?

— C'est une théorie que j'ai besoin de vérifier par une analyse plus détaillée des os.

Long silence.

— Comment puis-je vous aider?

— Pour étudier le traumatisme du squelette, je dois…

— Faites ce que vous jugerez utile. Un cercueil ouvert n'a jamais été dans mes intentions pour les obsèques. Pas plus de dégradation que nécessaire, cela va sans dire. Y a-t-il autre chose?

— Oui. Vous m'aviez précisé qu'une amie taïwanaise de l'expédition avait réuni les effets personnels de Brighton et vous les avait retournés.

Il y aurait peut-être un indice parmi ces objets? Sa mère les avait-elle seulement gardés?

— J'ai la boîte, mais cela va prendre un peu de temps pour la récupérer de l'endroit où elle est entreposée.

— J'aimerais en examiner le contenu.

— Hormis un collier, je n'ai rien retiré de cette boîte. C'est bizarre, mais on garde toujours l'espoir, vous ne croyez pas ?

— Oui, je le crois, madame. (Garder l'espoir de quoi ? Que tout cela n'était qu'un mauvais rêve, et que Brighton rentrerait un jour à la maison ?) Une dernière chose. (Je détestais faire cette requête. Ça donnait l'impression que tout était déjà joué.) Seriez-vous disposée à vous soumettre…

— Vous aimeriez un échantillon d'ADN ?

Hallis avait toujours une longueur d'avance sur les autres.

— Oui, madame. La file d'attente pour l'analyse peut parfois s'avérer longue.

— Préférez-vous par prélèvement à l'intérieur de ma joue ou voulez-vous un cheveu de Brighton ?

— Si vous possédiez une brosse à cheveux qui a uniquement été utilisée par votre fille, ce serait parfait.

— Pouvez-vous utiliser des cheveux coupés lors de son adolescence ?

— Non, le cheveu doit posséder le bulbe de la racine, c'est indispensable.

L'ADN, ça ne marchait qu'avec un cheveu arraché du cuir chevelu.

— Je vous ferai envoyer sa brosse à cheveux dès ce soir.

— Je suis dans ma voiture. Y aurait-il la moindre possibilité pour que je passe la prendre d'ici un quart d'heure ?

Brève hésitation.

— D'accord.

Elle m'a repassé Raleigh. Nous avons convenu que je récupérerais la brosse dès maintenant, et la boîte de l'Everest après 18 heures.

Le détour ne m'avait fait perdre qu'une quinzaine de minutes.

En rentrant au labo, j'ai rapidement salué Mme Flowers à l'accueil et me suis précipitée à la salle d'autopsie cinq, impatiente de faire des prélèvements sur le cas ME215-15 pour le séquençage d'ADN. Je me suis habillée en vitesse, et j'ai prélevé un échantillon sur les doigts intacts, je l'ai placé dans un flacon et ai noté dessus le numéro du fichier, la date et mes initiales. Puis, par mesure de précaution, j'ai arraché

246

quelques cheveux avec la racine et je les ai traités de la même manière.

Cela fait, j'ai ajouté le sac Ziploc contenant la brosse à cheveux de Brighton Hallis. J'ai ensuite téléphoné à Slidell. Détective Charmant n'a pas répondu, aussi je lui ai laissé un message pour le prévenir qu'il récupère vite les échantillons et qu'il les adresse au labo de la police scientifique.

Malheureusement, les résultats ne me seraient pas communiqués avec la rapidité que l'on voit dans les séries policières, et les délais à Charlotte ne sont guère mieux que la moyenne générale du pays. Comme cette affaire n'était pas jugée prioritaire, je m'attendais à recevoir un rapport dans quelques semaines seulement.

Je suis repartie dans le hall pour vérifier sur le tableau blanc qui travaillait aujourd'hui. Coup de chance. Joe Hawkins, le meilleur des techniciens d'autopsie du labo.

Un appel à l'interne, et il est arrivé de la morgue. Je lui ai rapidement exposé ce que j'attendais de lui.

— Tu veux que je procède à un moulage de la blessure infligée ici à l'arrière du cou entre la troisième et la quatrième cervicale. (Il a désigné l'endroit précis.) Et que je dégage ces deux vertèbres pour les nettoyer.

— Oui.

— Ensuite, tu veux que je dépose sur le côté le cuir chevelu et le visage de façon que tu puisses étudier le traumatisme crânien, en particulier près des zones nasales maxillaires et sur les zones pariéto-occipitales à l'arrière du crâne. C'est bien ça ?

— Pendant que tu y es, dissèque le cubitus droit et le calcanéum gauche, et nettoie-les. Ensuite tu prendras des radios de ces os. Ça pourrait nous être utile si l'identification s'avère compliquée. (En gros, si je ne peux pas obtenir d'empreintes digitales correctes.) Tu penses pouvoir arriver à faire tout ça aujourd'hui ?

— Peut-être, a-t-il répondu après un bref coup d'œil à sa montre.

— Parfait.

— Que veux-tu que je fasse du cuir chevelu et du visage ?

— Est-ce que les enlever en les gardant intacts serait trop difficile ?

Hawkins m'a lancé son fameux regard Hawkins.

— Place-les dans une solution au formol. Si les tissus tombent en lambeaux, je me débrouillerai.

Il a pointé son menton en direction de l'évier.

— Les doigts sont réhydratés ?

— Ils sont prêts et ils attendent qu'on s'occupe d'eux.

J'avais vérifié. La chair momifiée avait bien regonflé.

— Priorité ?

— Crâne, os crâniens postérieurs, moulage, radios, puis empreintes.

Toujours aussi taciturne, Hawkins a hoché la tête.

— À plus tard ! ai-je lancé avec un grand sourire.

En pure perte, car Joe était déjà au boulot. Je le laissais donc à ses tâches sinistres.

Je me suis changée dans le vestiaire en vitesse. J'étais assez excitée. Enfin du progrès en vue ! J'ai roulé mon tablier en boule et l'ai jeté dans la poubelle à déchets contaminés. Mes épaules effectuaient une petite danse jazzée. Mais en arrivant à la porte de mon bureau, mon enthousiasme était un peu retombé.

Les os allaient bouillir. Les empreintes digitales seraient relevées. Les échantillons seraient analysés pour le séquençage ADN. Quoi faire, maintenant ?

Alors que je franchissais la porte, mon regard s'est posé sur un magazine que j'avais consulté pour mes recherches. Il était ouvert sur une publicité pour les fameuses chaussures d'expédition pour ascension technique de chez Millet, modèle Everest Summit GTX que j'avais vérifié. Mes yeux se sont posés sur une annonce au milieu de la page en regard.

Essaie-le ! Une minuscule voix dans ma tête m'y encourageait avec insistance.

Pas question.

Travail de terrain.

Ouais, bien sûr.

Ça pourrait t'aider dans ton analyse.

Tu marques un point.

Tu as peur ?

Et puis au diable. Je suis la Reine des Neiges, oui ou non ? J'avais du temps à tuer et mes vêtements de yoga se trouvaient dans le coffre de ma voiture.

J'ai déchiré l'annonce, direction le stationnement.

Quelques instants plus tard, arrivée à destination, je n'étais plus très sûre de mon engouement. J'étais encore moins sûre de ma décision en poussant une double porte en verre. Le hall d'accueil était excessivement éclairé. Une multitude d'affiches de montagnes enneigées étaient punaisées aux murs.

— Salut ! (Une jeune femme maigre comme un clou, mais plutôt avenante et hyper bronzée, m'a accueillie de derrière son bureau, avec un petit mouvement de tête joyeux. Elle avait dû vider son flacon de patchouli dans son cou, parce que l'odeur était limite irrespirable.) Bienvenue au centre d'escalade Inner Peaks !

Je regrettais amèrement d'avoir suivi mon élan, en déchirant l'annonce.

— Vous êtes venue pour apprendre à grimper ? a-t-elle déclamée, pétillante et enjouée.

Non, je suis là pour apprendre la neurochirurgie.

J'ai acquiescé.

— Première fois, hein ? a-t-elle demandé avec des yeux écarquillés, faussement sincères.

— Oui.

— Super ! Plus de dix-huit ans ?

— Oui.

La dernière fois que j'ai eu dix-huit ans, les Bee Gees chantaient *Stayin' Alive*. Avais-je besoin de le préciser ?

— Le forfait initiation pour débutants contient un laissez-passer pour la journée, un harnais, des chaussures et un Grigri.

— Un grigri ?

— Un système d'assurage avec freinage assisté en cas de chute.

— Je prends le forfait initiation.

— Parfait ! Vous avez besoin d'un assureur — c'est la personne qui tient les cordes — pour vous aider à grimper. Vous avez un ami ?

— Pas aujourd'hui.

Elle a froncé les sourcils.

— Alors je ne sais pas si…

— Amy, j'ai trouvé ça ! a lancé une voix que je connaissais dans mon dos.

Je me suis retournée.

Damon James se tenait là, portant un tee-shirt au logo d'Inner Peaks ultra moulant, manches découpées au niveau des épaules.

— Docteur Brennan, j'imagine, a-t-il déclaré en éclatant de ce rire charmeur qu'il devait répéter devant son miroir.

— Vous travaillez au noir ?

J'ai reculé. J'ai eu comme un mauvais pressentiment.

— Mon ancien boulot est plutôt sur la glace en ce moment, a-t-il répondu avec un haussement d'épaules.

J'ai failli m'étouffer. Ce salaud faisait-il allusion à Brighton Hallis ?

James a mimé un petit salut ridicule en se touchant le front.

— Le prince Charmant est là !

— Génial ! (Commentaire guilleret d'Amy.) Veuillez signer la décharge, je vais prendre votre carte de crédit, et hop, c'est parti !

— Génial, a dit James en me fixant.

— Génial, ai-je répété en le fixant à mon tour.

Après avoir signé et payé, j'ai suivi mon «assureur» — peu importe ce que diable ça voulait dire — dans le saint des saints. Dans la salle d'équipement, James a trié toutes sortes de cordes et de sangles aux couleurs vives, en en sélectionnant certaines qu'il m'a tendues. À mes yeux, elles se ressemblaient toutes.

— Comment ça se passe avec Brighton ? a-t-il demandé, décontracté au possible, penché au-dessus d'une boîte qui débordait de mousquetons.

— Je ne suis pas autorisée à m'exprimer sur une affaire en cours.

— Je comprends. (Il s'est redressé, tenant à la main l'équivalent de chaussures de quilles.) Je regarde les séries télé, moi aussi. Je sais comment ça fonctionne avec les flics.

J'ai froncé les sourcils. Pourquoi mentionner les flics ? James ne pouvait pas être au courant que Hallis avait été assassinée.

— C'est bon. (Mouvement de tête énergique.) Par ici.

La salle de grimpe ressemblait à un décor d'un film de Tim Burton. Une fausse falaise avec de faux rochers escarpés incurvés vers le haut. Des murs ocre tachetés de prises d'escalade en résine, de formes et de tailles différentes aux couleurs criardes, pareilles à d'énormes gommes à mâcher. Partout des gens harnachés de cordes, casqués, montant ou descendant le long d'un mur.

James m'a conduite jusqu'à une paroi assez simple.

— On va commencer en douceur.

Ai-je déjà mentionné que je déteste les hauteurs. Je n'avais pas démarré que j'avais déjà le cœur au bord des lèvres.

J'ai enfilé mes chaussons d'escalade, puis James m'a harnachée comme si j'étais une poupée de chiffon : il a fixé harnais, sangles, mousquetons, système d'assurage avec freinage assisté et m'a tendu un casque. Quand il a eu terminé, il a tout vérifié et m'a gratifiée d'un sourire forcé. Son opération de charme juvénile paraissait de plus en plus feinte.

— Comment est votre forme physique au niveau des bras et du torse ?

— Correcte.

— On va voir ça. (Il a commencé à me donner des instructions. Il était méthodique, précis.) Grimpez en vous servant autant de vos mains que de vos pieds.

Je suivais ses conseils à la lettre. Quelle que soit la personnalité de ce gars, il s'y connaissait parfaitement.

J'ai donc vérifié le matériel et il m'a montré le chemin.

J'ai essuyé la sueur de mes paumes sur mon pantalon et escaladé le mur. Lever de rideau !

— Système d'assurage OK ? ai-je demandé.

— Système d'assurage OK, a-t-il répondu.

— OK, je grimpe.

— Allez-y.

Quelques secondes se sont écoulées. Je n'avais pas bougé d'un poil.

— Allez-y, a-t-il répété sur un ton presque moqueur.

J'ai respiré un grand coup, j'ai trouvé une prise et je me suis hissée. Bon d'accord, ma condition physique n'était pas au top, mais lentement, j'ai réussi à monter la paroi, cœur battant, aisselles trempées de sueur, complètement ailleurs comme si le temps n'existait plus. Je ne pensais plus à rien hormis le rythme des prises, des poussées et des pas.

Je n'étais pas loin du sommet quand un cri aigu a retenti en bas. Une cacophonie incroyable. Mon taux d'adrénaline a vacillé, ma prise a été moins assurée. Je suis tombée.

J'ai senti le souffle d'air glisser très vite près de mes oreilles. Je me suis instinctivement recroquevillée, paupières closes, pour affronter l'impact quand soudain la corde s'est raidie, m'enserrant violemment. Mon corps, stabilisé, a rebondi contre le mur. Ma main a cherché une prise. Mon pied, une autre. Je haletais mais je refusais de regarder en bas.

— Docteur Brennan (Pause.) Docteur Brennan. (Calme.) Regardez-moi.

J'ai rouvert les paupières. J'ai vu deux yeux vert émeraude. Au même niveau que les miens. J'ai regardé en bas en tremblant. J'étais à moins d'un mètre du sol. J'ai relâché ma prise et posé le pied sur la terre ferme.

— Je suis désolé, s'est excusé James, j'ai été distrait par les cris des enfants.

Un troupeau de jeunes surexcités s'extasiait devant les murs d'escalade.

Je n'ai rien répondu, j'avais la gorge encore serrée d'angoisse. Moi aussi, leurs hurlements m'avaient déconcentrée, mais tout de même…

— Je n'ai encore jamais perdu un élève.

Tentative pathétique de réchauffer l'ambiance.

— Tout va bien.

Ma voix était trop aiguë et mes jambes toutes molles.

— Prête pour une autre montée ?

— Ça va aller pour aujourd'hui.

— Vous savez ce qu'on dit : après une chute, faut tout de suite se remettre en selle !

— Je dois y aller.

J'ai regardé ma montre. Déjà 17 h 30. Jamais je n'arriverais pour 18 h chez Blythe Hallis.

— Vous avez appris très vite. Bel effort pour un premier essai. (Il était redevenu le James charmeur et souriant.) Vous êtes sûre de ne pas vouloir recommencer ?

— Je suis sûre. (C'est fou, mais je percevais une vague menace dans sa proposition. L'adrénaline modifie étrangement notre perception, non ?) Merci pour cette initiation.

— Je suis vraiment désolé.

— Ce n'est pas grave.

— Le devoir vous appelle, c'est ça ?

Ses yeux verts insistants me faisaient penser à ceux d'un reptile avant l'attaque.

— Plutôt mon estomac. Il crie famine. Un petit sandwich au thon ne lui déplairait pas.

James s'est brusquement avancé vers moi, d'une démarche souple de félin. J'ai dû prendre sur moi pour ne pas reculer d'instinct. Encore un sourire forcé, et il a défait mon harnais.

Je l'ai suivi dans le hall d'accueil.

— C'est bien de tester ses limites, m'a lancé James en me raccompagnant à la porte. (Il me collait de si près que je pouvais sentir sa transpiration et l'odeur d'oignon qu'il avait dû manger à midi.) C'est moins bien de tester celle des autres…

Quoi ?

— La mort de Brighton a perturbé pas mal de gens. Au moins autant que sa vie. Faire ressurgir toute cette histoire risque de causer pas mal de problèmes.

— Vous essayez de me dire quoi ?

Il a marqué une pause pour réfléchir. Ou il a fait semblant. Quand il a repris la parole, sa voix avait changé.

— Il aurait mieux valu qu'elle reste là-haut. Ramener Brighton de cette montagne n'augure rien de bon.

D'un coup d'épaule agressif, il a ouvert la double porte vitrée pour me laisser passer. Puis il est redevenu tout sourire.

— Revenez me voir quand vous voulez !

— Ce ne sera pas la peine.

Je suis sortie, mais je sentais son regard vissé sur ma nuque.

Et ça m'a donné la chair de poule.

Chapitre 8

Dans mon rêve, je glissais à plat ventre sur une pente vertigineuse, mes doigts crispés n'accrochant rien d'autre que de l'air. En dessous, Brighton Hallis, bras gelés le long du corps et orbites vides, tentait de me retenir. Au-dessus, deux paires d'yeux — des yeux verts et des yeux gris — me surveillaient avec froideur depuis le haut de la falaise. De nulle part et de manière indistincte, une chanson romantique me parvenait aux oreilles.

Tandis que j'émergeais avec difficulté de ce cauchemar, les paroles floues se sont transformées en celles d'*Harvest Moon* chantées par Neil Young. Et ça provenait de ma table de chevet.

Un coup d'œil à mon iPhone m'a amenée à deux conclusions simultanées. Il était diablement tôt. Slidell s'en foutait.

— Quoi de neuf, doc ?

— Je dormais…

— Le parasite est rentré de Russie. Je dois le rencontrer tout à l'heure pour une petite conversation. Ça vous intéresse ?

— Donnez-moi un quart d'heure !

J'ai raccroché et suis sortie de mon lit en roulant sur moi-même, vu que ça me tirait énormément dans les épaules. Le bain chaud de la veille n'avait pas suffi à apaiser mes muscles endoloris. J'ai avalé deux Advil, puis je me suis dépêchée de m'habiller.

Une vingtaine de minutes plus tard, je me préparais mentalement à grimper dans une voiture qui ressemble à une zone de risque biologique ambulante. À ma très grande surprise, la Taurus de Slidell était impeccable. Je ne l'avais jamais vue aussi propre. Plus aucun déchet ne traînait sur le plancher. Aucun restant de fast-food. Aucune chaussure puante.

— Wow! Vous avez changé les tapis! Quelqu'un est mort, ici?

— J'ai aussi un nouveau siège éjectable, si vous avez un problème.

J'ai ravalé ma réplique et je me suis contentée d'observer les améliorations indéniables dans l'habitacle. Un sapin désodorisant était suspendu au rétroviseur. Le parfum prononcé a immédiatement chatouillé mes narines. Mais ça masquait la puanteur habituelle qui régnait dans ce véhicule.

— Avez-vous joint Steele et Reynolds? lui ai-je demandé.

— Boris et Natacha? Ennuyants comme la pluie mais inoffensifs, surtout lui. Pas de quoi éveiller les soupçons.

— James prétend que Steele est plutôt mesquine. Qu'elle se donne un air timide, mais qu'au fond elle a les dents longues.

— Motif?

— Elle voulait sortir avec Reynolds. Et en plus, elle voulait son quart d'heure de célébrité.

Slidell a remué la tête comme s'il pesait le pour et le contre.

— Je veux bien admettre que la petite idiote pourrait être un agent dormant. Mais ça ne change rien. Ils ont des alibis à n'en plus finir. (Slidell devait tourner à gauche. Il a fait un geste d'impatience à un piéton sur le passage piétonnier.) Tous les trois jurent qu'ils étaient ensemble. Ils ont dit avoir quitté le sommet longtemps avant Hallis.

Je lui ai décrit ma rencontre avec Damon James et mon expérience du mur d'escalade. J'ai évité de mentionner ma chute. Et mon impression de menaces voilées.

— Faudrait peut-être vérifier ses comptes en banque?

— J'y aurais jamais pensé! (*Laisse faire, Brennan.*) Je le vois plus tard. Une chose est certaine, il en est pas trop enchanté. Vous voulez venir?

C'était sa manière d'enterrer la hache de guerre.

J'ai repensé aux yeux verts de serpent venimeux...

— Merci. Je passe mon tour. Mes échantillons d'ADN, vous les avez bien reçus ?

— C'est déjà parti au labo, doc. (Slidell a de nouveau tourné et nous avons traversé un repaire de hipsters appelé Third Ward.) Et pendant que certains d'entre nous faisaient la grasse matinée, j'ai aussi téléphoné à Katamachin.

— Le nom, c'est Katmandou. Capitale du Népal.

— Exact. Je pense qu'ils en sont encore à l'âge des boîtes de conserve et du fil métallique pour ce qui est des télécommunications. Une quarantaine d'appels, des heures à poireauter, avant qu'on me mette enfin en relation avec un agent de police de Lukla.

— Vous avez réellement téléphoné là-bas ?

— J'aime parler à quelqu'un en vrai.

Les nombreuses compétences de Slidell comportaient une lacune : l'utilisation de l'outil informatique. Il se fiait régulièrement aux membres de son équipe pour imprimer un document ou entrer des infos dans la base de données. Je n'ai donc pas commenté.

— Lukla est la dernière ville avant le camp de base. Elle est assez importante pour posséder un petit aéroport.

— Ils possèdent aussi un clown appelé Raj dont la juridiction couvre l'Everest. Il doit se sentir seul, car j'ai cru avoir le temps de vieillir d'un an avant qu'il raccroche.

— Vous avez comparé vos notes sur la criminalité moderne ?

J'imaginais sans peine la teneur de la conversation et toute ma compassion est allée au malheureux Raj.

— Oui, sauf le sujet des pots-de-vin qu'ils réclament aux alpinistes, a-t-il répondu avec un ricanement. Mais bon. Le gars ne voulait plus se taire. L'ambiance, chez eux, c'est une sorte de western moderne — beaucoup d'affaires de prostitution, de trafic de drogue, de petits larcins et d'ivrognes braillards. Ah oui, et la dernière nouvelle en date : plusieurs bonbonnes d'oxygène qui disparaissent d'elles-mêmes.

— Mais aucune affaire de meurtre, c'est ça ?

— Aucune, sauf si vous comptez dans les statistiques les invalides qu'on laisse mourir de froid.

Bien que je n'y sois jamais allée, je m'imaginais mal passer à côté d'un mourant sans intervenir.

— Alors, qu'avez-vous appris ?

En dehors de l'état déplorable des télécommunications népalaises.

— Je voulais le témoignage des sherpas qui étaient avec Hallis à la fin. Eh bien, ce sera impossible. L'un est décédé l'année suivante à cause d'un OCHA. L'autre dans l'avalanche de 2014.

— La vie est difficile sur le toit du monde.

— Elle est surtout courte.

— Donc, ça ne nous laisse que les alpinistes.

— Et ils s'en tiennent obstinément à leur récit. (Slidell a encore tourné, cette fois pour se garer devant un restaurant aux allures de *diner* des années 1950. L'enseigne au néon indiquait *Mattie's Diner*.)

— Allons voir ce que cet Eee-lon aura à nous raconter.

La déco intérieure rétro s'accordait parfaitement avec l'extérieur *vintage*. D'un côté, des tabourets hauts disposés tout le long du comptoir, et de l'autre, des banquettes en vinyle rouge accompagnées de petits juke-boxes fixés au mur.

L'unique client était un homme assis sur une banquette. Pas très grand, des cheveux noirs et bouclés ébouriffés, et des lunettes à montures noires et verres épais qui lui donnaient aussi un air *vintage*. En nous apercevant, il a levé sa main pour nous faire signe et nous nous sommes approchés.

— Merci d'avoir accepté de venir jusqu'à mon « bureau ».

Gass s'est levé pour nous accueillir. Il avait une barbe de plusieurs jours, mais pas dans le style branché, qui consiste à ne pas avoir l'air rasé pour avoir l'air chic. Non, lui, c'était plutôt du genre « j'ai pas envie d'utiliser mon rasoir ».

On s'est tous serré la main, puis je me suis glissée sur la banquette et j'ai parcouru le menu. Plein de choses me tentaient, que ce soit le petit déjeuner complet, style *redneck*, ou l'assiette de toasts plus modestes. Juste ce qu'il me fallait. De la bonne nourriture du Sud qui bouche les artères.

Une serveuse est arrivée en tee-shirt noir avec le slogan « Mangez chez Mattie's », short en cuir noir et Doc Martens aux pieds. Elle nous a déposé trois tasses de café sur la table en Formica, en attendant notre commande. Je me demandais comment elle réagirait si j'optais pour un thé.

— Salut, Carla, a dit Gass.

— Même chose que d'habitude?

Carla déplaçait son poids d'une jambe sur l'autre. Gass a hoché la tête.

Carla a tourné vers moi ses cils surchargés en mascara.

— Rien, merci.

Slidell aussi s'en est tenu au café. Il a ajouté de la saccharine. Dès que Carla s'est éloignée, il a attaqué.

— Quelqu'un a éliminé Brighton Hallis sur l'Everest. Vous avez une idée de qui ça pourrait être?

Sous la barbe de trois jours, le teint était devenu blême.

— Quoi? Vous voulez dire que... on l'a tuée?

Slidell n'a rien répondu. Gass m'a regardée, puis est revenu à Slidell.

— C'est une blague, c'est ça?

— Vous trouvez qu'on a l'air comique?

— Non, bien sûr que non. (Sa pomme d'Adam montait et redescendait. Regard nerveux derrière les verres en fond de bouteille.) Pourquoi? Je veux dire comment?

— On l'a frappée au niveau du cou. Savez-vous quelque chose à ce sujet?

Gass buvait son café à petites gorgées. Il a grimacé comme s'il s'était ébouillanté.

— Je croyais qu'elle était morte d'hypothermie, a-t-il murmuré.

— Apparemment, non.

— Mais qui aurait fait ça? Elle était toute seule.

— Vraiment seule?

Il a secoué la tête.

— Je ne sais pas. J'ai jamais réussi à grimper tellement plus haut que le Kangshung Face. Je redoutais l'épuisement et j'ai fait demi-tour. La plupart des décès d'alpinistes proviennent d'erreurs humaines. Fatigue, montée trop lente, méconnaissance des signes du mal des montagnes, refus d'abandonner. J'ai paniqué, je pense. Je ne voulais pas que ça m'arrive...

— C'est plus facile de faire demi-tour quand quelqu'un d'autre paye l'addition.

Slidell frappait fort.

— Qu'est-ce que c'est supposé sous-entendre?

— Mademoiselle Fonds de Placement réglait la note.

— Je ne lui ai jamais demandé de le faire. (Sa voix était devenue plus aiguë.) Elle a insisté. Elle a dit qu'elle me devait bien ça pour l'avoir soutenue à l'université.

— Combien ?

Gass a levé les yeux au ciel comme si le montant était inscrit au plafond. Puis il a dévisagé Slidell.

— Le coût par personne d'une expédition sur l'Everest est de 25 000 dollars, mais nous avions négocié un tarif de groupe. 70 000 dollars pour nous sept, cinq grimpeurs et deux sherpas. Si vous prenez un guide, ça peut aller jusqu'à 65 000 par personne. Un voyage comme le nôtre, sans guide, mais avec un soutien logistique, c'était aux alentours de 30 000 dollars.

— Ça veut dire que vous deviez 30 000 à Hallis ?

Slidell vérifiait les infos données par James.

— Un peu plus. Tout coûte cher, *man*. L'équipement, le billet d'avion, le yack. La bonbonne d'oxygène, c'est cinq cents dollars chacune et il vous en faut six pour atteindre le sommet. Chaque groupe donne un peu d'argent au camp de base. Brighton était une championne pour collecter des fonds, mais là, chacun devait contribuer.

— Sauf vous.

— J'aurais pu payer ! (Il avait tressauté sur la banquette.) J'avais obtenu un parrainage avant le départ. Lorsqu'elle a changé d'avis à la dernière minute, et décidé qu'au lieu d'une expédition avec un guide, on aurait une expédition assistée, tout le monde a cru que c'était à cause de moi. Mais c'était faux. Le commanditaire aurait payé ! Choisir une option meilleur marché, c'était sa décision.

— C'était quel genre de parrainage ?

J'étais curieuse. La compétition génère toujours une âpre lutte. Et Gass n'avait pas le profil pour être mannequin sur des affiches d'alpinisme.

— C'était la Sure Foot Society. Ils s'étaient montrés extrêmement efficaces pour soutenir mes recherches sur le yéti.

La tasse de Slidell est restée suspendue en l'air.

— Vos quoi ?

— L'abominable homme des neiges. Bigfoot, si vous voulez, ai-je traduit.

— Je préfère Sasquatch. Ou le yéti. La créature est originaire du Népal et du Tibet. Pour moi, ce voyage était moins d'escalader l'Everest que de réunir des preuves.

— Des preuves ?

— Oui. De l'existence de la créature. Je suis cryptozoologiste.

Gass faisait référence à une pseudo science centrée sur la recherche d'animaux dont l'existence ne peut pas être prouvée de manière irréfutable : Bigfoot, le monstre du Loch Ness, le chupacabra.

— Je suis spécialiste des cryptides appartenant à la mégafaune.

— Et vous pensiez tomber sur Bigf... sur Sasquatch dans l'Everest ?

Ce gars était sérieux ?

— Que je tombe sur un cas d'espèce, cela aurait été incroyable. Mais j'y allais principalement pour recueillir des preuves. Collecter des témoignages des habitants, examiner des échantillons de fourrure, des excréments, peut-être découvrir une trace dans la neige. La plupart des traces laissées le sont entre six et sept mille mètres. Vous comprenez pourquoi atteindre le sommet n'était pas ma priorité.

— Je vois, ai-je répondu.

Slidell assistait à notre échange, bouche bée.

— La plupart des preuves ont été recueillies au fil des années. En 1960, Sir Edmund Hillary a récupéré ce qu'il estimait être un scalp de yéti. Dans son journal, Reinhold Meissner explique avoir tué un yéti en 1986. Un guide japonais évoque un cas en 2003. Ils existent. (Il parlait maintenant avec véhémence.) Vous pouvez me croire ! Ils existent !

Slidell roulait des yeux, mais, à mon grand étonnement, il ne l'a pas attaqué de front.

— OK. Et où est cet argent aujourd'hui, celui du commanditaire ?

— Je l'ai utilisé pour me rendre en Russie. On a signalé la présence d'un yéti dans une région isolée de la république d'Adyguée. Il y a des vidéos et des empreintes de pied en plâtre. Des choses incroyables. Il fallait que j'aille faire des recherches.

— Brighton disparue, votre dette l'était aussi, non ? (Slidell s'était calé en arrière, sur la banquette, bras croisés.)

Ça valait peut-être le coup de graisser la patte de quelques grimpeurs pour avoir un alibi?

— Pardon? (Gass semblait atterré.) Non! Je vous l'ai expliqué, j'ai voulu rembourser Bright avant que nous quittions les États-Unis et elle avait refusé.

— Vous avez une preuve de ça?

Carla est revenue et a déposé l'assiette d'œufs et de bacon plus un bol de gruau de maïs devant Gass. Elle nous a resservi du café avant de repartir vers la cuisine.

— Il y a un courriel. (Gass fixait son plat comme s'il ne savait pas quoi faire avec.) Honnêtement, j'aurais préféré qu'elle accepte ce remboursement. Bright n'avait pas autant de liquidités que le pensaient les gens. Sa fondation était assez stricte, question argent. J'ignore comment elle arrivait à vivre dans un tel luxe, compte tenu des faibles revenus qu'elle touchait chaque année.

— À son organisation, elle ne recevait pas de salaire?

Gass s'est presque étouffé de rire.

— Avec Ascensions Brighton? Une vraie farce.. Bright avait besoin de moi pour se faire connaître auprès des étudiants de deuxième année. Sur papier, «Ascensions Brighton», ça semblait sexy: des soins médicaux pour les sherpas, nettoyage de la montagne de tous les détritus abandonnés par les grimpeurs. Mais l'opération a été un fiasco total. Un petit tour de passe-passe.

— Ça a pourtant attiré plus d'un million de dollars en dons la première année, ai-je insisté.

— Peut-être en promesses de dons. Mais les coffres étaient vides. Damon était un saint.

— James n'a pas été payé non plus?

— Seulement en poignées de main.

— Et parlons-nous du projet de téléréalité, est intervenu Slidell. C'est une bonne vache à lait, ça, non?

— Un super plan pour asseoir son cul sur de l'or! (Il est soudain devenu tout rouge d'excitation.) Désolé pour le langage. Je suis dans les huit finalistes. Les producteurs sont vraiment intéressés par mon histoire de yéti.

Je n'en doutais pas. Katy m'avait une fois obligée à regarder un épisode de *Here Comes Honey Boo Boo*, une émission de téléréalité où des petites filles participaient à des concours de beauté. Les gens sont prêts à tout.

Slidell ne perdait pas le fil.

— On raconte que, pour Hallis, l'affaire était dans le sac.

— Il n'y avait qu'elle pour le croire.

— Oui, mais c'est peut-être pour ça que quelqu'un voulait qu'elle disparaisse. Peut-être vous ?

Gass a incliné la tête et scruté Slidell par-dessus ses lunettes.

— Vous vous acharnez sur la mauvaise personne. Je n'ai pas été sélectionné pour mes compétences d'alpiniste. J'ai concouru en tant que spécialiste du yéti. Je suis le gars qui n'a jamais réussi à même s'approcher de Hillary Step. Et je n'ai pas versé de pots-de-vin à une bande de conspirateurs. Interrogez les gens qui me connaissent. Les grimpeurs du camp 4. Vérifiez mes comptes bancaires. Je suis un livre ouvert.

— Aussi vrai que deux et deux font quatre, c'est ça ? Vous ne voyez personne qui aurait aimé remporter le concours de télé ? Vous ne voyez personne avec qui Brighton aurait eu un gros désaccord ?

— La première question, c'est facile. Tout le monde voulait l'emploi d'animateur. Mais je ne crois pas une seule seconde que quelqu'un aurait pu aller jusqu'au meurtre. Là-haut, la seule énergie qui vous importe, c'est celle de la survie. Vous restez collé à votre groupe. Vous restez blotti dans votre tente. Vous n'échangez pas vos adresses de courriel. (Pause. Il semblait réfléchir.) Quant à l'hostilité, on n'y pense même pas. On n'a pas le temps. Pas l'occasion. La seule personne avec qui j'ai vu Bright discuter, en dehors de nous, c'était une femme qui grimpait en solo. Elle était originaire de quelque part en Amérique latine.

— C'est la femme que Brighton a aidée sur Hillary Step ? ai-je demandé.

— Hé ! Je vous l'ai dit : je ne me suis pas rendu jusque-là. Je l'ai juste aperçue une fois au camp 3, mais pas plus. J'avais l'esprit ailleurs, car je craignais avoir un OCHA.

— Vous avez entendu son nom ?

— Désolé. Je crois me souvenir que Damon les avait rejointes. Mais moi, je ne lui ai jamais parlé.

Gass a reposé sa fourchette, délaissé ses œufs. Il semblait perdu dans ses pensées. Perdu dans un autre espace-temps.

Slidell a croisé mon regard. On attendait la suite.

— En haute montagne, vous êtes différent, unidimensionnel. Vous n'existez qu'en tant que blouson coloré. Que forme. Que stéréotype. Le Japonais à la casquette rouge. Le gars avec le drapeau canadien. L'Australien aux chaussures bleu lavande. Bright était l'Américaine blonde au blouson pistache. Pour moi, cette alpiniste, c'était juste la fille qui discutait avec Bright.

Gass a ôté ses lunettes d'un geste brusque et les a essuyées avec le talon de sa main. La première manifestation de chagrin que je constatais.

— Désolé. (Il a rechaussé ses lunettes.) Je n'ai pas eu l'occasion de lui dire au revoir. Bright est... partie. Tuée par le gouvernement népalais.

— Pardon ? a lancé Slidell sur un ton cassant. Vous parlez d'un vrai suspect ?

— L'Everest n'est pas soumis à des règles rationnelles. Aucune condition préalable n'est requise sur votre expérience de l'alpinisme. Aucune exigence n'est imposée aux accompagnateurs ou aux organisateurs d'expédition. N'importe quel abruti peut installer une pancarte et travailler. Un guide qui venait du Connecticut a retouché une photo de montagnes avec Photoshop pour plus de crédibilité. Il a abandonné ses trois clients au sommet parce qu'il était trop tard pour les aider. Mais il n'a signalé le drame que quarante-huit heures plus tard ! Et tout le monde s'en fout ! (Gass abordait un sujet qui visiblement le mettait hors de lui.) Comme si c'était la haute saison pour mourir, de toute façon !

— Pensez-vous qu'une personne ayant escroqué Hallis aurait pu vouloir s'en débarrasser ?

— Merde, j'en sais rien. À une telle altitude, c'est difficile de mobiliser autant d'énergie pour tuer quelqu'un. Alors qu'il vous suffit d'attendre, et la montagne s'en chargera pour vous. Le blizzard, une chute de pierre, une crevasse, une avalanche... Le salaud avait à sa disposition une scène de crime idéale.

— C'est peut-être l'abominable homme des neiges, le coupable, a conclu Slidell en refermant son carnet de notes avec un claquement.

Le détective s'est levé et j'ai fait de même.

— Le yéti est une créature paisible, vous savez, a répliqué Gass en tendant le cou vers nous.

— Ouais, mais laissez quand même les Russes s'en occuper pour le moment, a rétorqué Slidell. Je vous demanderais de ne pas quitter la ville.

On ne pouvait pas lire l'expression du regard de Gass dissimulé derrière les verres épais, mais on pouvait deviner le ton solennel à sa voix.

— Bright était mon amie. Elle pouvait être dure, mais je l'aimais. Les autres, c'est pas pareil. Je ferai tout ce qui est en mon pouvoir pour vous aider.

Slidell a glissé quelques billets sur la table et je l'ai suivi dehors. Nous n'avons pas prononcé un mot jusqu'à ce qu'il me dépose à ma voiture. Je connaissais les raisons de son silence. Bien qu'étrange garçon, Gass semblait dire la vérité. Nous n'avions donc plus aucun suspect qui tienne la route.

Et si l'assassin n'était pas Sasquatch, c'était qui?

Rendue chez moi, je me suis jetée derrière mon volant. Je n'avais qu'une envie, aller examiner les os au labo. J'ai fait ronronner le moteur et j'ai filé.

Le cadavre allait me fournir une seconde information qui ferait l'effet d'une bombe.

Chapitre 9

Souvent les choses ne se passent pas comme vous l'avez prévu. D'abord, maman m'a téléphoné. Ce qui a nécessité une série d'appels croisés avec ma sœur Harry. Ce qui m'a obligée à descendre de voiture pour rentrer chez moi vérifier un truc. Là, j'ai découvert que je n'avais plus de sacs de croquettes pour le chat. Détour obligatoire par Petco. Retour à la maison chargée de victuailles pour Birdie. À ce moment-là, la faim s'est manifestée, et par conséquent halte tacos sur le chemin du bureau.

Quand je suis enfin arrivée au labo, Hawkins en était déjà parti. Mais il avait, comme à son habitude, suivi à la lettre mes instructions. Bien.

Dans la salle d'autopsie cinq, le visage et le cuir chevelu de Brighton Hallis flottaient dans un grand bocal en verre. Ils étaient tout plats, et des yeux dénués de cils me regardaient à travers le liquide trouble. Un morceau de caoutchouc de silicone blanc était posé sur un plateau en inox sur le comptoir. Une série d'os et de fragments crâniens attendaient également sur un autre plateau, finissant de sécher sur des serviettes en papier. À côté des os, j'ai aperçu un petit tas d'empreintes en couleurs au format 7 × 12. Et à côté des empreintes, une fiche décadactylaire.

Dans la chambre froide, ME215-15 frissonnait sur sa civière, couchée sur le ventre, recouverte d'un drap de plastique bleu que j'ai soulevé. Le crâne était posé debout, le front maintenu par un ruban de caoutchouc, débarrassé de la chair tout autour du cou. Sous la lumière artificielle, l'os avait une teinte jaune pâle, les lignes de suture, une étrange teinte noire. Sur le cou, une profonde entaille et de fines particules blanches marquaient l'endroit où Hawkins avait peint son matériau pour le moulage.

J'ai sorti Brighton Hallis de la chambre froide, puis j'ai mis en marche les ventilateurs. Tous les ventilateurs.

Après avoir enfilé une paire de gants, j'ai examiné la zone abîmée au niveau du cou. Une travée profonde descendait de la base du cou vers l'entaille recouvrant la troisième et la quatrième vertèbre cervicale. J'ai examiné forme et profondeur. J'ai étudié les photos prises par Hawkins. Enfin, je suis allée chercher le moulage.

Le truc ressemblait à un bec d'oiseau de mer, peut-être de la famille des pétrels. J'ai fermé mes paupières, désirant ardemment susciter une image dans mon esprit. Un lien ? Rien n'a surgi.

J'ai laissé tomber et je suis retournée vers la civière.

Le second traumatisme concernait le crâne, avec des impacts très nets à l'avant et à l'arrière. Ça, c'était plus facile. Ou peut-être était-ce parce que la blessure impliquait de l'os. Mon domaine.

J'ai commencé par la zone arrière. Sur la surface exocrânienne du pariétal droit, à sept centimètres au-dessus de la suture lambdoïde, se trouvait l'exemple classique d'une fracture par enfoncement. Centre concave, fissures rayonnantes, la totale. Mais quelque chose manquait.

Interloquée, j'ai attrapé une loupe à main et collé mon nez dessus. Avec la blessure ainsi agrandie, je pouvais voir enfin ce qui n'allait pas. Ce que j'avais pris par erreur pour une simple fracture par enfoncement montrait en fait deux points d'impact. Les fissures rayonnantes du second impact remontaient vers le haut sans croiser les fissures rayonnantes du premier. Cela signifiait deux coups distincts à l'arrière de la tête.

Je réfléchissais à la forme et à la taille de cette concavité. Une brique ? Une sorte de rame ?

J'ai contourné la civière et attrapé le crâne à deux mains pour le faire pivoter et examiner le visage. Ce qu'il en restait. Les dégâts sur la région maxillaire nasale étaient importants. Les os avaient été brisés dans toute la zone sous le nez, et les dents pratiquement toutes détruites.

J'ai repositionné le crâne comme auparavant. Je pensais à ce double impact. Je pensais à l'emplacement anatomique des blessures antérieures et postérieures. Le tableau que j'avais sous les yeux n'était pas la preuve d'une chute. À moins que Hallis ait perdu l'équilibre et soit tombée tête première sur un rocher. Ensuite en arrière. Deux fois. Ou alors un oiseau géant lui avait lâché deux gros rochers sur le crâne.

Mais elle portait un casque. À moins qu'elle l'ait enlevé. Ou que quelqu'un le lui ait enlevé.

Doux Jésus !

Un oiseau !

Un souvenir a traversé mon cerveau. Flash électrique entre deux neurones. Je me revois fouillant dans une boîte pour en dresser un inventaire rapide. De vieux vêtements. Une lampe frontale. Un piolet d'escalade. Une corde bleu turquoise.

J'ai reposé ma loupe et j'ai foncé vers le comptoir pour examiner le moulage sous tous les angles.

Doux Jésus !

J'ai couru jusqu'à mon bureau et attrapé la boîte en carton que j'avais récupérée la veille chez Blythe Hallis, j'ai fouillé comme une folle à l'intérieur, à la recherche de l'objet que j'avais en tête. Le cœur battant à tout rompre, je suis repartie dans la salle d'autopsie cinq, munie de mon trophée. Je l'ai comparé au moulage de Hawkins.

La ressemblance m'a figée sur place. Le piolet d'escalade sur glace de la marque Grivel, modèle Quantum Tech, était la copie exacte de la forme en silicone. Parfaitement adapté à la blessure du cou de Brighton. Quant à la poignée, elle pouvait facilement correspondre aux dégâts causés sur le crâne.

Ce piolet avait-il servi à lui briser les dents ?

Merde ! Je n'ignorais pas que ma démonstration ne tiendrait jamais en cour, mais j'avais la satisfaction d'avoir enfin découvert l'arme qui avait tué Brighton Hallis.

J'ai téléphoné à Slidell. Boîte vocale. Je lui ai laissé un message.

J'ai respiré deux fois calmement. Par le ventre. Je devais m'attaquer à présent aux vertèbres. Une première observation montrait une fracture, une déformation uniforme et aucun remodelage osseux. Cela établissait formellement que la blessure au cou était *périmortem*.

Étape suivante : remontage. Non pas le crâne en entier, mais les parties concernées. Pour cela, j'ai utilisé cette bonne vieille colle Elmer's et des cure-dents. Technique à l'ancienne, fastidieuse, surtout quand la tête n'a pas été séparée du tronc. Mais j'avais fait une promesse à Blythe Hallis. Pas plus de mutilations que nécessaire.

À 22 h 30, mon dos criait à l'aide et mes yeux rougis n'en pouvaient plus. J'avais réussi à reconstruire quelque chose de présentable. J'ai placé un formulaire de rapport d'autopsie sous ma planchette à pince et j'ai tout consigné en détail.

Une fois ce travail achevé, je savais ce qui était arrivé à Brighton Hallis, en tout cas, dans les grandes lignes. Un coup porté avec un instrument pointu. Des coups portés à plusieurs reprises sur son visage et sur ses dents. Deux coups sur le crâne. Et celui à l'arrière, avec le piolet, avait pénétré à un angle de quarante-cinq degrés. Étant donné la taille et la forme de l'arme, la taille de la victime — si elle se tenait debout au moment de l'agression —, j'estimais que l'assassin mesurait entre un mètre soixante-cinq et un mètre soixante-dix-sept. Génial. Slidell pourrait s'en donner à cœur joie avec de telles infos. Seul Sasquatch ne figurait plus sur sa liste de suspects.

J'ai marqué une pause. Je repensais à l'unique photo, floue, prise lors du rapatriement du corps de Hallis. Certes, elle n'était pas très distincte, mais la pente m'avait paru peu abrupte et sans beaucoup de rochers.

J'ai réfléchi un moment. Un piolet d'escalade sur glace planté dans le cou. Des coups multiples au visage et à l'arrière du crâne. Si je ne savais pas trop quelle blessure en particulier avait entraîné la mort, je savais au moins une chose avec certitude : Brighton Hallis n'était pas morte accidentellement.

J'ai ôté mes gants et téléphoné à Slidell. Il a aussitôt répondu.

— Vous me rendez la monnaie de ma pièce, doc ?

Je n'avais pas la moindre idée de ce qu'il voulait dire.

Silence perplexe de ma part.

— Je vous appelle tôt le matin, alors vous m'appelez tard le soir pendant que j'écoute un match de basket ?

Et moi je me fends le cul dans une salle d'autopsie.

Sans m'excuser, je lui ai résumé ce que j'avais trouvé.

Slidell a émis un drôle de bruit de gorge. En fond sonore, j'entendais les commentaires d'un reporter sportif assez excité.

— Vous n'avez jamais pensé que votre victime aurait pu décider d'en finir? Plonger du haut d'une corniche?

— Où diable avez-vous été pêcher cette idée?

— Votre victime était dans la merde jusqu'au cou. J'ai creusé cette histoire d'organisation… Ascensions Brighton. Ça m'a mené direct à Bert Malle, des crimes économiques. Vous le connaissez? C'est ce trou de cul qui s'habille…

— Pourquoi les crimes économiques?

— Votre enfant prodige était impliquée dans une affaire de détournement de fonds. À l'ancienne. Les gars de la section des fraudes étaient sur le point de l'arrêter quand elle a filé vers l'Everest.

— Je ne comprends pas. Elle était riche…

— Non. Eee-lon avait vu juste. Son organisation était plus verrouillée qu'un…

— Ce qui veut dire?

Je n'avais guère la patience d'écouter encore un de ses traits d'esprit dont il avait le secret.

— Ce qui veut dire, doc, que la petite dépensait bien au-delà de ses moyens. Principalement pour organiser l'expédition sur l'Everest.

— Il manque combien dans la caisse?

— Un petit million.

— Soit la somme qu'elle avait reçue en dons pour Ascensions Brighton.

— C'était une petite organisation caritative avec pas mal de donateurs naïfs.

— Personne ne se doutait que l'argent n'irait pas là où il était prévu d'aller?

— C'est pas comme si les contributeurs allaient sauter dans le premier avion pour la Chine et constater les progrès sur place.

— Le Népal. (*Jesus.* Il le faisait exprès ou quoi?) Qu'en est-il de Damon James?

— Difficile à dire. Malle n'a rien trouvé sur James. On dirait que Hallis cachait bien son jeu…

— Vos collègues, ils sont certains que ce n'est pas juste de la mauvaise gestion ? Gass nous a dit que Brighton n'était pas très douée pour les affaires.

— Non. Les preuves sont accablantes. Malgré le nom qu'elle porte, Hallis n'allait pas échapper à une inculpation pour fraude. C'était une question de temps.

— Où est l'argent à présent ?

— J'ai pas pensé creuser le sujet.

Un temps mort, puis plus personne au bout du fil.

J'ai raccroché rageusement et j'ai frotté mes yeux. Ils me brûlaient presque. Il était temps de rentrer à la maison.

J'ai rangé vite fait photos, os et moulage, mais mon regard a alors été attiré par le visage découpé qui flottait dans le bocal de formol.

Oh oh… La petite voix dans mon cerveau m'interpellait. Est-ce que j'oubliais quelque chose ?

Était-ce la fatigue ? Une intuition ?

À travers la paroi en verre, j'ai scruté les traits sans vie de ce visage devenu plat. Le nez sans arête nasale. Les lèvres ratatinées. Les oreilles allongées.

La petite voix dans mon cerveau a remis ça.

Les oreilles ? Je me suis approchée.

Doux Jésus !

Comme précédemment dans la soirée, j'ai foncé à mon bureau. J'ai sorti une enveloppe dont j'ai vidé le contenu sur mon sous-main. Une jeune femme blonde, posant au soleil, sous un ciel bleu limpide, me souriait.

J'ai pris une loupe pour vérifier un truc.

Enfant de chienne !

Les doigts tremblants, j'ai googlé son nom. Examiné d'autres photos d'elle. J'ai fait dérouler les images.

Enfant de chienne de merde !

Sur chaque cliché où ses oreilles étaient visibles, Brighton Hallis portait des boucles. Des perles, mais aussi des anneaux et parfois des pendentifs. Ce n'était pas ses goûts en matière de bijoux qui me mettaient dans tous mes états. C'était le fait indéniable que Brighton Hallis avait les oreilles percées.

Or, la momie dans la chambre froide ne les avait pas.

Retour en salle cinq. J'ai rallumé le négatoscope. J'ai passé en revue toutes les radios que j'avais imprimées sur papier. J'ai étudié les radios de Brighton Hallis où s'étalait le résultat de ses frasques de jeunesse.

Je l'avais pourtant déjà fait. Mais sans doute trop concentrée sur les circonstances de sa mort, j'avais négligé la question de l'identification. J'avais tenu pour acquis qu'il s'agissait d'elle. J'avais violé ma première règle absolue.

Il était temps de réparer mon erreur.

J'ai enfilé des gants et placé le cubitus droit du ME215-15 sous le microscope. Je me suis penchée pour effectuer les réglages.

À seize ans, Brighton Hallis s'était cassé le bras lors d'une compétition de BMX. J'ai parcouru l'ensemble de l'os à la recherche d'une ancienne fracture soignée. Aucune. Les seuls dégâts constatés étaient *post mortem*.

J'ai ressenti un léger tressaillement d'angoisse.

À dix-huit ans, Brighton Hallis avait fait une mauvaise chute dans une carrière et s'était cassé le talon. J'ai répété la même opération de vérification sur le calcanéum.

Aucune fracture. Aucun remodelage osseux.

J'ai même vérifié les radios prises par Hawkins. Pas la moindre trace de vieilles blessures, ni au pied ni au bras.

Je me suis redressée. Mes yeux me picotaient. La vérité m'a heurtée de plein fouet.

Fallait bien que je me rende à l'évidence : la femme sur la civière dans la chambre froide n'était pas Brighton Hallis.

**

— L'ADN, vous avez eu des nouvelles ?

Je venais de rappeler Slidell.

Le chroniqueur sportif semblait toujours aussi enthousiaste.

Étonnamment, Skinny ne m'a fait aucun commentaire quant à l'heure tardive.

— Je téléphonerai demain matin. J'invoquerai des circonstances extraordinaires. Mais je doute que ça fasse une différence. Vaut mieux que vous misiez sur les empreintes digitales.

— OK, rappelez-moi dès que vous aurez quelque chose. *Demain.*

Slidell a raccroché.

J'ai pianoté nerveusement sur mon bureau, me remémorant ce que je lui avais dit il y a peu de temps : *Ils ont fait l'ascension à cinq et sont redescendus à quatre.*

Était-ce la vérité ? Brighton Hallis était-elle toujours sur l'Everest ? Dans ce cas, qui était l'invitée surprise dans la chambre froide ?

Une candidate me semblait toute désignée.

L'alpiniste en solo qui venait d'un pays d'Amérique latine. La dernière personne à avoir été vue en compagnie de Brighton Hallis ? J'ai regardé l'heure. Je devais vérifier un truc.

J'ai ouvert Internet, source de savoir. Katmandou avait dix heures d'avance sur Charlotte. Là-bas, c'était la matinée. Les gens travaillaient. J'ai décroché mon téléphone fixe, non sans avoir à l'esprit les notes de Larabee au sujet des restrictions budgétaires.

Slidell n'avait pas tort. Avant de pouvoir joindre un responsable au Népal, il faut se taper un nombre incalculable de coups de fil et de mises en attente. Enfin, on m'a passé un certain Chitra Adhikari du ministère népalais du Tourisme, au Bureau des statistiques et des permis du mont Everest.

Le niveau d'anglais de Chitra était sommaire, mais on a réussi à s'en sortir. En 2012, son service avait délivré 30 permis pour des expéditions dans l'Everest comptabilisant un total de 325 grimpeurs. Une véritable chenille à flanc de montagne. Ils avaient également délivré dix-neuf permis pour des cordées sans guide, ou pour des alpinistes grimpant en solo.

— Vous pouvez me faxer la liste ?

Chitra le pouvait.

— Mauvaise année, 2012. Très mauvaise année. Onze personnes, toutes mortes.

Après un échange digne d'un exercice d'élocution, je suis parvenue à piger que dix-sept alpinistes avaient été héliportés encore en vie vers Katmandou cette année-là. Mais une seule personne le 20 mai 2012. Le jour de la mort de Brighton Hallis.

— Viviana Fuentes. (Le nom espagnol sonnait bizarrement à cause de l'accent guttural de Chitra.) Très très malade. Alpiniste solo.

— A-t-elle survécu ?

— Gros mystère. Femme disparue.

— Sur la montagne ?

— Non. Après. Hélicoptère emmener femme à hôpital. Au Kathmandu Medical College Teaching Hospital. Très malade. Allongée sur civière. Docteur arrive, femme partie.

— Elle est morte ?

Je voulais être sûre d'avoir bien compris.

— Non, non. Partie à pied !

— Elle pouvait marcher ?

— Peut-être femme moins malade en basse altitude. Ça arrive. Peut-être femme désorientée. Personne sait.

— Et donc, plus rien ? Plus de nouvelles ?

— Pas tout à fait. (À sa voix, je pouvais presque le voir en train d'esquisser un sourire.) Chitra, curieux. J'ai téléphoné service Immigration. Ami là-bas. Quelqu'un avec passeport Viviana Fuentes a pris avion Katmandou pour Santiago du Chili. (Froissement de papiers. Beaucoup de papiers.) Le 5 juin 2012.

Après avoir remercié le perspicace Chitra, j'ai raccroché et réfléchi. J'ai massé mes tempes. J'ai réfléchi encore. Puis j'ai pianoté sur le clavier de l'ordi.

Les photos n'étaient pas nombreuses, mais elles étaient disponibles. Dieu bénisse les réseaux sociaux !

Une jeune femme souriait devant l'objectif depuis ce qui ressemblait à la terrasse d'un chalet de montagne. Ses cheveux blonds étaient un peu plus courts. Sa silhouette un peu plus trapue. Hormis cela, la ressemblance entre Viviana Fuentes et Brighton Hallis était absolument frappante. J'ai cliqué sur d'autres photos. Les deux jeunes femmes auraient pu être sœurs jumelles.

J'ai ensuite découvert que Viviana Carmen Fuentes était née en 1987, à Santiago du Chili, soit un an avant que Brighton Hallis ne vienne au monde. Elle avait fait ses études à l'université de Santiago, et après avoir obtenu son diplôme, avait travaillé à son compte comme consultante en logiciels.

J'ai appris que sa ressemblance avec Brighton Hallis allait au-delà du physique. C'était aussi une grimpeuse chevronnée depuis l'enfance, et elle avait eu son moment de gloire à l'âge de neuf ans, lorsqu'elle avait été sacrée plus jeune individu à avoir escaladé le Nevado Ojos del Salado, un des hauts sommets des Andes. Son père, Guillermo Fuentes, alpiniste accompli, lui avait transmis sa passion et l'avait formée à la haute montagne. Fuentes Senior était mort en Alaska, au cours d'une tempête sur le Denali. Viviana avait alors quinze ans.

Toujours sur le Net, sur le site d'un organisme caritatif, j'ai lu que certaines expéditions en montagne, dûment commanditées, avaient été organisées par Viviana Fuentes pour amasser des fonds pour la lutte contre la maladie d'Alzheimer dont souffrait sa mère. Et sur sa page Facebook, elle se vantait qu'il ne lui restait que l'Everest à escalader pour achever les sept sommets. Assez étrangement, après 2012, son compte Facebook était demeuré inactif.

J'ai aussi appris que Viviana Fuentes était morte.

Fuentes avait fait une chute lors de l'ascension de l'Aconcagua, un sommet qu'elle avait pourtant escaladé sans difficultés dans le passé. L'accident s'était déroulé il y a quatre mois seulement.

Je ne crois pas aux coïncidences.

Une nouvelle salve de recherches sur Google m'a permis de trouver la réponse que je cherchais. Une nouvelle fois, j'ai vérifié l'heure, puis le décalage horaire sur un site. Mendoza, en Argentine, avait une heure de différence par rapport à l'heure d'hiver de New York. De toute façon, il était bien trop tard pour téléphoner maintenant. Et bien trop tard pour être encore au labo à travailler.

Frustrée et épuisée, je me suis déconnectée de l'ordinateur. Je n'avais jamais autant rencontré de rebondissements en une seule enquête. Tandis que je roulais en direction de mon domicile, les questions fusaient dans mon cerveau surstimulé et fatigué.

Brighton Hallis avait-elle échangé son identité contre celle de Viviana Fuentes ? Pourquoi ? Pour éviter les poursuites judiciaires ? Le marché avait-il été conclu volontairement ? La femme qui reposait dans la chambre froide était-elle Viviana Fuentes ? Si ce n'était pas elle, dans ce cas, qui était-ce ? Et qui le tueur avait-il eu vraiment l'intention de tuer ?

Chapitre 10

Je suis revenue au labo le lendemain, très tôt. Avant de passer des coups de fil, je me suis renseignée sur l'Aconcagua. Situé en Argentine, à l'est de la frontière chilienne, il s'élève à plus de six mille neuf cents mètres d'altitude. C'est le point culminant de la cordillère des Andes et la plus haute montagne au monde en dehors de l'Himalaya. Techniquement, ce n'est pas un sommet trop difficile et, pourtant, de nombreuses pertes humaines sont à déplorer chaque année. L'Aconcagua a le triste palmarès de détenir le taux de mortalité en montagne le plus élevé d'Amérique latine.

Le dernier en date mentionnait le décès de Viviana Fuentes.

L'Aconcagua fait également partie des sept sommets, et il figurait pour Brighton Hallis sur sa liste personnelle des dernières choses à faire avant de mourir.

Une théorie commençait à s'échafauder dans ma tête.

Tu n'as pas pu t'en empêcher, hein ?

J'ai attrapé mon téléphone et composé une longue suite de numéros. Différentes sonneries. *Drrriiinnng.*

Fallait que papa soit fier de toi.

Un autre *drrriiinnng*, puis une femme a débité d'une traite une phrase en espagnol.

— *Centro de Visitantes del Parque Provincial Aconcagua.*

J'ai répondu en espagnol, mais beaucoup plus lentement.

— Puis-je vous être utile ? a-t-elle répliqué dans un anglais impeccable.

Formidable. Mon espagnol était trop hésitant. Sans me faire prier, j'ai donc sauté sur l'occasion et nous avons continué en anglais. Je lui ai exposé l'objet de mon appel.

— Ne quittez pas, je recherche le dossier. (J'entendais le couinement des tiroirs qui coulissent en s'ouvrant et en se refermant. Des bruits d'élastiques de chemises en carton.) Ah, ça y est, je l'ai. Oh, quelle tragédie. Mme Fuentes nous avait acheté un permis pour une expédition sans guide, et pendant la haute saison, dans la vallée de la Vacas.

— Vous pourriez développer un peu plus, *por favor*?

— Bien sûr. Le parc naturel possède deux entrées et diverses options d'escalade. Le tarif des permis varie selon la saison, et s'il faut un guide ou non. Mme Fuentes souhaitait procéder à une ascension en solo par le glacier de Los Polacos, le glacier des Polonais. C'est la voie la plus difficile.

— Jusqu'à quel point, difficile?

— Le glacier des Polonais est plus isolé et, techniquement parlant, l'approche par le nord par la Ruta Normal — la «voie normale» — est bien plus facile. Le glacier des Polonais a des pentes couvertes de neige et de glace inclinées à 50, voire 70 degrés. Cela impose de savoir grimper sur la neige, d'avoir le matériel adéquat, les vêtements de protection, et les cordes et harnais indispensables. Voilà pourquoi peu d'alpinistes choisissent cette voie. Mme Fuentes l'a choisie. Son curriculum vitæ nous autorisait à lui délivrer un permis. (Nouveaux bruissements de papier.) Selon nos fiches, elle est entrée dans le parc au poste Pampa de Lenas le 28 décembre.

— Combien d'autres grimpeurs se trouvaient sur le versant en même temps qu'elle?

Cette fois, j'ai entendu le cliquetis d'un clavier d'ordinateur.

— Trois groupes étaient sur le glacier des Polonais quand Mme Fuentes s'est présentée à l'entrée du parc. Nous n'avons enregistré ce jour-là qu'un seul autre grimpeur. Un Américain. Lui aussi escaladait en solo.

— Avez-vous son nom?

— À l'écran, j'ai des informations globales référencées par numéro, et je ne peux les trier que par nationalité. Les permis individuels sont enregistrés par nom, et pas par date. Pour vérifier le nom, je dois sortir la fiche du classement à partir du numéro, et donc faire une recherche manuelle. (Elle a soupiré.) Si vous me laissez votre téléphone, je vous rappelle plus tard.

J'ai accepté sa proposition et fourni aussitôt mon numéro de cellulaire.

— J'aimerais avoir aussi les noms de toute personne ayant grimpé au même moment que Mme Fuentes.

— D'après les données globales, personne d'autre ne s'est inscrit pour le glacier des Polonais jusqu'au 13 décembre, date à laquelle un groupe d'Allemands a entamé un trek.

— Ce sont les Allemands qui ont découvert le corps ?

— Non. Quand on s'est rendu compte que Mme Fuentes ne revenait pas dans les délais prévus, un gardien de parc est monté. La cordée d'Allemands lui a signalé avoir croisé un alpiniste descendre en solo, mais n'avoir jamais vu de Mme Fuentes. On a supposé qu'elle avait péri peu de temps après avoir atteint le sommet.

— Est-ce que j'ai bien compris ? Vos gardiens surveillent les grimpeurs ?

— En principe, il n'y a pas de surveillance des sentiers. Les permis sont délivrés pour vingt jours. On encourage les alpinistes à se munir de radios. Et si on a des inquiétudes, un gardien peut monter en soutien.

— Dans le cas de Mme Fuentes, comment est née votre inquiétude ?

— L'allure à laquelle chaque grimpeur avance est liée à la météo et à leurs aptitudes. La plupart d'entre eux arrivent au parc dans de bonnes conditions physiques et sont prêts à démarrer l'expédition. À partir du poste de garde de Pampa de Lenas, c'est deux jours de marche jusqu'au camp de base. Un jour supplémentaire pour grimper jusqu'au camp 1. Et un jour de plus pour parvenir au camp 2. Ensuite, depuis ce dernier, il faut compter pas plus de douze heures pour atteindre le sommet.

J'ai mentalement fait le calcul. De neuf à douze jours, selon le rythme.

— Alors votre gardien de parc a été à sa recherche au bout de deux semaines, c'est ça ?

— Exactement. Il a localisé le corps dans une crevasse le 16 janvier à une altitude de six mille quatre cents mètres. Il est apparu que Mme Fuentes avait fait une chute mortelle. Les restes ont été récupérés pour être acheminés à Mendoza.

— Comment avez-vous procédé à l'identification ?

— Il n'y en a pas eue. (*Elle semblait un peu perplexe.*) Mme Fuentes avait sur elle son permis et son passeport.

— Auriez-vous, s'il vous plaît, les coordonnées de la morgue de Mendoza ?

J'ai griffonné l'information, je l'ai remerciée, puis j'ai raccroché. J'ai immédiatement composé le numéro de la morgue. Quelques instants plus tard, j'étais en communication avec le Dr Ignacio Silva du Cuerpo Médico Forense, Morgue Judicial. À nouveau, j'ai démarré en espagnol. À nouveau, on m'a répondu en anglais. Super ! *Muchas gracias !*

— Oui, je me souviens de ce cas. (Silva avait une voix mélodieuse.) C'est vraiment dommage. Une si jeune femme.

— Pourriez-vous me décrire Mme Fuentes ?

— Blonde. Type caucasien. Elle mesurait environ un mètre soixante-treize.

Petit calcul rapide. J'ai converti en pouces dans ma tête.

— Un joli brin de fille en plus. Aucun signe de maladie ni d'anomalies. Bien sûr, elle avait des blessures liées à sa chute. Pas loin d'une vingtaine de mètres.

— Vous avez pris des radios ?

Moment de flottement. Quand Silva a repris la parole, il y avait une légère hésitation dans son anglais parfait.

— À cause des restrictions budgétaires, nous avons des décisions difficiles à prendre. J'ai estimé que, dans ce cas précis, les radios n'étaient pas indispensables. Il était évident pour moi que la victime était morte des suites de sa chute, suivie d'une hypothermie.

Shit.

— Le parent le plus proche n'a pas contesté ?

— Malheureusement, il n'y a plus vraiment de parent proche. Mme Fuentes avait une mère, mais celle-ci est hospitalisée avec un diagnostic de maladie d'Alzheimer très avancée. Mais l'identité de la victime n'a jamais été sujette à caution. (Il a marqué une pause.) Nous avons cependant pris ses empreintes digitales pour nos dossiers, avant d'incinérer le corps.

— Y aurait-il possibilité de partager cette information ? ai-je demandé en tentant de masquer mon excitation.

278

— Certainement. Donnez-moi votre adresse courriel et je vous les envoie tout de suite.

Silva a tenu parole. Et avec efficacité. Quelques minutes après la fin de notre conversation téléphonique, j'ai entendu le petit *ping!* me signalant l'arrivée d'un message dans ma boîte de réception. J'ai immédiatement ouvert le fichier et y ai jeté un bref coup d'œil. Je me suis ensuite assise pour me calmer.

Je réfléchissais tout en sirotant du café.

Une fois persuadée que je contrôlais émotionnellement la situation, j'ai lancé une impression du fichier envoyé par Silva. Quand l'imprimante a délivré ce que j'attendais avec tant d'impatience, j'ai scruté attentivement chaque petit ovale plein de circonvolutions, boucles, volutes, arches, peu importe leurs noms.

Retour dans la salle d'autopsie cinq. J'observais le moulage. Les os nettoyés, la carte préparée par Hawkins montrant les empreintes digitales de la victime de la chambre froide. J'ai déposé à côté l'image des empreintes relevées par Silva.

J'ai évalué la situation.

D'abord, un appel rapide à Blythe Hallis. Décision prise.

J'ai ensuite téléphoné à Slidell pour lui expliquer ce qui allait sous peu lui incomber. Et ce dont j'avais besoin.

— Et trouvez-moi un analyste pour les scans dans la base de données AFIS.

Ce que je lui demandais, c'était de les faire numériser dans le fichier d'empreintes digitales AFIS qui utilise une technologie d'imagerie numérique. Créée à l'origine par le FBI, AFIS est une base de données contenant des dizaines de millions d'empreintes digitales.

— Les gars du labo ne vont pas aimer ça…

— Eh ben, faites-le vous-même alors.

— Quelles sont les chances que la victime soit présente dans le fichier?

— Elle devrait y être.

En fait, il y avait une toute petite chance, mais je devais la tenter.

— Ouais…

— Écoutez, il n'y a que les forces de police qui ont accès à l'AFIS.

— Sans blague.

— Dites-leur que c'est pour moi.

— Ça devrait les convaincre.

Ça l'a fait! Ou bien est-ce la personnalité charismatique de Slidell qui l'avait emporté? Quoi qu'il en soit, une heure et demie plus tard, je recevais ma réponse.

Je me suis reculée dans mon fauteuil. Sidérée. Je n'arrivais pas à le croire.

Blythe Hallis m'avait confié que sa fille travaillait durant ses vacances d'été au Service des parcs nationaux. Tout ce dont j'étais sûre, c'est que la base de données AFIS engrange également les empreintes digitales du personnel du gouvernement fédéral. La chance m'avait souri! Une des correspondances générées par la recherche indiquait le nom de Brighton Hallis.

Brighton Hallis avait effectivement trouvé la mort tout en haut d'un des sept sommets, mais pas l'Everest. Et pas en 2012. Brighton Hallis était morte il y a quatre mois sur l'Aconcagua.

Elle avait été autopsiée, puis incinérée sous le nom de Viviana Fuentes.

**

J'étais à nouveau en ligne avec Slidell.

— Vous êtes en train de m'expliquer que Brighton Hallis a zigouillé Viviana Fuentes pour lui voler son identité?

Il hoquetait comme si je lui suggérais de déclarer le hamburger frites hors la loi.

— Leur ressemblance physique était époustouflante. Il leur suffisait d'échanger leur blouson, et cela pouvait facilement tromper un simple observateur.

— Je change de veste tout le temps, et maman me reconnaît à chaque fois...

Skinny avait une mère? J'ai enregistré l'info pour plus tard. À méditer.

— Aucune n'a un KA en lien avec la mort de Brighton. (J'utilisais le jargon des flics. KA désigne un « complice connu des services de police ».) Une femme portant le blouson de Viviana a juste été transportée par hélicoptère à Katmandou d'où elle a ensuite disparu. Une femme portant le blouson et l'équipement de Brighton a été retrouvée par des inconnus, morte de froid. Les gens ont vu ce qu'on les a forcés à voir. Et dans le cas de Viviana, il n'y avait plus personne pour soulever la question.

— Voulez-vous bien me dire ce que ça signifie, tout ça ?

— Que son seul parent proche était sa mère, qui souffre de démence à un stade avancé. Fuentes travaillait à son compte de chez elle comme consultante en logiciels. (Slidell a essayé d'en placer une, mais je ne lui en ai pas laissé le temps.) Et même si quelqu'un avait voulu soulever la question, il n'y a plus aucun cadavre à exhumer.

— Comment Hallis a-t-elle pu avoir le passeport de Fuentes ?

— Les alpinistes qui partent sans guide gardent toujours leur passeport sur eux. Brighton l'a probablement subtilisé au moment de l'échange de blousons.

— Ces deux-là étaient copines ?

— Je n'ai rien trouvé qui puisse prouver qu'elles se soient rencontrées avant l'Everest. C'est sans doute l'occasion qui a fait le larron, comme on dit. Brighton a saisi sa chance de recommencer une nouvelle vie avec un nouveau nom et un petit million. Pas si mal.

Slidell s'est raclé la gorge, bruyamment, comme à son habitude.

— Aussi tard dans la journée, elles étaient sûrement les deux dernières alpinistes à traîner là-haut. Cela expliquerait pourquoi Brighton voulait attendre Fuentes à Hillary Step.

— C'était pas pour l'aider, mais pour la frapper. (Slidell commençait à piger.) En résumé, Hallis se débrouille pour rester seule au sommet avec Fuentes, la blesse mortellement avec le piolet, lui fracasse le crâne deux fois de suite, lui pète toutes les dents, échange de vêtements et entame la descente avec un faux accent espagnol, un nouveau nom, et fait semblant d'être dans un état de confusion mentale.

Pas mal, Skinny.

— Oui, l'endroit du traumatisme crânien est cohérent avec la taille de l'assaillant qui est aussi celle de Brighton.

— C'était quand même risqué.

— Tout comme la prison.

— Mais Hallis est maintenant rayée de la carte.

— En cendres, en fait. Le corps a été incinéré.

— Enfant de chienne !

— Ouais.

Pendant plusieurs secondes, nous n'avons plus rien dit.

— Il y a autre chose. Le seul autre grimpeur sur sa voie d'escalade en Argentine était un homme. J'essaie d'obtenir son nom et ses coordonnées pour l'interroger. Je serais curieuse de savoir s'il a croisé notre Viviana/Brighton le long du versant.

— Qu'attendez-vous de moi, doc ?

— J'aimerais que vous cherchiez un possible lien entre Fuentes et Hallis avant l'Everest. Une preuve, même ténue, de préméditation. Et si vous pouviez vérifier si Hallis a relâché sa vigilance après l'Everest. Si elle a commis une erreur. Si elle a contacté quelqu'un, si elle a utilisé un vieux compte bancaire. Si elle a été arrêtée pour des peccadilles. N'importe quoi qui pourrait prouver qu'elle vivait la belle vie en Amérique latine après 2012.

— Je ne vois pas pourquoi, m'a-t-il répliqué, visiblement pas très emballé. C'est maintenant de l'histoire ancienne.

— Je veux rendre justice à Viviana Fuentes.

— Ça va pas faire plaisir à Blythe Hallis !

— Mais ça nous débarrasserait d'elle. Et ça ajouterait un point à votre feuille de statistiques, pour ce qui est des cas résolus.

J'avais émis deux arguments très convaincants.

Puis on a raccroché.

J'ai passé en revue les événements de ces derniers jours. Il y avait un hic quelque part… M'est alors revenue en mémoire une phrase prononcée par Elon Gass au Mattie's Diner : « Je crois me souvenir que Damon les avait rejointes. »

Donc, Damon James avait rencontré Viviana Fuentes. Il leur avait parlé au camp 3. Peut-être aurait-il d'autres infos ? J'ai cherché son numéro et je l'ai appelé.

— Ouais…

Il semblait très absorbé.

— Ici le docteur Brennan.

— Qui ça ?

J'entendais un énorme brouhaha derrière lui, des cris d'enfants. Un sifflement. Un drôle de grondement, comme le bruit d'un train.

J'ai répété mon nom, plus fort.

— Désolé, docteur, je suis à mon autre job. (James a réprimandé un dénommé Brian.) Je suis au Whitewater Center. (Je suppose qu'il parlait du U.S. National Whitewater Center, un centre de plein air dernier cri aménagé à la périphérie de Charlotte. On pouvait y pratiquer aussi bien le kayak que le rafting.)

— Vous vous y connaissez en kayak ?

— Ils ont aussi des parois d'escalade. (Plus fort.) Hé, toi, descends de là !

— J'aurais quelques questions rapides…

— Je t'ai dit de descendre ! *Maintenant !* Désolé, je ne peux pas vous parler au milieu de ce chahut. Et un autre autobus rempli de jeunes va arriver d'une minute à l'autre. On peut s'appeler quand j'aurai fini ?

Merde !

— Bien sûr.

Il a hésité un instant.

— En fait… je suis venu ce matin avec une collègue, mais elle a dû aller récupérer un enfant malade. Ça vous ennuierait de passer me prendre ?

Pas vrai ?

Ce centre était presque à mi-chemin du mont Holly. Mais je voulais vraiment l'interroger, et j'avais terminé tout ce que j'avais à faire. Et puis, un service en attire un autre.

— À quelle heure je dois être là-bas ?

— Je termine à 20 heures. Passez par l'entrée réservée au personnel. La barrière n'est jamais fermée.

Un *bip-bip-bip* m'a signalé qu'il avait déjà raccroché.

Chapitre 11

Le reste de ma journée s'est déroulée à la vitesse de la dérive des continents. J'ai effectué quelques courses pour remplir mon frigo, réglé de la paperasse. Mais mon esprit errait toujours sur ces histoires de fractures, d'empreintes, de tissus momifiés. Je n'arrêtais pas d'échafauder de nouvelles théories. Me retrouver dans ma Mazda au milieu des embouteillages de fin de journée a presque été un soulagement.

Quarante-cinq minutes plus tard, j'arrivais en vue du U.S. National Whitewater Center. Je me suis garée en suivant les instructions reçues. Ensuite j'ai suivi une flèche indiquant la porte réservée au personnel. J'étais presque devant lorsque mon cellulaire a sonné. Enfin, a chanté.

— Temperance Brennan à l'appareil.

— Dr Brennan ? C'est Paola Rossi.

J'ai eu un trou de mémoire, cherchant qui était cette femme.

— Pardon ?

— Paola Rossi du Centro de Visitantes del Parque Provincial Aconcagua.

— Mais bien sûr, *señora* Rossi. Je suis désolée, je n'entendais pas bien.

— J'ai retrouvé le nom de l'Américain.

— C'est si aimable à vous, ai-je répondu en fouillant dans mon sac à la recherche d'un papier et d'un crayon.

Mais je me suis arrêtée dès qu'elle a prononcé la phrase suivante.

J'étais abasourdie.

284

— Excusez-moi, vous pourriez répéter ?

Lentement, elle a articulé :

— Damon James. C'est le nom de l'autre alpiniste qui a emprunté la route par le glacier des Polonais le 13 décembre. J'ai même une adresse. M. James habite à Charlotte, en Caroline du Nord, aux États-Unis.

Mon pouls s'est accéléré. Je l'ai remerciée, puis j'ai raccroché. Autour de moi, la nuit tombait et le stationnement était quasi désert. On n'entendait ni bruits de voix, ni signes d'activité.

Mon cerveau était en ébullition. Plusieurs éléments disparates se mettaient en place d'un seul coup. Damon James était l'associé de Brighton Hallis. *Et de un.* Damon James avait discuté avec Viviana Fuentes sur l'Everest. *Et de deux.* Damon James avait escaladé l'Aconcagua. *Et de trois.*

J'ai téléphoné à Slidell et je suis tombée sur sa boîte vocale. Je lui ai laissé un message lui demandant de me rappeler d'urgence, et aussi lui précisant où je me trouvais.

J'ai continué à réfléchir. Cette fois, sous la forme d'une série de questions.

Est-ce que James était dangereux ? Hallis et lui avaient-ils détourné de l'argent ensemble d'Ascensions Brighton ? Avait-il assassiné Viviana Fuentes sur l'Everest ? Pourquoi ? Pour aider Hallis à échanger leurs identités ? James et Hallis étaient-ils amants ? Avaient-ils caché de l'argent détourné dans un paradis fiscal ? James avait-il tué Brighton Hallis sur l'Aconcagua ? Pourquoi ?

Une jeune femme vêtue d'un jean et d'un tee-shirt vert estampillé U.S. National Whitewater Center s'est approchée, très souriante. Elle m'a tenu la porte. J'ai hésité.

Bon Dieu, Brennan, courage. L'équipe de ski alpin s'entraîne ici en vue des Jeux olympiques. Cet endroit est encore probablement bondé de monde. Allez, trouve ce salaud.

— Merci, ai-je répondu en entrant.

Tout en traversant l'esplanade, je repensais à ce que j'avais lu avant de quitter la maison sur ce complexe en plein air. Je n'y avais jamais mis les pieds auparavant. J'étais curieuse de voir ça.

Il était installé près de la Catawba River. À but non lucratif. Deux cents hectares dédiés aux activités en plein air, avec une zone pour l'entraînement des athlètes, et une autre davantage consacrée à la détente. On pouvait y pratiquer du rafting, du canot-kayak, faire de la descente en tyrolienne, de la randonnée, du VTT et, apparemment, de l'escalade sur d'énormes rochers.

Je suis entrée dans le bâtiment principal. Inscriptions, bureau de renseignements, service de location, centre de conférences, casse-croûte, boutique de souvenirs. Quelques femmes étaient encore assises dehors à des tables en fer forgé, sous des parasols. Des mères de famille attendant leur progéniture — tenues de yoga Lululemon, sandales Jack Rogers, lunettes de soleil Tory Burch. Elles avaient toutes le nez collé sur leur iPhone.

Au-delà du bâtiment, je voyais un flot continu de personnes se déverser par la sortie principale vers le stationnement réservé au public. Une pancarte sur le mur extérieur prévenait que la dernière admission pour une activité était 19 heures et que le centre fermait ses portes à 20 heures.

Je me suis adressée au bureau d'accueil des visiteurs et j'ai demandé Damon James. J'ai été redirigée vers l'extérieur. James finissait son travail près du mur d'escalade, une grosse falaise en forme de V et en fausse pierre, pas loin du plan d'eau appelé Upper Pond. Il rangeait des cordes en nylon coloré dans une grande boîte.

En m'entendant approcher, il s'est redressé. Il portait un tee-shirt Whitewater Center avec les manches découpées aux épaules. Ce gars était si prévisible !

— Vous êtes pile à l'heure, m'a-t-il dit en me lançant son sourire hollywoodien. Parlons tout en marchant. Je dois effectuer ma petite tournée d'inspection pour vérifier qu'aucun enfant ne se cache quelque part.

James était détendu, moi, beaucoup moins. Je l'ai néanmoins suivi sur l'allée pavée qui longeait la rivière artificielle. Des écriteaux recommandaient aux promeneurs de ne pas s'approcher à moins de un mètre cinquante du bord de l'eau. Au-dessus de nos têtes, les câbles de la tyrolienne dessinaient une toile d'araignée projetant des ombres quadrillées sur le parc.

James marchait si vite qu'il a fallu que j'accélère le pas. De temps à autre, on croisait un retardataire se dirigeant vers la sortie.

Pour dissimuler ma nervosité, et surtout mes soupçons, j'ai parlé de tout et de rien.

— La rivière fait une boucle ?

Au fond, je m'en foutais.

Il m'a regardée et a acquiescé.

— Oui, l'eau court tout autour de deux îles, avec différents affluents, mais à la base, c'est le même réseau en boucle. (Il a pointé une langue de terre émergée sur notre gauche.) Ce coin, là-bas, on l'appelle Belmont Abbey Island. On peut y écouter des concerts de musique et y boire de la bière dans un bar en plein air. Hawk Island est de l'autre côté du Lower Pond, l'autre plan d'eau. Vous verrez, c'est beaucoup plus sauvage, il y a un grand parcours d'hébertisme et aussi un torrent démentiel pour le kayak.

— Mmmm...

— On a du monde endurci. (Il m'a désigné le parcours pour le kayak.) Vous savez que c'est la plus grande reconstitution au monde, et la plus complexe, d'un circuit d'eaux vives ?

— Impressionnant. Donc vous enseignez ici aussi ?

— Seulement en saison. Et seulement l'escalade.

Nous avons longé des tentes sur notre droite et un pavillon de musique sur notre gauche jusqu'à l'endroit où la grande étendue d'eau de Lower Pond s'étirait largement entre le bâtiment de l'accueil à l'autre bout et nous. Des pins immenses se dressaient au-dessus de nos têtes, tandis que nous foulions un sol recouvert d'épines. On était à présent les deux seuls promeneurs.

C'était maintenant ou jamais.

— Elon Gass a dit que vous n'aviez jamais touché vos salaires d'Ascensions Brighton.

Il a mimé un air outré.

— Eh bien, j'imagine que la petite dame n'est pas venue me rejoindre pour le seul plaisir de ma compagnie... C'est blessant.

— Avez-vous été payé ? a demandé la petite dame.

James m'a regardée fixement un si long moment que j'ai pensé qu'il ne me répondrait jamais.

— J'étais censé recevoir un salaire. Ça n'a pas été le cas. Je ne suis pas le genre de gars à patienter quand on me doit de l'argent, mais Brighton avait une méthode bien à elle pour obtenir des gens ce qu'elle voulait.

— L'organisme avait récolté un million de dollars. Pourquoi Hallis ne pouvait-elle pas vous payer ?

— Je suppose qu'on ne peut plus lui poser la question.

— Étiez-vous au courant que la police enquêtait sur elle pour une affaire de détournement de fonds ?

— Non, pas avant le coup de fil de votre copain policier, hier.

— Quelle était la nature exacte de votre relation avec Brighton ?

— Vous entendez quoi par là ?

— Étiez-vous ensemble ?

— Non. Pas plus que nous n'étions des voleurs.

Réponse toute faite.

Avant que je puisse lui rétorquer quoi que ce soit, James a tourné les talons et a singulièrement accéléré le pas.

J'ai eu un moment d'hésitation. Le suivre ? Chaque neurone de mon crâne hurlait non. Je les ai ignorés.

La fausse rivière se rétrécissait. À présent, une eau furieuse tourbillonnait entre les rochers, bouillonnait de milliers de petites bulles blanches. Le grondement en était assourdissant.

— Parlez-moi de Viviana Fuentes, ai-je crié assez fort pour qu'il entende.

James a fait volte-face, arborant un visage impassible.

— OK. Arrêtons ce petit jeu. Qu'est-ce que vous voulez réellement savoir ?

— Ce qui est arrivé à Brighton Hallis.

— Ce qui est arrivé à Brighton Hallis ? Elle est devenue gourmande, elle a volé un million de dollars et m'a laissé porter le chapeau.

Je l'ai laissé continuer.

— Ça allait être un gros merdier après l'Everest. (Il a craché si fort que les muscles de son cou ont gonflé.) Et j'étais l'imbécile que le Hallis Express s'apprêtait à écraser.

— Par conséquent, vous ne pouviez pas envisager qu'elle redescende de là-haut ? (Mon cœur s'emballait. Je sais que j'aurais dû déguerpir à cet instant, mais je ne pouvais m'empêcher de continuer.) Avec la mort de Brighton, l'enquête serait classée, c'était ça l'idée ?

Il faisait plus sombre à présent. James a redressé le menton. Un croissant de lune venait jeter des ombres inquiétantes sur son visage, mais il éclairait un peu le sol. Il m'a répondu d'une voix grave et glaciale :

— Quand Brighton est morte sur l'Everest, j'ignorais que de l'argent avait été détourné.

— Et vous croyez que je vais avaler un truc pareil ?

— Chérie, j'ai un alibi. Je n'étais pas avec elle lorsqu'elle est morte, OK ?

Quoique tremblante, j'étais déterminée à porter le coup fatal.

— Sauf que Brighton n'est pas morte sur l'Everest, n'est-ce pas ?

James m'a scrutée de ses yeux verts brillant dans le noir. Il a gloussé de rire.

— *Fuck !* Vous êtes complètement folle…

— Vous étiez au courant de son intention de disparaître. Vous le saviez depuis le début, non ?

— Fol-le, a-t-il dit en tournant le bout de son index sur sa tempe.

— Eh bien, donnez-moi votre version des faits.

Il a écarté les jambes et croisé ses bras sur sa poitrine.

— Imaginez ma totale stupéfaction lorsque j'ai aperçu mon ancienne associée, supposément morte, sortir du bureau des permis du parc provincial de l'Aconcagua à Mendoza, en Argentine. Brighton Hallis, aussi vivante qu'une vilaine rumeur.

— Qu'a-t-elle dit ?

— Elle ne m'a pas vu.

— Vous voulez me faire croire que vous vous êtes retrouvés sur le même lieu, le même jour, par hasard… ?

— Non, nous avions planifié ensemble cette expédition.

— Et donc…

Il m'a coupé la parole d'un geste vif de la main.

— *Avant* l'Everest. Nous avions l'habitude de programmer les expéditions des années à l'avance. Puis quand ça a commencé à aller de travers, on a dû annuler plusieurs treks en montagne. Mais l'Aconcagua, c'était spécial. On l'avait planifié avec la date anniversaire de la mort de Sterling Hallis. À cause d'une raison qui ne concerne que moi, j'ai décidé quand même de faire l'ascension de l'Aconcagua, en hommage à Bright.

Les mots se bousculaient soudain dans sa bouche, témoignant d'une certaine fureur, peut-être même d'un soupçon de folie.

— Poursuivez.

— Lorsqu'elle s'est éloignée, je suis entré dans le bureau et j'ai acheté le même permis qu'elle. Je connaissais son projet. Je l'avais monté avec elle. Je l'ai suivie de près sans me faire repérer. Mais au camp 1, elle m'a aperçu. Enfant de chienne, vous auriez dû voir son visage. Elle était terrifiée.

— Continuez.

J'ai toutefois reculé discrètement.

Pourquoi Slidell ne me rappelait-il pas ? Ou bien l'avait-il fait ? Je ne pouvais pas prendre le risque de consulter mon cellulaire.

— Cette vache a tout avoué. Son plan était de disparaître dans la crevasse glacée au-dessus du camp de base. Le monde entier aurait pensé qu'elle avait fait une chute mortelle, alors qu'elle, elle se la coulerait douce sur une plage de Goa ou de Rio.

— Voilà pourquoi elle a choisi au dernier moment de ne pas prendre de guide ?

— Surtout parce que ce serait plus facile de me plaquer en me laissant porter le chapeau.

— Qu'en est-il de Viviana Fuentes ?

— Mauvais endroit au mauvais moment. Viviana a joué de malchance. Ça ressemblait à Brighton, ce coup du destin en sa faveur.

Une chouette a hululé dans le noir. J'ai réussi à ne pas sursauter.

— Alors l'occasion était trop belle pour la laisser passer ?

— Honnêtement, j'en sais rien. Brighton m'a juré que leur rencontre était fortuite. Mais leur ressemblance était si troublante. (James a parlé plus bas.) Bright a copiné avec Fuentes. Elle a appris des choses sur sa famille, son boulot… Elle a vu en cette fille une opportunité de changer de vie, et elle l'a saisie.

— Libre comme l'air jusqu'à ce qu'elle tombe sur vous.

— Oh… mais elle n'a pas lâché le morceau. C'était pas son genre. Elle a tenté d'acheter mon silence.

— Elle vous a offert la moitié de la somme.

— Oui, elle l'a fait.

— Et vous avez refusé.

— Pourquoi j'aurais refusé? (Il avait l'air surpris.) Ce qui est fait est fait. Fuentes était morte. Tout en grimpant, on a discuté de notre avenir glorieux avec nos moitiés de fortune respectives.

— Vous avez continué l'ascension comme si de rien n'était?

— Pourquoi on aurait abandonné?

Ce gars était fou à lier.

Ou bien n'était-ce pas plutôt moi, la folle? J'étais sur un sentier isolé, de nuit, avec le complice d'une meurtrière.

J'ai encore agrandi discrètement l'espace qui nous séparait.

— Vous voulez vraiment la vérité? Eh bien, tant que cette salope n'aurait pas transféré la moitié de l'argent sur mon compte, il était hors de question que je la quitte des yeux une seule seconde. À l'altitude où nous étions, on n'avait plus de réseau. Nous devions nous rapprocher du sommet pour télé-phoner par satellite.

— Elle vous faisait confiance?

— Bien entendu. Nous étions en train de nous préparer une longue vie heureuse avec notre petit butin. Elle ne pou-vait pas me dénoncer, et je ne pouvais pas la dénoncer.

— Mais elle est morte.

Ses yeux de reptile ont paru soudain absorber toute la chaleur de la nuit.

— C'est tragique, hein? Si près du sommet. Quel ter-rible accident…

Il n'était pas qu'un complice excessivement cynique. J'avais devant moi un homme capable de tuer de sang-froid. Mes neurones m'ont crié une nouvelle fois de m'en aller. J'ai décidé de leur obéir. Trop tard…

D'un mouvement très souple, il a chargé telle une bête féroce. L'impact de son épaule m'a coupé le souffle et m'a violemment projetée en arrière. J'avais à peine réalisé que je tombais que j'ai heurté une eau glacée et tourbillonnante. Je n'y voyais plus rien. Je ne respirais plus. Le sang battait mes tempes. Aveuglée, j'ai été emportée par le courant.

Bats-toi! Réagis!

J'ai été projetée contre un rocher, puis un autre. J'ai tournoyé. Je paniquais.

Mes côtes me faisaient mal et ça me brûlait aux poumons. J'essayais désespérément de remonter à la surface. Chaussures et vêtements gorgés d'eau me tiraient vers le bas. Je commençais à voir des étoiles derrière mes paupières.

Je me suis forcée à les rouvrir. Des milliards de bulles, une eau grise. J'ai agité mes bras et dirigé ma tête dans la direction de la surface. L'adrénaline irradiait tout mon corps.

Les secondes me paraissaient une éternité. Finalement, mon visage a émergé, j'ai avalé une bouffée d'air avant d'être à nouveau happée par le courant. À nouveau sous l'eau. À nouveau bringuebalée dans tous les sens.

J'ai tenté de retrouver l'usage de mes jambes. En vain. Projetée contre un énorme rocher, j'ai senti une atroce douleur au milieu du dos. Mes oreilles bourdonnaient.

Enfin hors de l'eau, j'ai aperçu une masse plus sombre. Immense. La station de pompage. J'étais entraînée tout droit vers le système de filtration.

Mon cerveau m'a envoyé une image enregistrée un quart d'heure plus tôt lorsque je longeais le sentier. Un alignement de rochers constituait le bord d'une petite cascade artificielle d'un mètre de hauteur. Sans avoir le temps d'élaborer une stratégie, j'ai heurté le premier bloc de roche. Pas question de me laisser entraîner… La force de l'eau était telle qu'elle me projetterait par-dessus la cascade, et ensuite directement vers la station de pompage. Telle une moule accrochée à son rocher, je me suis plaquée contre la pierre. Je l'ai contournée à la manière d'un crabe et, puisant dans mes dernières forces, je me suis hissée hors de l'eau.

Cramponnée au rocher, je haletais comme un petit chiot. J'étais trop épuisée pour seulement tourner la tête. Trop épuisée pour me soucier de James.

J'ignore combien de temps je suis restée là avant de commencer à trembler. Le froid? Le choc? J'ai roulé sur moi-même et j'ai réussi à m'asseoir.

J'étais trempée jusqu'aux os. Je grelottais de froid. J'avais mal, sans doute à cause de fractures. Plus de téléphone. Plus de clés. Mais au moins je m'étais extraite du torrent. Et j'étais sur du solide. Hawk Island.

J'ai grimpé à quatre pattes sur le gros rocher. Puis le retour à la terre ferme. J'ai repris mon souffle et je me suis redressée sur des jambes encore flageolantes. Et maintenant? Je me suis dirigée vers le premier bâtiment venu, la station de pompage.

Un homme occupait la salle de contrôle, s'affairant à un tas de boutons et de manettes. Dès qu'il m'a aperçue, il en est resté bouche bée.

— Salut…, ai-je bredouillé.

Il a lorgné vers la flaque d'eau qui s'agrandissait à mes pieds.

— Auriez-vous un téléphone, par hasard?

Chapitre 12

— Et à ce moment-là… (Anne a brandi sa fourchette pour plus d'effets) ce fichu rongeur, d'un coup de patte sur la table du patio, et sans cesser de me regarder droit dans les yeux, a foutu par terre mon chandelier en verre ! Il s'est brisé en mille morceaux.

— Elle n'a peut-être pas aimé la manière dont tu as traité son mâle la dernière fois.

Il était inutile de tenter de lui expliquer qu'un raton laveur n'est pas un rongeur.

— C'est peut-être un raton laveur possédé par le diable, comme la poupée dans *La Fiancée de Chucky*? Tu sais que ces petits monstres se faufilent partout. J'ai dû dormir plusieurs jours avec un bâton de baseball au pied de mon lit.

J'ai rigolé, puis j'ai eu mal. Inconsciemment, j'ai porté la main sur mon torse bandé.

— Ne me fais pas trop rire.

Anne m'a lancé un regard interrogateur.

— Ça prend du temps à guérir, des côtes fracturées.

— Et pour le reste ?

Je savais qu'elle ne m'interrogeait pas sur d'autres blessures physiques. Elles s'étaient avérées mineures. Même Slidell, le destinataire de mon coup de fil depuis la station de pompage, avait insisté pour que je sois évacuée en ambulance. L'addition n'était pas si salée : deux côtes fracturées, de multiples écorchures et des muscles endoloris. Très endoloris.

— Je me porterai bientôt comme un charme, ai-je conclu.

Comme stimulé par mon commentaire désinvolte, mon téléphone a sonné en dessous de la table. J'ai jeté un œil dans mon sac de plage. Mon écran affichait le visage d'un homme aux yeux bleu cobalt et aux cheveux ébouriffés. J'ai subrepticement appuyé sur la touche «Refuser l'appel». Je raconterais à Ryan tout ce qui m'était arrivé ces derniers jours, mais pas maintenant.

— Trinquons à Isle of Palms, a dit Anne en levant son verre de vin qu'elle a cogné contre mon verre de thé glacé. Cette petite île est aussi aplatie qu'une enfant de douze ans. Que va-t-il se passer pour Damon James? m'a-t-elle demandé après avoir bu une gorgée de Chardonnay.

— Difficile à dire. (J'ai repoussé ma laitue sur les bords de mon assiette et j'ai piqué un croûton. La seule et unique raison de manger une salade César.) Il ne s'est pas rendu bien loin. Slidell avait immédiatement émis un avis de recherche et une voiture de patrouille l'a repéré à une station-service près de Kannapolis. Il poireaute en taule à l'heure qu'il est.

— Pour meurtre?

— J'en doute. Il n'y a aucune preuve qu'il ait tué Brighton Hallis.

— Mais tu penses qu'il l'a fait.

J'ai revu en pensée ses yeux verts d'une froideur terrifiante. La violence de son coup d'épaule au creux de mon ventre.

— Oui, j'en suis sûre.

— Pourquoi il a fait ça? Il avait eu sa part de l'argent, non?

— L'appât du gain? La vengeance? La colère? Les émotions peuvent brouiller le jugement de quelqu'un. Tout comme la promesse d'une grosse somme d'argent. Peut-être qu'il voulait tout le magot? Peut-être que Hallis l'a poussé à bout? Peut-être qu'il a pété les plombs une fraction de seconde? Ou peut-être qu'elle a simplement glissé dans la crevasse? (Je n'y croyais pas le moins du monde.) James est conseillé par son avocat et il refuse de parler. À sa place, je ferais pareil.

— Ce salaud a essayé de te tuer!

— Ils l'ont inculpé d'agression et de coups et blessures. Et de tentative de meurtre. Lui, il a dit que j'avais malencontreusement basculé dans la rivière. Il n'y avait aucun témoin. C'est ma parole contre la sienne.

— Alors il va s'en tirer?

Anne a rempli à nouveau son verre, histoire d'apaiser son indignation.

Moi aussi, j'étais indignée. Deux jeunes femmes assassinées dans des coins perdus, à l'autre bout du monde. Fuentes sur l'Everest. Hallis sur l'Aconcagua. Et de bonnes chances pour que personne ne paye jamais pour ces crimes.

— James écopera forcément d'une peine de prison, ai-je affirmé. Ils sont très patients et très déterminés, les enquêteurs des crimes économiques. Ils vont mettre le paquet avec le juge pour le coincer.

Anne a hoché la tête pour me signifier combien elle approuvait.

Je me suis penchée pour profiter de la brise marine sur ma peau.

— Avec les traces écrites, ça marche comme sur des roulettes. Prouver le détournement de fonds a été facile. Même chose pour remonter la piste jusqu'au compte de James aux îles Caïman.

— Un vrai imbécile.

Anne mâchait rarement ses mots. Ni ne se retenait.

J'ai inspiré l'air chargé de sel. J'ai savouré le sol rugueux de la terrasse en bois de la maison de bord de mer d'Anne.

— Comment madame Blythe Hallis a-t-elle accueilli la nouvelle que son petit ange était en fait un escroc?

— Comme tu peux l'imaginer, ai-je répondu à mon amie. Elle n'a exprimé aucune émotion. (J'ai réfléchi à un truc avant de poursuivre.) Elle a insisté pour payer les obsèques de Viviana Fuentes. Son corps va reposer à Santiago du Chili à côté de celui de son père. Elle a aussi décidé d'utiliser l'argent détourné pour faire le bien.

— Vraiment?

Anne a pris une autre gorgée, puis elle a croisé ses jambes posées sur la rambarde.

— Le même principe. Un organisme à but non lucratif. Un nouveau nom. « La fondation Vivi ». Et elle a demandé à Dara Steele et à Elon Gass de s'en occuper.

296

— J'adore la bonté d'âme chez les petits serpents à sonnette.

Anne a gloussé à sa propre plaisanterie. Tout à fait son genre.

J'ai haussé les épaules.

— J'imagine qu'il faudra qu'on se tape la série télé pour le savoir.

— Je passe mon tour. Si je veux voir l'expression du narcissisme en haut lieu, je n'ai qu'à écouter le réseau C-SPAN. Que dirais-tu d'une petite promenade sur la plage ?

— Avec plaisir.

Anne s'est levée pour débarrasser nos assiettes à la cuisine. J'ai traîné en songeant à ces dernières heures. Damon James avait-il raison ? Ou est-ce que le rapatriement de Brighton Hallis du mont Everest avait été, au fond, une bonne chose ?

Oui. J'en étais persuadée. Définitivement.

Viviana Fuentes avait été pleurée. Même si j'avais été la seule personne à l'avoir fait. Désormais, elle reposait près de son père adoré. C'était tout de même mieux que de servir de repère à des alpinistes sur un versant enneigé du toit du monde. Ça n'était pas une si grande victoire, mais c'était déjà ça.

— Allons-y.

Anne était revenue, avec, sur la tête, un chapeau aussi large que sa table de patio.

Et nous sommes parties nous promener sous le soleil de la Caroline.

Le vent s'amusait à emmêler mes cheveux. Le sable chatouillait mes orteils. Les nœuds glacés de plusieurs jours de frustration commençaient enfin à fondre.

Note de l'auteur

La nouvelle *Les os du glacier* m'a été inspirée par une histoire que j'ai lue à l'automne 2014. Plus de deux cents corps gelés gisaient dans la fameuse zone de la mort sur le mont Everest. Le cadavre du légendaire alpiniste George Mallory y était resté intact depuis 1924. Plus récemment, d'autres corps servaient de repères sur la piste d'escalade, tels que celui de la « caverne de Green Boots », ou encore dans cette partie de l'Everest surnommée Rainbow Valley, à cause des blousons multicolores des cadavres et de leur équipement qui balisent en pointillé le flanc de la montagne. J'étais à la fois bouleversée et fascinée par cette découverte. Je ne pouvais m'empêcher de me demander ce qui se passerait si l'un de ces corps avait été redescendu pour livrer des secrets inattendus.

J'ai donc effectué des recherches approfondies sur l'alpinisme en haute montagne, ses risques et ses périls. Puis j'ai commencé à écrire cette histoire. Ma nouvelle était presque achevée lorsque, le 25 avril 2015, cette horrible tragédie est survenue. Un tremblement de terre de magnitude de 7,8 a frappé Katmandou, la capitale au nord-ouest du Népal, tuant plus de huit mille personnes. On a aussi déploré vingt-trois mille blessés, et des milliers d'habitations détruites, des villages rayés de la carte.

Le séisme avait provoqué des avalanches sur le mont Everest qui ont notamment englouti le camp de base, tuant dix-neuf personnes supplémentaires. Cette date marque un des jours les plus funestes dans ce massif. Des dizaines d'autres personnes ont été blessées, et des centaines se sont retrouvées coincées au-dessus du camp de base, dans une situation précaire.

Le 12 mai 2015, une réplique s'est produite, cette fois d'une magnitude de 7,3, dévastant le Népal avec son lot de pertes humaines et de destructions.

J'ai cessé un temps l'écriture du texte, car je ne voulais pas exploiter une telle catastrophe. Toutefois, j'avais de plus en plus envie de partager ce récit lié aux histoires de l'Everest. J'avais été émue par ses moments de grâce comme par ses pertes désolantes.

J'ai finalement décidé de terminer mon histoire pour honorer la mémoire de tous ces gens qui ont payé de leur vie cette passion, et pour attirer l'attention de l'opinion publique sur les organisations prodiguant une aide humanitaire, comme sur les associations s'occupant d'améliorer à long terme les conditions de vie des populations de l'Everest.

Le mot *Sherpas* désigne un groupe ethnique népalais. Les sherpas sont au nombre de 150 000. Ils sont renommés pour leurs compétences exceptionnelles de grimpeurs, leur force et leur endurance en haute altitude. Ils sont indispensables à toute expédition dans l'Everest, que ce soit comme guides ou comme porteurs. Ils installent les camps, sécurisent les voies d'escalade, transportent les réserves d'oxygène, et conduisent leurs clients en haut des sommets himalayens. Ils s'exposent ainsi à des dangers constants.

L'étendue des dégâts à la suite de ces tremblements de terre est immense. L'effort humanitaire pour le Népal se poursuit, et l'aide financière est absolument indispensable.

Si vous avez été bouleversé par cette tragédie, je vous en prie, allez consulter les sites d'organisations d'entraide à but non lucratif :

ActionAid USA : act. actionaid.org/usa/
nepal-earthquake-emergency-appeal

International Federation of Red Cross and Red Crescent Societies : ifrc. org/en/news-and-media/news-stories/
asia-pacific/nepal/earthquake-in-nepal-68486

Nepal Red Cross Society : ammado.com/nonprofit/155815

Oxfam International : oxfam.org/en/emergencies/
nepal-earthquake

Les sherpas népalais constituent le fondement d'une industrie qui affiche le plus fort taux de mortalité au monde, et ils exercent leur métier de guide pour une somme dérisoire comparée aux salaires de leurs homologues occidentaux.

Les conditions de vie dans cette partie de la planète sont très difficiles. Plusieurs associations méritantes se battent pour améliorer le niveau de vie des sherpas.

N'hésitez pas à visiter les sites de ces organisations à but non lucratif:

Himalayan Trust: himalayantrust.org/donate

The Juniper Fund: thejuniperfund.org

Sherpa Education Fund: sherpaedfund.org

Sherpa Healthcare Nepal: sherpahealthcare.org/index. php/donation

Remerciements

Comme toujours, j'ai une dette immense envers celles et ceux qui m'ont apporté leur aide et leur soutien au cours de l'écriture de la nouvelle *Les os du glacier*.

Je loue les incomparables compétences de Kerry Reichs, ma fille et collègue auteur, qui sait déceler dans les actualités et dans les journaux l'idée d'une super bonne histoire. Elle avait lu un article sur les corps abandonnés dans la tristement célèbre zone de la mort du mont Everest, des corps qui sont utilisés comme repères sur les voies d'escalade. Et elle m'a suggéré cette histoire de meurtre en haute altitude.

Je tiens à remercier Melissa Fish, mon assistante, pour son indéfectible enthousiasme et ses recherches de documentation rapides et efficaces sur tout projet que je lui confie.

Je suis reconnaissante envers Carson Sprow, de la firme International Mortuary Shipping, pour sa patience et pour les renseignements qu'il m'a fournis concernant les procédures administratives et les règles de transport de cadavres en caisson réfrigéré depuis Katmandou, au Népal, jusqu'à Charlotte, en Caroline du Nord.

Je remercie également Chuck Henson, de la Section des homicides de Charlotte-Mecklenburg, pour m'avoir si aimablement renseignée sur les problèmes de juridiction en matière d'affaires criminelles internationales, ces cas si étranges.

J'exprime ma sincère gratitude à Jennifer Hershey et à Anne Speyer pour leurs commentaires éditoriaux qui m'ont permis d'améliorer la copie finale de ce texte.

Pour préparer cette nouvelle, j'ai dû consulter des récits d'alpinistes. Je dois beaucoup aux lectures suivantes : *Tragédie à l'Everest* (*Into Thin Air*) de Jon Krakauer ; *The Climb* d'Anatoli Boukreev ; le site web de l'alpiniste Alan Arnette ; et les nombreux blogues et articles en ligne qui permettent de partager l'expérience de ces femmes et de ces hommes d'exception.

Les risques encourus pour escalader le « toit du monde » sont bien sûr fort nombreux. Cependant, génération après génération, certains continuent de céder aux sirènes de l'Everest. Mon histoire n'aurait pas existé sans eux ; aussi je lève mon chapeau à leur courage et à leur détermination de grimper toujours plus haut jusqu'au sommet de cette montagne, tout simplement « parce qu'elle est là ».

De cendre et d'os

Chapitre 1

Je suis assise dans un fauteuil à côté de lui. Un froid glacé s'est répandu au niveau de mon sternum. La peur.

À travers la porte vitrée coulissante me parviennent les sons étouffés de la vie de l'hôpital. Le ronronnement d'un ascenseur qui arrive à l'étage. Le cliquètement d'une civière qui roule dans un couloir. Le nom d'une personne qu'on interpelle. Dans la pièce où je me trouve, un seul bruit : le bourdonnement régulier du moniteur qui affiche les signes vitaux.

Son visage semble décharné et grisâtre, à cause de la lueur des machines autour de lui qui surveillent son pouls et sa respiration. De temps à autre, je jette un œil à l'écran pour vérifier les lignes en zigzag. Je prie pour que se poursuivent le rythme des zébrures vertes et les petits tintements qui le ponctuent.

On est à l'unité des soins intensifs. Si clinique. Si stérile. L'unique touche d'humanité est cette drôle de tache en forme d'oreilles de Mickey Mouse que je remarque sur le montant du lit médical. C'est fou comme le stress aiguise nos sens.

Un drap le recouvre du menton jusqu'aux pieds. Seuls ses bras sont visibles. Il est intubé par le nez pour recevoir l'oxygène. Une aiguille au niveau du poignet permet à une sonde d'acheminer un produit jusqu'à sa veine. Le bras qui supporte le cathéter intraveineux de classe IV repose le long du torse. L'autre bras forme un angle obtus en travers de sa poitrine dont j'observe les faibles mouvements de bas en haut.

Son corps sous le drap blanc paraît plus petit que d'ordinaire. Comme ratatiné. Ou bien est-ce une illusion d'optique liée à cet éclairage d'aquarium ?

Il ne bouge pas. Ses yeux ne clignent pas. Sous cette sinistre lumière, ses paupières offrent une coloration d'un violet translucide, telle la fine pelure d'un oignon rouge. Ses globes oculaires me paraissent davantage enfoncés dans leurs orbites.

Les scènes de fusillade tournées à Hollywood sont juste une grosse fumisterie. Une balle qui pénètre dans le corps d'un homme détruit environ cinquante grammes de tissu. Pas plus. Une balle n'abat pas immédiatement la victime. Pour tuer instantanément, il faut tirer dans la tête, ou assez haut dans la moelle épinière, ou causer une hémorragie immédiate en atteignant une artère ou une veine, ou le cœur. Rien de tout cela ne lui était arrivé. Il avait survécu jusqu'au moment où un passant promenant son chien au milieu de la nuit tombe sur lui. Il était inconscient et perdait son sang, mais respirait encore.

L'appel téléphonique m'avait tirée d'un sommeil profond aux aurores. Une décharge d'adrénaline m'avait envahie tandis que je tenais mon cellulaire d'une main tremblante. Puis il y avait eu la traversée de la ville en voiture aux premières heures du jour, le cœur battant à tout rompre. L'engueulade avec le service des urgences de l'hôpital de Charlotte pour qu'il me laisse rester auprès de lui. Je ne m'étais préoccupée ni des procédures ni de la politesse.

La mort par arme à feu dépend de plusieurs facteurs. La pénétration de la balle assez loin pour atteindre des organes vitaux. La formation de la cavité permanente le long de la trajectoire de la balle. La formation de la cavité temporaire due au transfert de l'énergie cinétique du projectile, de la nature de la balle, de la fragmentation des os. Tout cela lui était arrivé.

Les médecins avaient fait tout leur possible le concernant. Ils m'avaient ensuite parlé avec douceur, d'une voix posée malgré la fatigue, les yeux emplis de compassion. Les dégâts internes étaient trop graves. Il était en train de mourir.

Comment une telle chose était-elle acceptable ? Les hommes de son âge ne meurent pas. Et pourtant si. Nous mourons. L'Amérique est armée jusqu'aux dents, et personne n'est en sécurité.

J'ai senti ma poitrine se serrer. J'ai refoulé l'angoisse qui montait.

La mort, indifférente, frappait à ma porte et s'apprêtait à créer un séisme dans ma vie. Je ne voulais pas envisager les prochaines semaines, les prochains mois. Nous avions fait tant de choses ensemble. Nous avions tant appris l'un de l'autre, émotionnellement aussi. Malgré son côté intransigeant, malgré sa réserve habituelle. Malgré les coups de gueule, malgré les replis sur soi inexpliqués. Les échanges étaient parfois tendus entre nous, mais ils nous poussaient à progresser, à aller plus loin que si nous avions été chacun dans notre coin. L'avenir me semblait morne. Ma tristesse était pareille à un linceul dans lequel je me serais drapée.

C'était un homme bien. Méritant. Qui se consacrait entièrement à son travail. Toujours très occupé, et cependant sachant prendre le temps d'écouter. Il était de bon conseil. Il savait prononcer de sages paroles autant que des propos excessifs. C'était un homme en perpétuelle ébullition.

Je repensais aux heures passées ensemble. Les défis en commun que nous avions relevés. L'identification des problèmes, les solutions apportées. L'attention minutieuse portée au petit détail qui reconstituerait le casse-tête d'une affaire délicate. Le sentiment partagé d'avoir mené à bien une mission, d'avoir trouvé les réponses à des questions compliquées. La frustration mutuelle lorsque nulle solution n'avait émergé.

J'avais tant fréquenté la mort. J'avais examiné tant de cadavres, entiers ou partiels, des corps identifiés ou non. Des vies qui s'étaient achevées de manière inconcevable. Des plus âgés aux plus jeunes, des hommes et des femmes. Parfois, la cause du décès était évidente ; dans d'autres cas, c'était un mystère réclamant toute mon attention. Il était celui qui pouvait me venir en aide.

Très souvent au cours de ma carrière, j'avais été celle qui portait les mauvaises nouvelles. Celles qui allaient radicalement changer votre vie. J'avais été celle qui devait annoncer à des proches que l'un de leurs bien-aimés n'était plus. Il avait toujours été à mes côtés. Une écoute si précieuse.

La mort avait été une constante dans ma vie, et désormais la mort allait mettre un terme à notre cher compagnonnage.

J'ai posé mon regard sur l'homme allongé sur ce lit d'hôpital. Tout appartenait désormais au passé. Il n'y aurait pas d'avenir.

La porte a coulissé et une infirmière est entrée sans bruit, semelles de caoutchouc sur plancher immaculé. C'était une Noire dodue, pas très grande et, d'après son badge, répondant au nom de V. SULE.

L'infirmière V. Sule m'a tapoté la main avec un sourire bienveillant.

— Il est sous morphine, il dort. Vous devriez aller prendre un café, ma chérie.

— Ça va.

Elle m'a tapoté l'épaule, puis a vérifié les niveaux de la perfusion, les tracés et diagrammes sur le moniteur. J'ai déplacé mon fauteuil contre le mur et je me suis rassise, bras au repos sur les accoudoirs. J'étais là depuis des heures. Depuis l'instant où on l'avait ramené du bloc opératoire.

J'observais l'infirmière V. Sule. Ses gestes, précis et efficaces, étaient étrangement gracieux. Je l'ai remerciée quand elle a eu fini.

Le fauteuil était relativement confortable pour du mobilier hospitalier. Il était rembourré et inclinable. Je me suis demandé s'ils privilégiaient ce modèle pour les chambres où le malade avait besoin d'être accompagné sur un long laps de temps, jusqu'à la fin…

Je ne quittais plus des yeux ce drap qui se soulevait et s'abaissait doucement. J'ai senti les larmes venir. Bientôt, je le savais, il rendrait son dernier souffle.

Épuisée, terrassée par le chagrin, j'ai étendu mes jambes et renversé ma tête en arrière.

J'ai fermé les paupières.

Juste pour un moment.

Chapitre 2

Des années plus tôt.
Mercredi 17 décembre, 8 h 07 du matin.
Le bouton de la porte a grincé. J'ai senti un très léger courant d'air, j'ai regardé l'heure et levé le nez, curieuse. Ce sont les vacances d'hiver et le bâtiment est vide. Le campus est vide. Qui peut bien venir à cette heure dans mon labo ?

La porte s'ouvre et deux hommes entrent sans y avoir été invités. Ils sont grands tous les deux, environ un mètre quatre-vingts. Ils ont une bonne trentaine d'années, et leur seule différence, l'un est maigre et l'autre pas.

Je suis agacée d'être interrompue dans mon travail. Je ne suis à la faculté d'anthropologie de l'Université de Caroline du Nord, section Charlotte, que depuis un trimestre. C'est là où je travaille, tout en y terminant ma thèse. Le plus jeune membre de mon jury de doctorat m'a récemment informée qu'il n'approuverait pas l'obtention de ma thèse. Non seulement ce crétin avait refusé de lire mon opus pendant les vacances d'été, mais maintenant qu'il l'avait lu, il exigeait l'ajout d'un nouvel angle d'analyse dans le traitement des statistiques.

Je dois rendre d'ici trois semaines la collection d'os empruntée pour mes recherches. Le trimestre d'hiver va bientôt démarrer, et les cours, les conférences et les exercices doivent être tous prêts. Je n'ai même pas encore décoré le sapin ni acheté le moindre cadeau. Alors, en effet, je ne suis pas dans l'esprit des fêtes.

Le plus gros des deux a le mot police tatoué sur le front. Sa peau, luisante, s'accorde parfaitement à ses cheveux gras.

Veste brune en velours côtelé, pantalon en polyester lustré au niveau des fesses, cravate achetée chez Kmart. La démarche arrogante.

Le plus maigre a l'air de son parfait contraire, et pas juste à cause de la corpulence. Habit sur mesure, cravate en soie, chemise bien coupée, des chaussures en cuir italien tellement cirées qu'on pourrait se mirer dedans. Ses cheveux sont habilement coiffés pour dissimuler un début de calvitie.

J'ai abaissé mon masque en papier, mais sans me lever. Ils se sont approchés jusqu'à ma table de travail. Monsieur Arrogant a ouvert le bal :

— Où est le Dr Becknell ?

— Je suis le Dr Brennan.

Enfin, c'était peut-être un peu prématuré pour ce qui était du titre, mais je le serais bientôt. Si je pouvais me débarrasser de ces deux-là et m'en retourner à mes os...

— Puis-je vous aider ?

— On a besoin de voir le docteur.

— Et messieurs, vous êtes... ? ai-je poliment demandé en reposant ma loupe à main.

Monsieur Arrogant a tiré d'un coup sec sur son badge qu'il avait à la ceinture et l'a brandi. Le gousset en cuir était si neuf qu'il sentait encore la vache.

— Félicitations pour la promotion, détective Slidell.

Slidell a relevé le menton et a plissé les paupières.

— Tout frais sorti des presses, ai-je répondu à sa question muette, avant de regarder son collègue.

— Détective Eddie Rinaldi. On est navrés pour le dérangement, m'dame.

— Elle est où, Becknell ? a demandé Slidell.

— Indisponible.

— Comment on peut la prévenir et faire en sorte qu'elle le devienne ?

— Ça risque d'être difficile.

— La vie est difficile.

— Le Dr Becknell est en congé sabbatique.

— Ce qui signifie ?

— Elle est partie ailleurs.

Je soupçonnais ce Slidell de n'être pas au fait des us et coutumes du monde universitaire.

— Ailleurs où ?

— Azraq, dans le nord de la Jordanie.

— Qu'est-ce qu'elle fout là-bas ?

— Des fouilles. C'est un site épipaléolithique, du début du Kébarien jusqu'au Acheuléen. Il y a aussi quelques couches datant du Moustérien.

J'inventais à moitié, mais je savais que ça lui clouerait le bec. Un peu vache, mais l'attitude de Slidell ne s'accordait pas trop avec la mienne.

— Épatant.

— En effet.

Slidell a soutenu mon regard, puis a lorgné vers la table.

— C'est quoi ?

— Des restes de crémation préhistorique.

Il a roulé des yeux, visiblement agacé de mon jargon archéologique.

— Des os brûlés.

— Qui est la victime ?

— Une fille morte dans son adolescence.

— Cause du décès ?

— Son cœur a cessé de battre.

— Vous êtes drôle.

— J'essaie.

— Alors vous êtes comme Doc Becknell, le genre à murmurer à l'oreille des os ?

— Que voulez-vous, au juste, détective ?

Le temps filait et je n'aimais pas cet homme.

— J'ai un carbonisé qui a besoin d'un nom.

— Pardon ?

Sentant le ton insulté dans ma voix, Rinaldi s'en est mêlé.

— Laissez-moi vous expliquer. Un médecin appelé Keith Millikin a disparu il y a environ une semaine. Le Dr Millikin dirigeait une clinique sur Wilkinson Boulevard. Il y soignait à lui tout seul les sans-abri, les démunis, les jeunes de la rue, les...

— ... drogués et les bons à rien.

J'ai ignoré la remarque de Slidell. Rinaldi a fait de même.

— Lorsque le Dr Millikin n'a pas ouvert son cabinet cinq jours d'affilée, un de ses patients, un gentleman du nom de Louis Grimm, a signalé sa disparition à la police.

J'ai attendu la suite, mais Rinaldi s'est tu.

— Continuez.

Il était sur ses gardes. J'avais une petite idée de là où ça nous menait.

Slidell a ouvert la bouche, mais son coéquipier lui a fait signe de la fermer en brandissant doucement sa paume ouverte. J'ai noté de longs doigts fins, élégants et des ongles bien soignés, quoique rongés.

— Le Dr Millikin vivait dans une roulotte Airstream du côté de l'autoroute 49, non loin de la ligne de chemin de fer. Hier, n'obtenant pas de réponse de la police, M. Grimm a persuadé son frère de l'amener chez Dr Millikin. Je résume un peu…

— À peine.

— M. Grimm a remarqué que l'arrière de la roulotte avait été endommagé par le feu. La porte n'étant pas fermée à clé, il est entré. (Rinaldi parlait comme s'il lisait un rapport de police.) L'intérieur avait été dévasté par un incendie. Il a repéré des restes humains, mais, persuadé qu'une fois de plus les autorités ignoreraient….

— Grimm a mis les os dans un sac et s'est ramené le cul à la morgue, a continué son coéquipier. Apparemment, son frère et lui ont vu trop d'épisodes de la série *Quincy*.

Sans connaître toutes les procédures de récupération sur une scène de mort suspecte, ça n'augurait rien de bon. Je n'ai pas commenté.

— L'équipe qui gère les incendies criminels doit se rendre sur place. D'après le récit de M. Grimm, un chauffage au kérosène serait à l'origine du sinistre.

— Les corps humains, c'est pas comme les saucisses. La fumée ne les rend pas meilleurs.

Ce Slidell croit qu'il a énormément d'esprit. À nouveau, je l'ai ignoré.

— Je suis spécialiste en bioarchéologie. Je ne fais pas d'expertise médico-légale.

J'ai passé sous silence le minuscule squelette que j'avais une fois étudié à la demande d'un étudiant diplômé en anthropologie qui est aujourd'hui flic. Ces images me hantaient encore.

— Un bout de cadavre carbonisé reste un bout de cadavre carbonisé, a lancé Slidell.

— Les «bouts de cadavre carbonisé» que j'analyse sont morts il y a deux mille ans. Aucun médecin légiste ne leur délivrera un certificat de décès. Aucune compagnie d'assurances ne cherchera les héritiers.

— Alors pourquoi s'en occuper?

— Les archéologues travaillent à remettre ensemble les traces du passé de l'humanité. (À présent, j'étais sur la défensive et prête à cracher comme un volcan.) Pour déconstruire la complexité de...

— Ouais, tout ça intéresse une poignée d'intellos dans leur tour d'ivoire.

— Je pense que l'intérêt pour l'évolution de l'espèce humaine touche un public infiniment plus vaste.

Super... Comment allais-je convaincre ce crétin de ma passion pour la bioarchéologie? Ma passion pour des gens qui habitaient cette planète bien longtemps avant moi? Mon envie de découvrir leurs réussites, leurs échecs, les menus détails de leurs vies? La façon dont je me sens reliée à eux quand j'effleure leurs os?

Slidell m'a jeté un bref coup d'œil condescendant. Puis il a tenté une approche différente. Une approche positive.

— Doc Becknell est impliquée dans le passé mais pas au détriment du présent.

Il marquait un point. Toutefois, je n'avais guère de temps à leur consacrer. J'avais une grosse pression sur un boulot à terminer. Était-ce là la seule raison de ma réticence? Ou bien y avait-il autre chose en cause? La peur de ne pas être à la hauteur?

— Le Dr Becknell a des compétences que je n'ai pas.

Slidell a ri, d'un petit rire moqueur.

— *Bullshit.*

J'étais rouge de colère. Je me suis abstenue de lui répondre du tac au tac. Rinaldi a tenté de désamorcer la crise.

— Ce n'est pas ce que mon coéquipier voulait dire.

Je n'ai rien dit, mais je l'ai pensé: *bullshit.*

— Skinny veut dire qu'il a confiance en vos compétences pour établir l'identification de cet homme.

— Skinny?

Slidell est tout, sauf maigre.

— C'est Erskine.

Slidell a regardé son collègue d'un air furieux. Moi, j'ai enregistré le surnom pour une future utilisation.

— Est-ce que le Dr Millikin avait de la famille ?

Malgré moi, je commençais à m'intéresser à cette affaire.

— Un fils qui vit dans le Wisconsin. (Rinaldi a fait une pause, évaluant en bon flic ce qu'il devait ou non me confier.) Le Dr Millikin était un solitaire. Et d'après tous les témoignages recueillis, un bonhomme un peu bizarre. Mais ses patients le trouvaient généreux et bienveillant.

— Vous parlez de lui au passé.

— Ses patients ont tous insisté sur le fait qu'il ne les aurait jamais volontairement abandonnés. Or, un corps carbonisé a été retrouvé à son domicile.

Rinaldi a haussé les sourcils, l'air de dire : c'est assez clair, je pense…

— Millikin était un détraqué, Millikin était un saint, peu importe, a conclu Slidell, visiblement pressé de boucler le dossier. Tant que personne ne l'a identifié, j'ai un inconnu dans ma chambre froide avec une étiquette au gros orteil. Enfin…, s'il lui reste un orteil.

— Au risque de me répéter, je ne travaille pas sur des affaires criminelles.

— Vous pourriez essayer.

Du calme, Brennan.

— Je suis vraiment désolée. De toute façon, je n'ai pas de temps à lui consacrer maintenant.

— Mais vous avez du temps pour des gens qui ne respirent plus depuis l'époque où saint Jean Baptiste baptisait tout le monde sur les rives du Jourdain.

— Belle image.

— Je fais des efforts.

Il avait retourné ma répartie avec finesse. Odieux mais pas idiot.

Slidell a croisé les bras et m'a fixée de ses yeux verts. J'ai soutenu son regard. Ses doigts tapotaient sa manche de veste brune en velours côtelé. Plusieurs de ses ongles étaient sales, d'une saleté dont je refusais de déterminer l'origine.

On n'entendait plus que les bruits alentour. Le grésillement des néons au-dessus de nos têtes. Le bourdonnement discret de la climatisation. Le ronronnement du moteur du frigo d'entreposage.

— Si vous voulez bien m'excuser, ai-je dit en me levant.

Le tapotement des doigts s'est intensifié. Il m'a paru évident que Slidell n'était pas du genre à renoncer sans avoir obtenu ce qu'il voulait.

Aucun de nous ne bougeait plus, ni ne parlait. Puis le détective est passé à l'attaque.

— Je suppose que la p'tite dame n'est pas prête pour les ligues majeures.

— Voyons, détective, vous pouvez faire mieux que ça !

Il fallait que je me calme. Parce que, là, j'avais juste envie de lui arracher sa cravate et de m'en servir pour lui tordre le cou.

Une sonnerie a retenti dans tout le bâtiment, annonçant aux étudiants le début des vacances.

Slidell a décroisé ses bras. Il a ouvert la bouche pour dire quelque chose, mais Rinaldi s'est interposé et a pris la parole.

— Puis-je me permettre une dernière remarque ?

J'ai acquiescé d'un hochement de tête.

— Keith Millikin était un homme cultivé. Un médecin. Il aurait pu choisir de vivre une tout autre vie. Jouer au golf, partir en croisière, rouler en Porsche. Il n'a pas mené cette existence-là. Il habitait dans une roulotte et soignait des gens que la société méprise et rejette. Les pauvres et les délaissés. Allons-nous le délaisser à notre tour ?

Enfant de chienne.

J'ai alors pris une décision qui changerait à jamais le cours de ma vie.

Chapitre 3

Le MCME, le Bureau du médecin légiste du comté de Mecklenburg, est situé dans les quartiers résidentiels de Charlotte. Ça m'avait pris vingt minutes en voiture. Voilà la manière dont je raisonne. Comptabilisant les minutes perdues, tel le compteur d'un taxi, les kilomètres.

Rinaldi m'avait expliqué le chemin et, grâce à lui, j'ai pu me retrouver devant cet énorme cube construit en briques et qui avait la grâce architecturale d'un bunker stalinien. Des pancartes indiquaient le MCME d'un côté et, de l'autre, les locaux de la Section des homicides de Charlotte-Mecklenburg. Pour se garer, aucun problème. Le bâtiment était entouré d'assez d'asphalte pour refaire les routes de toute la ville d'Orlando.

J'ai coupé le moteur de ma Volkswagen Coccinelle et je suis descendue. Le ciel était nuageux, la pluie ne tarderait pas à tomber. Un vent mordant soufflait en rafales.

J'ai grimpé les quelques marches du perron menant à l'entrée, une porte en verre à double battant. À gauche, derrière une vitre, une femme se tenait à l'accueil. Elle était blonde et suivait certainement un régime riche en glucides. Son gilet avait une teinte jaune poussin assortie aux marguerites de sa robe chemisier. Les boutons du gilet étaient reliés par une chaînette.

J'ai collé sur la vitre ma carte étudiante de l'université. La femme l'a examinée si longuement que je me suis demandé si elle ne l'apprenait pas par cœur. Puis, l'air satisfaite, elle m'a gratifiée d'un immense sourire. Sa dentition laissait malheureusement à désirer.

La serrure électrique a bourdonné, me permettant d'entrer dans un microscopique vestibule ouvrant sur une autre porte vitrée. À gauche s'étendait le poste de commande de Gilet Jaune, ainsi que quatre cubicules avec chacun un petit bureau. À droite, il y avait un ensemble de fauteuils, tables en bois, magazines, plantes en plastique. La salle d'attente classique. Personne d'autre que moi n'attendait.

Gilet Jaune m'a accueillie. Elle était plus jeune qu'elle ne m'avait semblé. Trop jeune certainement pour l'atroce permanente et le gilet à chaînette.

— Bonjour, docteur Brennan. (Elle avait un accent à couper au couteau.) Je me présente : madame Flowers.

Nous nous sommes serré la main. Ou plutôt, elle m'a écrasé la main.

— Le Dr Larabee vous attend. Je vais le prévenir de votre arrivée.

— Merci.

J'imaginais que Larabee était le nom du médecin légiste en chef.

— Installez-vous, je vous en prie.

Je me suis assise face aux cubicules dont un seul attestait d'une activité réelle : agrafeuse, stylos, dossiers empilés. Une affiche de Joe DiMaggio était accrochée au mur.

Derrière le bureau de Mme Flowers, j'ai aperçu une montagne de classeurs gris et, face à eux, un tableau blanc où était dessinée une espèce de grille. Dans chaque case apparaissaient des références — des combinaisons de lettres et de chiffres, suivies de dates — auxquelles je ne comprenais rien.

Il devait s'agir d'affaires traitées par le MCME en ce moment, suicides, homicides ou accidents. Des morts qui allaient bénéficier de la fameuse incision en Y. J'en ai lu une : ME1207, suivie d'une date. Les lettres *Sk-b* avaient été écrites dans une des cases. S'agissait-il de la victime que je devais examiner ?

Le temps s'écoulait. J'attendais depuis dix minutes et je me demandais si Slidell aurait réussi à mettre la main sur les dossiers *ante mortem* que je lui avais suggéré de récupérer. S'il aurait trouvé un dentiste légiste pour les analyser. Et si Rinaldi aurait recueilli des témoignages intéressants de voisins dans le quartier où vivait Millikin.

Enfin, un homme s'est avancé à grandes enjambées souples dans ma direction. Il possédait des bras et des jambes musculeux, un torse efflanqué sous sa blouse chirurgicale bleue. Je me suis levée.

— Dr Tim Larabee.

Il ne m'a pas tendu la main. Ça faisait mon affaire, vu que les taches de sang qui maculaient le haut de son tablier n'étaient guère rassurantes.

— Temperance Brennan.

— Je vous prie de bien vouloir excuser mon retard, j'avais une affaire en cours sur la table, une blessure par balle.

— Pas de problème.

— Merci d'avoir accepté de nous filer un coup de main.

Larabee m'a scrutée de son regard intense. Cet homme dégageait une énergie contagieuse.

— Je ne sais pas encore comment je vais pouvoir vous être utile.

— Vous me surpassez dans le domaine des os. La connaissance que j'en ai est assez limitée. Prête pour le grand saut ?

J'ai hoché la tête et ramassé mon sac à main et mon sac à dos.

Larabee m'a conduite jusqu'au théâtre des opérations, la partie sale du service. Ses Nike ont émis de légers couinements lorsque nous avons quitté le tapis pour un revêtement de tuiles. Mes talons cliquetaient joliment. On a longé un couloir, dépassé plusieurs portes pour nous arrêter devant une autre marquée « AUTOPSIE ».

— Vous allez travailler ici. Moi, je serai là-bas, a-t-il dit en indiquant une autre porte, en tout point semblable — même sinistre plaque apposée dessus. Celle-ci est équipée d'un système de ventilation spécial. À cause de l'odeur…, s'est-il senti obligé de préciser. Mon meilleur technicien d'autopsie, Joe Hawkins, l'a surnommée « la salle qui pue ».

Ça m'a laissée sans voix.

— Mais je ne pense pas que vous en aurez besoin dans le cas présent. Il n'y a presque pas de tissus mous. (Larabee a pointé son index vers une porte au fond du couloir sans aucune plaque, cette fois.) Là-bas, c'est le vestiaire. Nous n'avons pas de tenue pour femmes, mais une taille petite d'homme devrait vous aller.

— Sexy.

Larabee m'a jeté un coup d'œil pour vérifier que je plaisantais.

— Joe n'est pas là. Il est parti récupérer des restes. J'ai peur que vous ne soyez livrée à vous-même. Mais il a sorti les formulaires, les appareils photos et le matériel du Dr Becknell. Les radiographies sont sur le comptoir. Si vous avez besoin de quoi que ce soit, venez me chercher.

Sur ce, il s'est éclipsé.

Je me suis donc rendue dans le vestiaire pour troquer mes vêtements de ville contre la tenue réglementaire de la salle d'autopsie. J'ai remonté les manches en les roulant jusqu'au coude et resserré le cordon à la taille. Les jambes de pantalon flottaient un peu, mais, en gros, ça allait. Et, pour la première fois, je suis entrée dans la salle qui pue.

Le formulaire d'admission du ME1207 contenait peu d'informations. Une référence de dossier. Une description succincte des restes et du contexte entourant leur présence à la morgue. Slidell et Rinaldi y étaient mentionnés comme étant les enquêteurs sur l'affaire.

La pièce était composée d'une unique table d'autopsie, équipée d'un plafonnier orientable. Un comptoir courait le long du mur avec des placards en haut et en bas, un évier, une balance, un microscope à dissection. Beaucoup d'objets en verre et en acier inoxydable.

Un Nikon et un Polaroïd avaient été disposés sur le comptoir. J'ai vérifié, ils étaient prêts à utiliser.

À côté était couchée une mallette en métal, fermée par des verrous à tête papillon. J'en ai déduis que j'avais sous les yeux le matériel du Dr Becknell. D'une pichenette du pouce, j'ai ouvert la mallette. À l'intérieur, tous les outils utiles pour le travail : un pied à coulisse, des brosses, des loupes, un schéma du développement de la dentition du jeune adulte, une liste d'équations pour calculer la longueur des os longs.

J'ai ouvert un ou deux tiroirs à la recherche du complément à ma tenue : un tablier en papier et un masque. Des gants à usage unique. J'ai ignoré les lunettes de protection.

La boîte de carton sur la table avait autrefois servi comme caisse de céréales Corn Flakes. Le numéro écrit sur le dessus de la boîte correspondait à celui lu sur le formulaire et sur le tableau blanc de Mme Flowers.

J'ai pris plusieurs photos avec le 35 mm, j'ai complété avec quelques photos Polaroïd et j'ai placé les radios sur le négatoscope accroché au mur. Chacune claquait avec un petit bruit de roulis.

J'ai allumé le négatoscope pour étudier les radios une à une. J'y ai vu un crâne, d'autres formes blanches brillantes que j'ai identifiées comme étant des os et des dents. Des taches plus opaques devaient représenter des soins dentaires. Je n'avais pas la moindre idée de la nature de la matrice grise.

J'ai trouvé un drap de plastique que j'ai déplié sur la table, puis j'ai enfilé mon équipement de protection et ouvert la boîte de carton. J'ai eu un coup au cœur.

Les frères Grimm avait fait du bon boulot en extrayant le défunt de la roulotte. La boîte, à moitié remplie, contenait essentiellement des os, peu de débris. La mixture grise s'est avérée être des morceaux de tapis et de tissu carbonisés ayant adhéré à l'os.

Les frères Grimm avait fait du mauvais boulot dans leur estimation du volume d'un homme calciné. Et du mauvais boulot pour ce qui était d'avoir conservé ces restes intacts. Avec le crâne, il y avait aussi les os des membres, tous brisés, la moitié gauche du maxillaire inférieur et un fragment de bassin. Les teintes allaient du noir au blanc en passant par le gris, ce qui signifiait un degré différent d'exposition aux flammes. En examinant l'assemblage postcrânien minimal, j'ai vite su que des parties importantes manquaient.

Lentement, avec mille précautions, j'ai commencé à transférer les éléments. Certains étaient cassants et laissaient dans leur sillage un filet de cendres sur le plastique bleu. D'autres gardaient un bout de tendon ou de muscle accroché avec cet aspect de vieux cuir qui me faisait penser à de la viande de bœuf séchée. L'air était saturé d'une odeur de braise et de viande roussie.

En fin de compte, c'était un squelette en morceaux, des jambes et des bras écartés, un torse clairsemé, des mains et des pieds absents. Bien que le crâne ait été conservé à peu près intact, le visage était très abîmé et chaque couronne dentaire manquait à l'appel sur le maxillaire supérieur et le maxillaire inférieur.

J'ai calé le crâne sur un anneau en caoutchouc pour qu'il reste droit. Il me fixait de ses orbites noires et vides.

J'ai entamé mon examen. Le sang pulsait dans mes veines. Je devais l'admettre, et à contrecœur, Slidell avait raison. Mes compétences n'étaient pas en cause.

J'ai scruté les arcades sourcilières et les contours, la crête occipitale sur l'occiput, le fragment de bassin qui incluait les zones pubienne et sacro-iliaque. J'ai pris la mesure du diamètre de la tête fémorale décapitée et j'ai gribouillé des notes. Pour le genre, j'ai inscrit «Sexe masculin».

Il restait suffisamment de la symphyse pubienne droite pour observer la surface articulaire. Deux côtes sternales entières. Deux couronnes de molaires isolées montraient une usure partielle sur les surfaces occlusales. J'ai vérifié, à l'aide des radios, l'emplacement des racines des molaires sur le bout de maxillaire inférieur en ma possession. J'ai estimé l'âge de la victime entre trente-cinq et cinquante ans.

Avec mes morts du lointain passé, il n'est pas utile de chercher la race à laquelle ils appartiennent. Mais je connais les marqueurs. J'ai remarqué une cavité nasale fine et des pommettes étroites. La partie basse du visage peu proéminente. Une arcade dentaire parabolique. J'ai inscrit «Type caucasien». J'ai ajouté un point d'interrogation. Puis je l'ai effacé.

La diaphyse du fémur était assez conséquente pour calculer la taille. J'ai procédé aux mesures, puis aux calculs, et j'ai ajouté le résultat sur le formulaire: entre un mètre soixante-seize et un mètre quatre-vingt-cinq. L'écart était grand, j'en avais conscience et je voyais déjà d'ici le petit sourire méprisant de Slidell. Mais l'os était incomplet et je n'étais pas sûre du taux de rétrécissement induit par la combustion.

Cependant, Slidell serait satisfait. Les restes étaient compatibles avec ce que Rinaldi et lui m'avaient raconté au sujet de Keith Millikin.

Mais quelque chose me chicotait. Je savais que la crémation d'un corps humain prenait environ une heure trente à 540° Celsius. En gros. Les frères Grimm avaient dit que très peu de dégâts étaient visibles à l'extérieur de la roulotte. Cependant Millikin était bel et bien consumé. J'étais perplexe. Pendant combien de temps l'incendie avait-il dévasté l'Airstream avant d'être détecté ? Je sais que la graisse humaine peut servir de carburant une fois que les combustibles disponibles sont taris. Je me suis laissé une note pour penser à leur demander si Millikin était obèse.

Une autre chose ne collait pas. Notre cerveau est composé à 75 % d'eau. Exposée à de telles températures, et si longtemps, l'eau se transforme en vapeur. La vapeur brûlante se répand, et fait craquer les sutures du crâne, parfois même le fait exploser.

La tête de Millikin ne montrait aucune fracture thermique. Pourquoi ?

J'ai fait pivoter le crâne sur son socle de caoutchouc en examinant chaque détail avec une loupe à main. Le sommet du crâne était recouvert d'une substance visqueuse que j'ai grattée par petits bouts à l'aide d'une pince. Une fois la zone nettoyée, j'ai repris ma loupe. Et j'ai alors ressenti un tressaillement caractéristique à l'estomac.

Je fixais la zone en respirant l'air empli d'odeur de brûlé. Je ne parvenais pas à détacher mes yeux de ce que je voyais, nez collé à la loupe. Slidell est apparu sur le seuil de la pièce à ce moment-là. Ses cheveux, aplatis au milieu, formaient deux touffes humides. Sa veste en velours côtelé était constellée de taches plus sombres.

La pluie devait tomber dehors, et pas qu'un peu. Un coup d'œil à la pendule : 12 h 14.

J'ai reposé ma loupe.

— Détective…

Aucune réponse. Slidell ne regardait rien d'autre que les restes calcinés de la victime sur le plastique bleu.

— Détective, avez-vous obtenu le dossier dentaire du Dr Millikin ?

Il a retiré une enveloppe de sa poche et l'a plaquée sur le comptoir.

— Des originaux ?

Je lui avais expliqué que des copies ne seraient pas assez fiables.

— Ouais… Dr Steiner est une vraie soie.

J'imaginais sans peine leur petite conversation. Une vague de compassion pour le Dr Steiner m'a envahie.

— Avez-vous contacté un dentiste légiste ?

— Pas besoin.

— Je ne suis pas assez qualifiée pour...

— Alors, ça donne quoi ? a-t-il dit en pointant son pouce vers la table d'autopsie.

Je lui ai expliqué que le profil établi correspondait aux infos qu'il m'avait données sur le Dr Millikin.

Il a ruminé la chose un instant.

— La victime est un homme d'âge moyen, ai-je ajouté, pensant qu'il ne suivait pas.

Slidell m'a balancé un regard lourd, comme si je lui racontais que les grenouilles coassent. Puis son carnet à spirales de flic est apparu par magie. Un crayon. Il était prêt.

— Crachez le morceau.

J'ai donc décrit en détail toutes mes constatations et il les notait au fur et à mesure dans une sorte de sténo propre à lui. Puis, sans lever les yeux, il a demandé :

— La suite, c'est quoi ?

Je lui ai indiqué mon estimation sur la taille de l'individu.

— C'est la taille moyenne chez la moitié de la population.

— C'est le mieux que je puisse faire avec tout ce qui manque.

— Que voulez-vous dire, tout ce qui manque ?

— Ce qui n'est plus. Absent. Parti sans prévenir.

— Brûlé ?

— Ou non récupéré.

— Comme quoi ?

— Comme les mains et les pieds. Et la majeure partie de sa dentition.

— Y en aura assez pour avoir une réponse certaine avec ça ? a-t-il dit en désignant l'enveloppe du Dr Steiner.

— Ça reste aléatoire.

— Aléatoire ?

— J'ai un total de trois couronnes, c'est tout.

— Vous reconnaissez des dents brûlées lorsque vous en voyez ?

— Absolument, ai-je répondu, soudain sur mes gardes.

Une fraction de seconde plus tard, il refermait bruyamment son carnet et le faisait disparaître dans sa poche.

— Vous devez aller là-bas.

— Non.

— Le Dr Becknell le ferait.

— Je ne suis pas le Dr Becknell.

Un moment de silence.

Puis je l'ai brisé.

— J'ai découvert quelque chose de perturbant.

J'ai appliqué ma loupe sur la région pariétale postérieure droite et je lui ai fait signe de s'approcher.

Slidell a contourné la table et m'a pris la loupe des mains. Il a examiné le crâne. Si près de lui, je pouvais apercevoir les stries blanches de son cuir chevelu entre ses mèches de cheveux trempées. Je pouvais respirer l'eau de Cologne bon marché et l'odeur de cigarette qui imprégnaient ses vêtements.

Quand il s'est redressé, j'ai bien compris à l'intonation de sa voix que les ennuis ne faisaient que commencer.

Chapitre 4

— Est-ce que c'est ce que je pense ? a-t-il déclaré avec une énergie que je ne lui connaissais pas.

— Oui, en effet.

— Vous en êtes sûre ?

— Oui, détective, c'est l'impact d'une balle entrante.

— Comment le savez-vous ? a-t-il insisté en rouvrant son carnet à spirales.

— La forme ronde, les fissures radiales, la vue endocrânienne.

Slidell a plissé les yeux, genre, je ne comprends pas.

— La vue du crâne de l'intérieur.

— Où est la trace de sortie ?

— Je ne sais pas.

— Où est la balle ?

Les questions fusaient. Je me demandais si c'était son premier homicide.

— Y a-t-il une chance pour que Millikin se soit tiré lui-même ?

— C'est possible, mais peu probable.

Pour le lui prouver, j'ai mimé le canon d'une arme avec mon index et mon majeur, mon coude bizarrement replié à l'arrière de mon crâne.

— Quoi d'autre ?

— J'ai été surprise que son crâne soit resté intact. L'impact de la balle en fournit l'explication.

Slidell a joué avec son crayon, en signe d'impatience.

— Ce devait être un four, dans cette roulotte. À de telles températures, les liquides présents dans le cerveau se répandent et la pression augmente à l'intérieur de la boîte crânienne qui se fissure ou explose.

J'avais simplifié à l'extrême, mais au moins, c'était clair.

— En fait, le trou a permis à la vapeur de s'échapper.

— Exactement, ai-je répondu en songeant qu'il ne s'en sortait pas trop mal.

— Vous êtes donc en train de me dire qu'un méchant malade a zigouillé Millikin avant de le faire frire ?

— Je suis en train de vous dire que Millikin a reçu une balle dans la tête. Je ne sais pas si c'est cela qui l'a tué, ni même si *c'est* bien lui.

— Et avec ces radios ? a-t-il répété en pointant l'enveloppe.

— Je vous l'ai déjà précisé, je ne suis pas dentiste légiste.

— Je suis sans voix... Jetez-y juste un coup d'œil.

Il m'a suivie des yeux pendant que je coinçais chacune des petites radios par ordre anatomique sur le négatoscope.

— Merde.

— Quoi ?

— Tous les soins que Millikin a subis sont sur le maxillaire inférieur droit. Et ce n'est pas ce côté-là de la mâchoire qu'on possède.

— Vous pensez qu'elle y sera encore ?

J'ai répondu en haussant les épaules. Comment savoir ?

Slidell a émis un raclement de gorge très étrange, difficile à interpréter. Il a remonté sa manche pour vérifier l'heure.

— Rinaldi m'a prévenu par radio pendant que je venais vous voir. Dans vingt minutes, les techniciens chargés des incendies criminels vont débarquer dans la roulotte.

Cela équivalait à une sentence de mort pour de petits os fragiles. Slidell le savait, et il savait que je le savais. Son débit de voix s'est encore plus accéléré.

— D'après tous les témoignages, ce gars, Millikin, c'était la mère Teresa de la ville de Charlotte. Vous ne voulez pas nous aider à trouver le bâtard qui l'a assassiné ?

— Ça, c'est votre travail.

— Ça ne va pas mettre votre vie en péril que de lui consacrer quelques heures...

Slidell me testait, j'en étais convaincue. Mais il avait raison sur un point : si je ne le faisais pas, j'aurais mauvaise conscience. J'ai attrapé le téléphone mural, vérifié le numéro de poste de l'autre salle d'autopsie, et j'ai appelé Larabee pour lui expliquer la situation.

— OK, mais nous devons êtes prudents.

Nous ?

— Il vous en manque beaucoup ?

Je lui ai répondu. Long silence à l'autre bout du fil.

— Croyez-vous que d'autres dents auraient pu résister à l'incendie ?

— C'est possible.

— Désirez-vous y aller ?

— Je n'ai jamais travaillé sur une scène de crime ravagée par les flammes.

— Ça vous dirait qu'on le fasse ensemble ?

J'ai remis de l'ordre dans mes pensées, en jaugeant les priorités. C'est là que j'ai pris une autre grande décision.

**

L'Airstream de Millikin était située non loin de la 49, presque à la frontière de la Caroline du Sud. Bien trop au sud de Charlotte, et bien trop au nord de Lake Wylie. Le prix de l'immobilier dans ce secteur isolé et pas très branché était, de fait, bon marché. C'est tout juste si j'ai croisé quelques maisons sur cette autoroute à double voie, avant de m'engager sur la bretelle de sortie.

J'ai tourné à droite pour atterrir sur une petite route étroite qui coupait à travers une forêt de noyers, de chênes de montagne et de pins rouges. Il pleuvait à torrent, les essuie-glaces fonctionnaient à pleine vitesse et les pneus crissaient sous le gravier, dérapant un peu dans les virages. À la radio, une chanteuse s'époumonait sur des paroles où il était question d'anges et de rennes.

Encore quatre cents mètres, et j'atteignais enfin la clôture, peu avenante, en fil de fer barbelé. Sur plusieurs pancartes, il était écrit en orange fluo sur fond noir : « Défense d'entrer — Propriété privée ». Mais comme la clôture était ouverte, je suis entrée.

L'Airstream était une véritable maison sur roues, pas la minuscule roulotte à laquelle je m'attendais. Avec sa forme arrondie caractéristique et son revêtement en aluminium brossé, simplement décoré d'une bande bleue, elle était assez design. L'entrée avait été équipée d'une véranda en bois et d'un auvent, sans doute bricolés par le propriétaire, où se trouvait un fauteuil La-Z-Boy plus que défraîchi : le rembourrage sortait en boules par les coutures comme de la pâte à pain saturée de levure. La porte d'entrée comportait une vitre carrée dotée d'un store intérieur, mais, tout comme la clôture, quelqu'un l'avait laissée grande ouverte.

Toujours au volant, j'ai pris le temps de faire le tour du propriétaire. Une cabane se dressait derrière l'Airstream. Face à elle, un rectangle de terre boueuse était clôturé avec le même barbelé que celui entourant le terrain. Une allée de gravier délimitée par des pierres reliait les trois lieux en formant un triangle sur l'herbe détrempée.

Dans ce qui servait de jardin, on avait commencé à planter des pieux autour de monticules parallèles, désormais dénués de végétation. Entre ces talus déferlaient des rigoles d'eau alimentées par la pluie battante.

Un camion s'était garé près de l'Airstream. Le logo ne laissait planer aucun doute sur l'objet de sa présence : POLICE SCIENTIFIQUE DE CHARLOTTE-MECKLENBURG. À ses côtés, il y avait une Ford Crown Victoria blanche et une Pontiac Bonneville noire. Il était probable qu'elles appartenaient à Slidell et à Rinaldi. Quoique pas si sûre concernant la seconde. Après tout, l'Airstream devait bien être remorquée par un véhicule ? Je me demandais à quel endroit Millikin garait sa voiture ou sa camionnette.

J'ai décidé de me glisser le long de la Pontiac, j'ai coupé le moteur et je suis descendue de la voiture. Une créature a couiné quelque part dans les bois alentour. J'ai frémi, songeant alors à la musique de ce film terrifiant où une guitare et un banjo se répondent mutuellement... N'apercevant rien de menaçant, j'ai attrapé sur la banquette arrière la mallette du Dr Becknell et l'étui contenant l'appareil photo. J'ai ensuite foncé sous l'averse jusqu'à la roulotte.

J'ai pénétré dans ce qui avait dû être autrefois une cuisine. L'air était humide et chargé de relents de fumée, de métal calciné et de plastique fondu. Tout était recouvert d'une épaisse couche de suie.

Mon cerveau continuait à engranger des informations. J'ai remarqué les carcasses dévastées par les flammes d'un évier, d'un poêle et d'un réfrigérateur. Une toilette toute tordue. Un tube noirci qui devait certainement soutenir la table. Des tuyaux à moitié consumés déboîtés de leurs points d'attache.

Slidell et Rinaldi se tenaient sur ma droite dans ce qui avait dû être le salon. Des fils électriques pendaient du plafond. Des objets méconnaissables jonchaient le sol un peu partout au milieu de fauteuils et de chaises dénudées.

Deux techniciens spécialistes des incendies criminels travaillaient encore dans la pièce, l'un prenait des photos, l'autre, à quatre pattes par terre, notait des choses tout en longeant le mur. J'imaginais que Slidell les avait prévenus qu'il avait requalifié l'endroit de scène de crime.

J'ai posé la mallette et la sacoche, et je me suis approchée. Slidell s'est retourné.

— La chambre, a-t-il dit en désignant la pièce à l'extrémité de la roulotte. Allez-y. Ils l'ont déjà photographiée.

J'ai fait marche arrière pour ramasser mon matériel et je me suis faufilée sous des étagères métalliques à moitié détruites, mes bottes écrasant une stratigraphie complexe essentiellement composée de verre brisé. Près de l'encadrement de la porte, un nouvel élément olfactif et… nocif : de l'essence ou du kérosène.

Je me suis figée sur le seuil. L'adrénaline déferlait en moi. Pas à cause de l'odeur, mais à cause de la vue.

La pièce était petite. Environ deux mètres sur trois. Elle était remplie de décombres carbonisés et d'un matelas noirci dont les ressorts étaient visibles çà et là. À la droite du lit, une boîte en métal avait brûlé et j'en ai déduit qu'il s'agissait de l'appareil de chauffage que l'on tenait pour responsable du sinistre. Une lampe de chevet traînait au sol. Elle n'avait plus ni ampoule, ni cordon, ni abat-jour.

Tout au fond, sur le mur arrière, il y avait une fenêtre fermée par un rideau en aluminium brossé. La lumière extérieure de cette journée maussade et pluvieuse filtrait à travers les multiples lattes abîmées.

J'ai remarqué des traces de pas. Des traînées de cendre reliaient des objets empilés contre les plinthes. À n'en point douter, l'œuvre des frères Grimm. J'étais consciente qu'il était inutile d'espérer reconstituer la position du corps. Ni de retrouver des informations perdues à jamais.

J'ai pénétré plus avant et je me suis accroupie. J'ai vu un métacarpien couleur de craie. Puis un autre os : l'astragale. Je me déplaçais en douceur. J'ai ouvert la mallette et enfilé des gants. J'ai plongé mes doigts dans la cendre. La couronne d'une molaire a roulé, l'émail en était tout craquelé.

J'observais cette dent, saisie d'une émotion nouvelle : de la joie ? De l'excitation ? Était-ce vraiment moi en train de faire tout cela ? Spontanément ? La phrase de Slidell me revenait en tête : *Un bout de cadavre carbonisé reste un bout de cadavre carbonisé.* Il l'avait formulée si crûment, et pourtant, je devais l'admettre, je venais d'apprendre ce matin combien cela était vrai.

— J'ai besoin de lumière par ici ! ai-je crié.

Quelques minutes plus tard, deux lampes LED à batterie éclairaient la pièce comme sur un plateau de tournage de série télé. J'avais sorti tous les outils du Dr Becknell : des brosses, des passoires, des pinces, des pipettes. J'avais inscrit la date, le lieu et mes initiales sur des flacons et des sacs Ziploc. J'avais préparé du Vinac, une solution à base de résine d'acétate de vinyle et de méthanol nécessaire à la conservation des os calcinés.

J'ai enfilé un masque et me suis mise au travail. Larabee est arrivé une demi-heure plus tard. Je lui ai expliqué le système que j'avais mis en place pour quadriller la zone de recherche. J'ai continué à examiner la partie est. Il a pris la partie ouest. On a travaillé dans un silence quasi religieux. J'ai perdu toute notion du temps.

J'étais en train de remettre quelques gouttes de Vinac sur une incisive qui s'effritait lorsque j'ai entendu des voix de plus en plus fortes. Des voix d'hommes. Les mots étaient étouffés, mais le débit ne laissait pas de doute sur la nature de la conversation. Des voix d'hommes en colère.

J'ai regardé Larabee qui a haussé les épaules. Un mouvement qui ressemblait à la démarche d'une tortue.

J'avais froid et besoin d'une pause. Je me suis redressée. Mes genoux ont manifesté leur mécontentement, aussi je me suis étirée pour encourager la circulation du sang. Derrière moi, j'entendais Larabee m'imiter.

Nous étions à mi-chemin de la cuisine lorsque Slidell est apparu sur le seuil de la roulotte. Il était aussi tendu qu'un cobra prêt à mordre. Son visage cramoisi en disait long sur son état d'esprit.

— Venez voir, vous n'allez pas le croire.

— On a retrouvé presque toute la dentition qui nous manquait, ai-je dit pour détendre l'atmosphère.

— On sortait nos petites personnes de la roulotte, et sur qui on tombe ?

— Je ne vous suis pas, a répliqué Larabee, s'exprimant pour nous deux.

— Le trou de cul en personne.

Aucune réaction de notre part.

— Jésus Christ ! Est-ce qu'il faut que je vous fasse un dessin ? Le crétin de docteur !

— Millikin ? nous sommes-nous exclamés d'une même voix.

— Non, Hawkeye Pierce !

Ni Larabee ni moi n'avons goûté le sarcasme en référence à la série *MASH*…

— Mère Teresa était parti faire la fête au sud de la frontière…

— Millikin était au Mexique ?

Cela me paraissait incroyable. Slidell a hoché la tête.

— Qu'est-ce qu'il faisait là-bas ? a demandé Larabee.

— *Muchachas* et margaritas ! C'est ce qui attire le monde, non ?

— Alors c'est qui, là ? ai-je rétorqué en désignant la rangée de sacs Ziploc contre le mur.

— Aucune idée. (L'éclairage LED dessinait des ombres étranges sur le visage de Slidell.) Mais il a reçu une balle en pleine figure, et le tireur s'est évaporé dans la nature !

Chapitre 5

Il était un peu plus de 20 h quand j'ai garé ma voiture au sud des quartiers résidentiels de Charlotte. Comme le coin rural où vivait Millikin, Elizabeth n'est pas un quartier très branché. Mais les loyers y sont abordables et il y a un je-ne-sais-quoi dans l'air qui rend le voisinage attachant.

J'ai coupé le moteur. Une ambulance est passée tout près, sirène hurlante. Le Presbyterian Hospital est situé au bout de la rue où j'habite. Au bout de six mois, je n'y prêtais plus guère attention.

La pluie avait cessé, mais l'eau dégoulinait encore des feuilles des chênes verts qui étalaient leurs branches depuis le stationnement jusqu'au-dessus de la route. Les gouttes faisaient un joli tintamarre sur ma Coccinelle. Des deux côtés de Kenmore Avenue, on ne voyait que des couleurs primaires, entre les maisons, les buissons, les pelouses et les arbres. Çà et là, des guirlandes électriques ornaient une fenêtre ou une porte. Ça sentait Noël. Un palmier de néon bleuté tentait de se dérober à la tradition.

J'étais gelée, mes vêtements étaient noirs de suie, et je sentais la même odeur que si j'avais passé la semaine entière dans un fumoir. Bien qu'ayant lavé et relavé mes mains avec soin, il restait de la crasse incrustée sous mes ongles, et ça me faisait penser à ceux de Slidell. Je me suis recentrée sur les deux choses dont j'avais maintenant besoin : un verre de Pinot et un long bain chaud.

J'ai verrouillé ma voiture et grimpé les marches quatre à quatre. J'étais en train de tripoter mon trousseau de clés, quand la porte de mon voisin — avec qui je possède un mur mitoyen — s'est ouverte. Artemis a surgi en se pavanant. À l'autre bout de la laisse se tenait son maître, M. Speliopoulos. Artemis est un teckel. M. Speliopoulos, un coiffeur pour hommes. Aucun n'a commenté mon arrivée.

Je me suis débarrassée de ma veste en la laissant tomber sur le perron. J'ai ensuite pénétré chez moi. Un bref coup d'œil dans le miroir encadré d'étain sculpté m'a montré une femme aux cheveux hirsutes et au visage constellé de cendre.

Quelque part, j'entendais Bowie et Jagger chanter ensemble une chanson où il était question d'aller danser dans la rue. J'étais ravie, car ça me changeait un peu des rois mages et des ritournelles ponctuées de roulements de tambour!

Face à moi, j'avais la cage d'escalier si pratique qui menait au premier étage. À droite, le salon avec sa cheminée à l'ancienne qui nous avait tant incités à signer le bail. La salle à manger était à l'arrière et on y accédait par une arche d'époque — la maison date d'il y a quatre-vingts ans et les deux portes coulissantes en chêne étaient à jamais encastrées dans le mur.

Pete était attablé devant une pile de livres de droit et un océan de documents divers. Il étudiait les ressorts de l'affaire Zamzow, une histoire de jambe perdue à cause d'un diagnostic bâclé. Enfin… d'après le plaignant. Au petit déjeuner, nous avions discuté stratégie de défense, moi, j'avais surtout écouté. Le repas du matin me paraissait déjà à des années-lumière.

— L'archéo-guerrière rentre du front, a marmonné Pete sans lever les yeux de sa lecture.

— Désolée d'arriver si tard.

— Grosse journée?

— Oui, ça, on peut le dire.

Le nez et la lèvre supérieure de Pete se sont légèrement pincés. Je connaissais cette expression par cœur. Il essayait de renifler la pourriture qui pourrait provenir d'une poubelle ou d'un sac Ziploc. Il a glissé un marque-page dans son paquet de feuilles et a relevé le menton.

— *Jesus Christ!* s'est-il exclamé.

J'ai accroché mon sac au poteau d'escalier.

— Qu'est-ce qu'il t'est arrivé ?

— D'abord un bain !

Pete m'a lancé son regard d'avocat-pur-et-dur. Je lui ai lancé mon regard on-en-reparlera-plus-tard.

— Tu veux un câlin ? a-t-il demandé avec la sincérité d'un comptable devant un type fauché.

— J'en veux plein. Mais après avoir fait trempette.

Un bon bain était la seule chose que je désirais pour le moment. Des bulles. Du shampoing et du revitalisant pêche-lavande. La vieille baignoire sur pieds faisait également partie de la magie du rituel.

Une demi-heure plus tard, je redescendais l'escalier, sentant bon le lait de corps *Pomegranate Noir* de Jo Malone. Je portais un chandail à manches longues et un bas de pyjama en flanelle rose, avec un motif de nuages et de moutons. Selon moi, les moutons étaient soit somnolents, soit totalement ivres.

La trompette de Wynton Marsalis m'a accueillie avec calme et volupté. La montagne de paperasse juridique avait été reléguée au bout de la table, et une boîte de pizza trônait au centre. Deux assiettes avaient été disposées avec serviettes, couverts, napperons et verres. Pete est un homme attentionné, d'après ses standards à lui.

Mon mari et moi sommes d'accord sur pas mal de points. L'humour caustique de *Catch 22* et de *La Conjuration des imbéciles*. On préfère la mer à la montagne. On adore Woody Allen. La politique. Mais sur les pizzas, on n'est *jamais* d'accord. J'aime toutes les sortes de pizzas, sauf celle aux fourmis et à la graisse de baleine. Pete est un puriste : tomate et fromage, rien d'autre.

J'ai soulevé le couvercle de la boîte. Une moitié de pizza toute simple, l'autre bien débordante d'ingrédients. Je me suis détendue un peu. Pete m'a versé un verre de Pinot. J'en ai bu une gorgée. Je me suis détendue davantage.

Bien qu'impatient de savoir, Pete attendait sagement, en roulant des yeux rassurants. Il était persuadé que j'avais eu un problème à l'université.

Nous avons papoté de choses et d'autres. Ce procès pour faute professionnelle qu'il étudiait. La victoire des Tar Heels le soir précédent. Les événements survenus dans la série

Cheers. Les goûts douteux de M. Speliopoulos en matière de musique.

Mes commentaires étaient cependant réduits au strict minimum.

On a débouché une seconde bouteille et on a migré vers le salon. Pete a fait du feu dans la cheminée puis est venu s'asseoir à côté de moi sur le canapé. Il a entouré mes épaules d'un bras protecteur et m'a attirée contre lui. J'ai posé ma joue contre sa poitrine.

Alors que la flambée léchait les bûches, nous sommes restés tranquilles à écouter de minuscules bruits ponctuant le silence. Le tic-tac régulier de l'horloge de ma grand-mère sur le manteau de la cheminée. Le chuintement étouffé des pneus dehors glissant sur l'asphalte mouillé. Les grognements d'Artemis de l'autre côté du mur.

Malgré le côté apaisant des battements de cœur de mon époux, le feu de cheminée avait été une erreur. Les craquements du bois éclaté produisaient des images négatives dans mon cerveau, presque perturbantes, comme la vision de débris de verre sous mes ongles. Pete a senti que j'étais mal à l'aise et il n'a pas insisté. Rendue à la troisième bouteille, je me suis lâchée.

Je lui ai tout raconté en détail. La visite de Slidell et Rinaldi à l'UNCC. Keith Millikin et sa clinique pour les démunis. Sa disparition mystérieuse. La récupération des restes dans la roulotte par Louis Grimm et son frère. Ma découverte de la compatibilité des os avec le profil de Millikin. L'impact de balle dans le crâne. La partie manquante de la dentition. Mon travail avec Larabee sur la scène de crime. La réapparition surprenante et inattendue de Millikin.

Pete a posé la question évidente.

— Alors qui est mort dans l'Airstream ?

— Un homme blanc entre trente-cinq et cinquante ans, et mesurant entre un mètre soixante-seize et un mètre quatre-vingt-cinq.

— Ça exclut donc Tina Turner.

Je lui ai donné une petite tape sur le bras.

Il a fait semblant d'avoir très mal et a rempli mon verre à nouveau.

— Ce Slidell a l'air d'être un sacré personnage.

— Il est arrogant et grossier.

— Pourtant, tu as aimé ça.

— J'ai aimé quoi ?

— Peut-être qu'aimer n'est pas le bon verbe. (Pete a secoué la tête, après une courte pause de réflexion.) Je ne sais pas… Il y avait une drôle d'intonation dans ta voix quand tu en parlais.

— C'est peut-être à cause du Pinot ?

— Rien à voir. (Il a de nouveau hésité, peut-être par manque d'assurance, ou peut-être craignant de me vexer.) J'ai perçu une excitation que je n'entends pas d'ordinaire lorsque tu me parles de tes recherches. Ton travail en archéologie.

— Ce que tu as perçu, c'est de la terreur.

— Temperance Brennan n'a peur de rien !

J'ai levé mon verre en signe d'acquiescement. On a trinqué.

Aucun de nous n'osait prononcer un mot à la suite de ma réponse.

— La terreur de quoi, Tempe ?

— De me tromper.

— Tu ne te trompes jamais.

— Une fois, ça m'est arrivé. Je croyais m'être trompée, mais il s'est avéré au final que non. (Encore une pause pour réfléchir.) Tu as raison. Je suis toujours un peu réticente à m'investir. Mais une fois que c'est parti, je me donne à fond. Je ne cesse de penser à la victime. Qui était cet homme. Qui laissait-il derrière lui — des enfants, une épouse, une petite amie ? Je n'arrête pas de penser que cet homme manque à quelqu'un, quelque part. Et quelque part aussi rôde un assassin en liberté.

— Et cette terreur, alors ?

Toute la journée, j'avais retourné ça en boucle dans ma tête.

— En archéologie, je travaille sur des populations anonymes et je réfléchis selon des critères de démographie : sexe masculin ou sexe féminin ; jeunes adultes ou adultes. Pas de noms, ni d'histoire personnelle. Mes découvertes sont l'objet de conférences, de publications, ou…

— Ignorées.

— Mon point de vue (cette fois-ci, Pete a reçu un coup de coude dans les côtes) peut être contesté ou, au contraire, apprécié, mais quelle que soit ma théorie sur nos ancêtres, elle n'a pas d'impact sur la vie de quelqu'un. Le contraire est tout aussi vrai avec l'anthropologie judiciaire. Une preuve peut être préservée ou bien perdue, à cause des compétences plus ou moins bonnes mises en œuvre sur une scène de crime. Un innocent pourra être accusé à tort. Un coupable pourra être innocenté. Grâce à l'analyse scientifique, une famille pourra être apaisée avec un dossier classé ou bien continuer à s'angoisser. Grâce à un témoignage devant le tribunal, un suspect pourra être soit acquitté, soit condamné. C'est une immense responsabilité.

— Tempe, personne ne lit un squelette mieux que toi.

— C'est vrai. Mais les connaissances en archéologie et en ostéologie ne sont pas suffisantes pour les flics et le médecin légiste. À leurs yeux, je suis une nouvelle recrue. Va falloir que je me recycle.

— Pourquoi ai-je le sentiment que tu as déjà pris ta décision ?

— Quand bien même… Et si je me plantais ?

— Je te défendrai, je serai ton avocat.

J'ai roulé des yeux. Un peu mollement.

— Pete, il faudra que je suive une formation pour obtenir le certificat qui validera mes compétences.

— Combien de temps cela prendra-t-il ?

— Sans doute le reste de ma vie.

Le Pinot faisait effet.

— Nous avons survécu à l'examen du Barreau, souviens-toi.

— Je vais devoir demander mon accréditation au Bureau américain d'anthropologie judiciaire.

— Et tu dois aussi terminer ta thèse.

— Ça aussi !

Pete a reposé son verre sur la table basse. Il a ramassé le mien et l'a rangé à côté du sien. Il s'est penché tout près de moi. Je sentais son souffle chaud caresser mon oreille.

Je me suis renversée en arrière et j'ai fermé les yeux, voyageant avec les petits moutons endormis, ou bien ivres, de mon pyjama. Le feu de cheminée dégageait une douce chaleur dans le dos de Pete. J'ai attrapé sa nuque entre mes doigts croisés et je l'ai attiré vers moi.

Le téléphone a sonné. On a sursauté comme deux ados pris en faute.

J'ai jeté un œil à l'horloge de grand-maman : 22 h 42.

— Ne lui répond pas, a chuchoté Pete.

— Elle pourrait avoir un problème.

On était sûrs tous les deux qu'il s'agissait de ma sœur. C'était son genre d'appeler à des heures indues.

— Harry a toujours un problème, a-t-il soupiré en se reculant. Encore un peu de vin ?

— Non, j'arrête. (J'ai saisi le téléphone.) Ça a intérêt à être de bonnes nouvelles, ai-je dit.

Un bref silence au bout du fil.

— Pour moi ou pour le gars qui s'est fait zigouiller ?

À mon tour d'être prise de court. J'ai vite reconnu la voix.

— Pardonnez-moi, détective. J'étais persuadée que c'était un appel de ma sœur.

— Désolé de vous décevoir.

Il ne semblait pas si désolé que ça.

Je n'ai rien répondu. Pete s'est levé pour ramasser les verres.

— Doc Larabee a dit que vous vous étiez très bien débrouillée aujourd'hui. J'ai quelque chose pour vous.

Je me suis à nouveau sentie angoissée. Bêtement. Pete avait fini de débarrasser. Et je savais qu'il écoutait.

— Eddie et moi, on a remué ciel et terre comme des fous à partir des infos collectées et de nos contacts. On a reçu une réponse de Gastonia. (J'ai entendu des bruits de papier froissé.) Russell Ingram. Ce matin, sa femme a alerté la police de sa disparition. Ingram serait parti de chez lui il y a deux jours pour se rendre à son travail. Il n'est jamais rentré chez lui. Vous allez adorer : le gars était dentiste.

— Son assistante n'a pas signalé son absence ? La secrétaire médicale ?

— Ingram travaillait seul. Je suppose que ses patients n'ont pas trop insisté pour se retrouver avec une perceuse dans la bouche.

— Quel âge ?

— Quarante-deux ans.

— Blanc ?

— Oui.

— La taille correspond ?

— Ouais ! C'est pas un hamster.

Je n'ai pas relevé sa mauvaise blague.

— On a un dossier *ante mortem* ?

— On va faire venir un dentiste chanceux à la morgue.

Chapitre 6

Le lendemain matin, j'étais debout dès 6 heures, un horaire guère apprécié de mon lobe frontal. Pete était déjà parti, mais il avait pris soin de préparer du café. J'en ai bu une tasse, j'ai dévoré un bol de Raisin Bran, puis j'ai rempli mon thermos et avalé deux aspirines. Ensuite, direction l'UNCC.

Tout en conduisant, je songeais à Slidell. Il n'avait rien dit la veille au sujet de Millikin. Je me demandais où le bon docteur se trouvait à présent. S'il avait été interrogé par le détective, s'il possédait un lien quelconque avec Russell Ingram.

J'étais en train d'étudier les restes de crémation depuis plus de deux heures lorsque le téléphone a sonné. Slidell avait récupéré les dossiers dentaires d'Ingram et m'annonçait qu'il arriverait au MCME à 9 h 30.

J'ai regardé ma montre : il était 8 h 55.

J'ai rangé la collection d'os en lieu sûr, verrouillé la porte du labo, et je suis partie en quatrième vitesse au MCME. Mme Flowers a actionné la serrure électrique dès qu'elle m'a aperçue et j'ai foncé dans la salle qui pue. Elle était déserte et l'est restée au cours des vingt minutes suivantes. Frustrée, je suis partie en quête de Larabee, mais il n'était nulle part lui aussi. J'ai donc décidé de mettre à profit tout ce temps perdu en écrivant un rapport sur le ME1207.

Après avoir rassemblé toutes mes notes, je suis allée dans le hall d'accueil pour demander à Mme Flowers si un bureau avec un traitement de texte serait disponible. Elle s'est levée d'un bond.

— Suivez-moi, a-t-elle roucoulé, aussi rayonnante qu'un clown extatique.

Je lui ai emboîté le pas et me suis retrouvée dans une minuscule pièce composée d'une chaise, d'un bureau et d'une étagère remplie de chemises cartonnées vides.

Sur le bureau, un clavier supportant un moniteur. Sous le moniteur, deux cubes côte à côte — les lecteurs de disquettes Disk I et Disk II. Chacun avait une fente et un petit voyant rouge qui, pour l'instant, n'était pas allumé.

Au centre du clavier, le logo de la marque représentait une pomme multicolore, striée, avec la mention *apple][* accolée à sa droite. J'étais ravie, car, au cours de mes études, j'avais déjà eu l'occasion de me servir d'un Apple II, cette géniale création de Steve Wozniak.

Mme Flowers m'a fourni des explications que je connaissais déjà :

— C'est un ordinateur personnel d'un nouveau type. Même le docteur Larabee ne l'a pas encore utilisé.

— Vous en avez besoin ?

— Moi ? Juste ciel, non ! (Elle a reculé instinctivement dans ses petits escarpins gris.) Je m'en tiens à ma machine à écrire, une merveilleuse Selectric.

Je l'ai remerciée et elle m'a promis en retour de me prévenir de l'arrivée de Slidell.

J'ai appuyé sur le bouton en haut à droite de l'écran. Je me suis laissée tomber sur la chaise. Le processeur a ronronné et l'écran s'est allumé. J'étais soulagée de voir apparaître l'icône de Word-Star, puisque je connaissais ce logiciel.

J'ai trouvé un paquet de disquettes 5 ¼ po dans le tiroir central. J'en ai inséré une dans le lecteur et j'ai créé un fichier pour y rédiger mes notes.

J'avais quasiment terminé quand Slidell s'est présenté à l'accueil. Il était 10 h 45. J'ai demandé à Mme Flowers de l'envoyer directement dans la salle qui pue, en me disant que le faire poireauter un peu ne lui ferait pas de mal.

Je le reconnais, c'est mesquin.

Slidell a fixé sa montre avec agacement quand je suis entrée. Pas vrai ?

— Détective ! me suis-je exclamée pour l'accueillir.

Il m'a tendu une enveloppe brune, pas très épaisse mais plus grande que celle remise par le dentiste de Millikin. Le nom «Dr Allison Martin» était gribouillé sur le rabat. J'espérais que le matériel serait de meilleure qualité que celui de son confrère. Martin serait-elle plus soucieuse que Steiner de se couvrir en cas de pépin?

Je n'allais pas chipoter sur le manque de compétences de tel ou tel. Pour apaiser le charmant détective, j'ai donc accepté de rendre un premier avis, tout en insistant sur le fait qu'un dentiste légiste devrait confirmer par écrit une identification positive. Ou bien alors Larabee.

Cette fois, j'ai utilisé un négatoscope plat déniché dans un placard. J'ai allumé l'engin et placé les radiographies dentaires interproximales sur la moitié supérieure de la vitre. Dessous, j'ai disposé les radios des restes dentaires carbonisés découverts dans l'Airstream, et prises par Hawkins.

On ne pouvait examiner que la moitié droite. Une troisième molaire intacte apparaissait, oblique, dans sa cavité. On constatait un canal radiculaire et une couronne sur la deuxième molaire. Des restaurations dentaires sur la première molaire et la première prémolaire qui avaient l'apparence, respectivement, du Montana et de l'Irlande.

Les formes rondes ou en spicules, visibles en blanc sur les radios *ante mortem,* se superposaient parfaitement sur celles *post mortem.* Chaque forme de racine était identique.

Je n'avais aucun doute sur l'identité de la victime dans la caravane de Millikin : c'était bien Russell Ingram. Toutefois, j'ai pris mon temps avant de conclure. Slidell m'avait agacée autant par son arrogance que par son retard.

Enfantin, je sais. Je ne suis pas parfaite.

Je me suis enfin redressée puis tournée vers lui.

— Il faudrait un dentiste légis…

— Ouais, ouais… Je veux votre avis.

— D'un point de vue officieux, on a une correspondance.

Slidell s'apprêtait à me répondre quand le téléavertisseur à sa ceinture a déchiré l'air par une série de bips stridents. Il l'a arraché et a lu le message. Il a marché jusqu'au téléphone pour passer un coup de fil dont j'ai entendu l'essentiel.

— Slidell à l'appareil. (Pause.) Enfant de chienne ! Quand ? (Pause plus longue.) Où ? (J'ai rangé les radios d'Ingram dans l'enveloppe.) Y a une chance pour qu'on ait un visuel ? (J'ai rangé les radios *post mortem.*) Ils ont besoin d'aide ? Je suis avec l'anthropologue. (J'ai pivoté vers lui. Slidell m'a regardée intensément et j'ai fait non de la tête.) Elle va pas aimer ça. (Qui ? Moi ? *Aimer quoi ?*) Ouais. On lâche pas.

Le détective a raccroché.

— C'est votre semaine chanceuse, doc. La saison des grillades a commencé.

— Je ne travaille pas ici.

Le Dr Larabee est sur une scène de crime avec Hawkins à récupérer des restes. Il veut que vous restiez là et que vous vous prépariez à l'aider.

J'ai songé à mes restes de crémation dans le placard de mon labo. Maintenant c'était sûr que je ne pourrais jamais les restituer à temps à l'institution qui me les avait prêtés.

— Vous voulez des précisions, doc ?

— Bien entendu. Un tel suspense me met à la torture…

— Cette fois, c'est un incendie dans une voiture. Une Toyota Corolla, probablement un modèle 1980.

Je n'ai pas demandé où ni comment. Ni pourquoi la marque de l'automobile lui semblait si importante.

— Ils sont en train de décoller le chauffeur du volant. C'est pas beau à voir, y paraît.

— Juste un corps ?

— Ouais. Le crétin a foncé contre un arbre, et puis *boum* ! Il a claqué des doigts.

— Il existe peut-être une explication médicale à sa perte de contrôle du véhicule, ai-je déclaré avec une fausse assurance.

— Ouais, a-t-il ricané. Ça doit être ça… Ou alors c'est la bouteille de Jim Beam sur le plancher.

**

Hawkins est arrivé à la morgue peu après midi. J'ai alors pu jeter un œil à la « grillade ».

Exposés aux flammes, les muscles des membres se rétractent et les articulations se plient. Le corps humain adopte alors l'attitude dite du « pugiliste ». C'était ce qui s'était produit pour le malheureux chauffeur de la Corolla.

Quoique carbonisés et noircis, les tissus mous forment une enveloppe autour de la victime qui maintient le squelette en un morceau. Les doigts, les poignets, les coudes et les genoux sont sévèrement repliés.

Le corps était étendu sur le dos, membres dressés, et spontanément me venait à l'esprit l'image d'un chiot qui s'allongerait les quatre pattes en l'air pour faire le mort.

Je comprenais à présent pourquoi Larabee avait exigé mon aide. Le visage n'était qu'une masse informe, sans plus aucun trait distinct au-dessus d'une bouche qui s'étirait en un monstrueux sourire. Plus de nez, plus d'oreilles, plus de lèvres, plus de cheveux. Les yeux ressemblaient à deux raisins ratatinés au fond des orbites. Les organes génitaux étaient calcinés.

Je suis retournée devant le merveilleux Apple II afin de terminer mon rapport sur le ME1207. Hawkins achevait de faire des radios de l'ensemble du corps, de prendre des photos, puis il a poussé la civière jusqu'à la salle qui pue. Ils avaient attribué à ce nouveau cas la référence ME1211. J'ai consacré les deux heures suivantes à ôter les lambeaux de vêtements et de chair avec une pince fine, et à scier des morceaux d'os pour établir le profil biologique de la victime.

À 15 heures, j'avais fini avec tout, excepté les deux tas de débris carbonisés en lien avec le corps. J'avais mal au crâne. Peut-être à cause du vin de la veille, peut-être à cause de l'hypoglycémie — je n'avais rien avalé depuis le matin. Peut-être aussi à cause de la vérité incertaine à laquelle j'étais encore une fois confrontée.

Je bouclais ma dernière page de rapport lorsque Larabee a surgi sur le seuil. Il tenait un petit papier rose à la main.

— Rinaldi a téléphoné. (La blouse qu'il portait m'indiquait qu'il avait directement été de la scène de crime à une autre autopsie. Je me demandais si c'était de cette vie-là dont j'avais vraiment envie.) La voiture appartient à un dénommé Mark Wong. (Larabee avait une voix fatiguée.) Sexe masculin, trente-sept ans et mesurant un mètre soixante-dix.

Je n'avais pas besoin de relire mes notes.

— Ça colle.

— J'enverrai Slidell récupérer les *ante mortem*.

— Il est où en ce moment?

— Il interroge Millikin dans les locaux de la police, il me semble. Mais c'est pas sûr.

— Et ce Wong, c'est qui ?

— Un acupuncteur. Enfin, il l'était. C'est tout ce qu'on a sur lui.

— Venez voir ça, ai-je dit.

Cela ressemblait à une reprise de la journée précédente. J'ai reculé de la table d'autopsie et lui ai tendu la loupe à main. Larabee a examiné l'anomalie à l'arrière du crâne.

— Impact de balle, a-t-il constaté.

Il m'a regardée en fronçant les sourcils.

— Exact.

— Comme Russell Ingram.

— Exact.

— Mode opératoire identique. D'abord on leur tire dessus, puis on les brûle. Y a-t-il un lien entre eux ?

— Rien pour l'instant hormis que tous les deux sont des hommes ayant reçu une balle dans la tête.

— Ça devrait aider à résoudre cette affaire. Je vais téléphoner à Slidell.

Après le départ de Larabee, j'ai commencé à examiner les décombres. La pile sur le comptoir contenait les lambeaux de vêtements brûlés que j'avais retirés du cadavre. Les restes de la victime étaient sur la civière.

La plupart des habits étaient si consumés qu'il était difficile de les identifier. J'ai vu un vestige de semelle en cuir. Un morceau de vinyle provenant sans doute de la banquette de la voiture. Une clé. Pas très au courant des procédures, j'ai toutefois opté pour un registre des preuves.

J'étais en train d'examiner les tissus quand j'ai remarqué un bout de jean avec des clous en métal d'environ cinq centimètres carrés. Peut-être un morceau du jean de la victime qui aurait été protégé au niveau du fessier par le siège.

Le tissu était épais. Bien trop épais. J'ai examiné ma trouvaille de plus près. En fait, c'était deux pièces de tissu réunies. Une poche ?

En me servant de deux pinces, j'ai doucement soulevé celle du haut. Elle s'est décollée non sans mal. Je l'ai tirée en arrière, le cœur battant. Quelque chose de fin et de blanc était accroché au morceau de tissu du dessous.

C'était un bout de papier. Il était brûlé sur les bords, mais on y devinait un texte écrit.

J'ai soulevé, puis abaissé ma loupe. Les lettres étaient trop pâles pour être déchiffrées. Hormis quelques-unes que j'ai réussi à lire. Mon sang s'est glacé dans mes veines. Cela ne pouvait pas être vrai.

J'avais du mal à respirer calmement. J'ai essayé de reconnaître d'autres lettres. En vain. L'encre était trop délavée.

Je faisais une ultime tentative lorsque le téléphone a sonné.

Chapitre 7

— Bon alors, on a quoi?

Aucunes salutations, ni entrée en matière. J'apprenais un peu plus chaque jour tout ce qui faisait le charme de Slidell: brutalité et grossièreté.

— Le profil biologique de la victime est cohérent avec celui de Mark Wong. Mais vous aurez besoin de...

— Ouais, ouais. Les radios *ante mortem* de Wong vont nous être livrées. J'ai pas passé autant de temps chez les dentistes depuis l'âge de neuf ans. Autre chose?

— On a tiré sur la victime. À l'arrière de son crâne.

— *Shit.*

C'était une bonne synthèse, alors je n'ai rien répliqué.

— C'est ce qui a causé sa mort?

— Maintenant que j'ai achevé mon analyse, le Dr Larabee va tenter une autopsie.

Étant donné l'état du cadavre, j'étais assez peu optimiste sur des chances de succès, mais je ne le lui ai pas dit.

— Vous avez la balle?

— Aucun projectile n'est visible sur les radios.

Je lui ai répété l'imminente tentative d'une incision en Y.

— C'est tout?

— Il y a autre chose. J'ai découvert un morceau de papier dans ce que je pense être la poche arrière du jean de Wong. (Prenant conscience de mon erreur, je me suis corrigée.) La poche arrière du jean *de la victime*.

— Doc, j'ai une quantité astronomique de...

— L'encre a pâli, mais j'ai pu distinguer quelques mots.

— Quel genre de mots ?

Je lui ai expliqué ce que j'avais réussi à lire.

— Vous êtes sûre ?

Son ton indiquait un certain scepticisme, mais il avait l'air intéressé.

— Non, pas à 100 %.

Slidell a réfléchi un instant.

— Vous avez ce truc ?

— Oui.

— Vous savez comment vous rendre au quartier général de la police ?

Je ne le savais pas et il m'a indiqué la route.

— Débrouillez-vous pour vous présenter à l'accueil dans une demi-heure. Je vais prévenir mon technicien, celui en charge de l'analyse des preuves.

— Il faudrait que je retourne sur le campus, alors s'il vous plaît…

J'ai entendu un court bip bip ; il avait raccroché.

**

La Section des homicides de Charlotte-Mecklenburg a ses locaux dans une forteresse en pierre à l'angle de Fourth Street et McDowell Street. Quoique située à seulement quelques pâtés de maisons du MCME, j'y suis allée en voiture, espérant continuer par la suite jusqu'à l'université.

À ma grande surprise, Slidell était ponctuel. Même veste en velours côtelé, mais aujourd'hui il portait une chemise verte et une cravate bleue. Sur la cravate, il y avait un volatile ressemblant à un émeu.

Nous sommes montés par l'ascenseur en silence, les yeux rivés sur les boutons s'allumant l'un après l'autre. Slidell se tenait jambes écartées, les pouces accrochés à sa ceinture. Par deux fois, il a poussé un long soupir.

On est sortis au quatrième étage, on a tourné à droite vers un département qui regroupait l'administration de la police scientifique. Une plaque sur chaque porte : FICHIER CENTRAL ; SALLE DE CONFÉRENCES ; DIRECTION.

Après le bureau du directeur, on est entrés dans une petite salle nommée ANALYSE DES PREUVES. Elle était meublée avec le mobilier classique du service public : bureau, chaise et classeur tout en métal. Il y avait en plus une table avec du matériel de mesure et d'analyse optique.

Un homme entre deux âges était assis. Environ un mètre soixante-dix, pas vraiment blond, ni totalement brun, des cheveux drus ni longs ni courts, il se massait le lobe de l'oreille, ce qui donnait à penser qu'il était concentré.

En nous apercevant, l'homme s'est levé. Il portait une cravate impeccablement nouée dans le V de l'encolure de sa blouse de labo. Slidell l'a salué en l'appelant George, sans que je comprenne si c'était son nom ou son prénom.

Slidell m'a ensuite présentée comme l'anthropologue judiciaire, et rien de plus. J'espérais que le pauvre gars ne se sentirait pas obligé de me serrer la main. C'était le cas.

Slidell lui avait expliqué au préalable la raison de notre visite. George nous attendait et m'a aussitôt demandé le spécimen. J'ai sorti le flacon où j'avais conservé le bout de papier illisible.

George est sorti, et nous l'avons suivi dans un couloir étonnamment tranquille. Je m'étais imaginé un labo de police scientifique comme un lieu plein d'effervescence, avec des techniciens en blouse blanche affairés partout.

Nous sommes entrés dans le DÉPARTEMENT PHOTO-GRAPHIE. Au fond de la pièce, sur une immense table rectangulaire, se trouvait tout un tas de matériel, ordinateur de bureau, appareils photo, écran d'affichage, plus des gadgets dont j'ignorais l'utilité.

— Avez-vous déjà vu un CVS, un comparateur vidéo-spectral ?

Les voyelles dans la bouche de George s'étiraient comme chez toutes les personnes qui ont un accent du Sud prononcé.

J'ai secoué la tête. Slidell ne disait pas un mot.

— C'est une petite merveille.

Slidell et moi devions avoir l'air impressionnés.

— Vous vous y connaissez en lumière ?

— Un cours de physique à l'école secondaire, ai-je dit en soupçonnant qu'une séance de rattrapage allait surgir, que ça me plaise ou non.

— La lumière est une forme d'énergie rayonnante. L'œil humain est capable de voir des rayonnements dont la longueur d'onde est comprise entre 400 et 700 nanomètres. Quand on voit des couleurs, votre œil perçoit en fait des longueurs d'onde. Vous me suivez ?

J'ai acquiescé. Slidell n'a pas réagi.

— Lorsque la lumière est dirigée sur un objet, une de ces cinq choses peut se produire.

Slidell a ouvert la bouche, mais George lui a fait signe que non en agitant son index.

— La lumière peut être réfléchie en tout ou en partie, faisant paraître l'objet blanc ou plus pâle. La lumière peut être absorbée en tout ou en partie, faisant paraître l'objet noir ou plus foncé. (Il comptait sur ses doigts.) La lumière peut être en partie réfléchie, et en partie absorbée, produisant des couleurs visibles par l'œil humain dans ce qu'on appelle le spectre visible.

Slidell s'est éclairci la gorge. Sans y prêter attention, George a poursuivi son exposé.

— La lumière peut être transmise à travers un objet. (Doigt dressé.) La lumière peut frapper l'objet, être absorbée, et ensuite être réémise sur une plus grande longueur d'onde appelée luminescence. (Il a désigné le comparateur vidéo-spectral.) Cette fantastique machine utilise une combinaison de caméras, de lumières, de filtres pour permettre à l'examinateur, c'est-à-dire à *moi* (il a posé le bout de son index sur sa poitrine) de produire chacun de ces effets.

— On veut juste lire une inscription, l'a interrompu Slidell.

— Des longueurs d'onde de cette énergie rayonnante ne sont pas visibles par l'œil humain.

George possédait son propre rythme.

— Les rayonnements infrarouges et ultraviolets, ai-je précisé, histoire d'accélérer ledit rythme.

— Exactement ! Les effets que je viens de lister surviennent *à la fois* dans le spectre visible *et* dans les portions du spectre où sont les rayons infrarouges et ultraviolets. Ainsi, le même objet qui a absorbé la lumière dans le spectre visible et qui apparaît noir peut transmettre une énergie rayonnante dans le spectre infrarouge et apparaître aussi clair que du cristal.

Je sentais monter l'irritabilité de Slidell, aussi ai-je retenté une synthèse :

— Donc de l'encre qui aurait pu pâlir jusqu'à en devenir invisible peut laisser des traces visibles quand on utilise les infrarouges ou les ultraviolets.

— Exactement !

La remarque enthousiaste du professeur fier de sa meilleure élève.

— On pourrait pas juste s'y mettre ? a grommelé Slidell à bout de patience.

George a plissé les lèvres de contrariété. Il a enfilé des gants pour saisir le petit bout de papier et le placer sur le CVS. Un rectangle blanc a empli l'écran. Je ne pouvais toujours pas lire ce qu'il y avait d'écrit.

— Vous voyez ce que voit la caméra, a précisé George en s'asseyant. Je vais maintenant appliquer un filtre infrarouge pour bloquer toute lumière visible. Seul un rayon avec une longueur d'onde au-dessus de 645 nanomètres sera perçu par la caméra.

Slidell a soufflé un grand coup avant de s'accrocher les pouces sur la ceinture de son pantalon. Bien que l'idée de venir ici ait été la sienne, il semblait évident qu'il considérait que toute l'opération était une perte de temps.

Le moniteur est devenu vert. Les lettres sur le papier sont devenues luminescentes comme des vers luisants dans une grotte.

Slidell et moi, on s'est penchés sur les pixels verts.

Moment d'étonnement suivi d'une pause.

— C'est du stylo-bille, a poursuivi George.

Mais on ne l'écoutait déjà plus.

— *Fuck !* C'est quoi ça ? a explosé Slidell en se redressant.

— Surveillez votre langage, a répliqué George sur un ton de reproche.

Sur le papier, on pouvait lire des lettres et des chiffres : *K Mil ik AZ 364 8111.*

— Où est le téléphone ? a aboyé Slidell en cherchant des yeux un combiné dans la pièce.

George a désigné le comptoir le long du mur. Le détective s'est dirigé droit dessus, a décroché d'un geste brusque, a composé un numéro et a écouté. Il grimaçait et fronçait les sourcils sans s'en rendre compte. Trente secondes plus tard, il a violemment raccroché.

— J'ai besoin d'une copie de ça, a-t-il ordonné en désignant le message qui tremblotait à l'écran.

— Bien entendu.

George lui a remis l'original du papier et lui a imprimé la version déchiffrée. Je l'ai remercié alors que nous quittions la pièce à grands pas. Skinny s'est abstenu de toute politesse.

Il était 17 heures. Les experts en blouse blanche que j'avais imaginés avaient à présent envahi les lieux. L'ascenseur mettait du temps à venir. Au comble de l'énervement, Slidell appuyait et appuyait sans cesse sur le bouton d'appel.

Je ne m'attendais pas à ce que le détective partage ses infos avec moi, cependant j'étais vexée. Je bouillonnais intérieurement.

N'y tenant plus, je me suis lancée :

— C'est le numéro de téléphone de la clinique de Millikin, n'est-ce pas ? ai-je demandé de la voix la plus calme et la plus discrète possible.

Il a réajusté son nœud de cravate émeu, sans rien me répondre.

— AZ, est-ce que ça pourrait correspondre à l'abréviation d'Arizona ?

— Ouais. Le gars était un fan de l'équipe des Phoenix Suns.

J'ai ignoré son ton sarcastique.

— Larabee m'a dit que Millikin serait ici. Il est toujours dans vos locaux ?

Slidell a lorgné vers moi, toujours muet comme une carpe.

— Vous descendez le rejoindre pour l'interroger ?

Il a frappé de son poing sur le bouton d'appel.

— J'aimerais y assister.

— Hors de question.

— Je suis anthropologue. Je suis formée aux subtilités des comportements humains.

Bullshit. Mais j'avais une irrépressible envie d'assister à l'interrogatoire de Millikin.

— Écoutez, doc, j'apprécie…

— Ingram et Wong ont tous deux reçu une balle dans la tête. Puis quelqu'un les a fait brûler. Ingram est mort dans la roulotte de Millikin. J'ai découvert la preuve qui a permis de faire le lien entre Millikin et Wong.

— J'ai surtout besoin que vous ne vous mettiez pas dans mon chemin.

— C'est ce que je ferai la prochaine fois que vous viendrez me supplier à genoux de vous filer un coup de main.

L'ascenseur est enfin arrivé. Les portes ont coulissé et on s'est frayé une petite place dans la cabine bondée.

— Alors…? lui ai-je chuchoté.

— Seigneur Jésus, Marie, Joseph !!!

L'ascenseur s'est arrêté au deuxième ; Slidell s'est faufilé dehors à coup de coudes. J'ai marché dans son sillage, le cœur battant à tout rompre.

Et en me demandant, bien sûr, dans quoi diable je m'aventurais.

Chapitre 8

Slidell marchait si vite que j'avais du mal à le suivre. On a traversé plusieurs portes portant le logo de la police de Charlotte-Mecklenburg, c'est-à-dire un nid de guêpes.

Des hommes arpentaient les couloirs d'un pas décidé, la plupart en bras de chemise et en cravate. Un seul était en pantalon kaki et polo bleu marine arborant le célèbre nid de guêpes. Certains déambulaient avec des tasses ou des sandwichs à la main. Tous étaient armés et j'en ai déduit qu'il s'agissait d'enquêteurs.

Slidell est brusquement entré dans une salle immense nommée «Crimes et homicides», avec moi toujours sur ses talons. La pièce se répartissait en plusieurs cubicules avec un ou deux bureaux. Chaque bureau était équipé d'un téléphone et de tout le matériel administratif classique. Tout en traversant les lieux à la vitesse de l'éclair, j'enregistrais des images : photos d'exploits sportifs et plantes vertes assoiffées.

Certains des cubicules étaient occupés. Là, un début d'engueulade sur un problème de balistique, ici un flic en train de ronfler sans gêne.

Slidell, comme à son habitude, n'a salué personne et s'est dirigé vers un espace de travail où deux bureaux se faisaient face. Rinaldi, assis, le combiné de téléphone coincé contre son épaule, a levé les yeux vers moi en marquant une légère surprise.

Slidell a pivoté, m'a scrutée et s'est laissé tomber dans son fauteuil sans un mot.

Je suis restée debout pendant que Slidell continuait de m'ignorer et que Rinaldi parlait au téléphone. C'était trop bizarre. J'aurais peut-être mieux fait de m'en tenir à mes restes de crémation.

Slidell s'est renversé en arrière et a croisé ses jambes en calant ses pieds sur le tiroir du bas. J'ai remarqué ses chaussettes orange. Était-ce juste une énorme faute de goût, ou bien essayait-il de lancer une nouvelle tendance ?

Ayant terminé sa conversation, Rinaldi s'est levé pour me saluer et me proposer une chaise. J'ai accepté en le remerciant. Il m'a interrogé du regard en haussant maladroitement ses sourcils en direction de son coéquipier.

Lequel a haussé les épaules.

— Elle me suit comme un chien de poche depuis qu'on a quitté le quatrième étage.

Le rouge m'est monté aux joues.

Rinaldi nous a interrogés sur notre visite au labo scientifique. Slidell a décrit le papier retrouvé dans la poche de jean de Wong. Enfin… le supposé Wong. Je ne l'ai pas repris. De toutes manières, il n'a pas jugé utile de mentionner mon rôle dans cette découverte.

— Ainsi Wong connaissait Millikin. Et Ingram a été assassiné chez Millikin.

— Ouais, a grogné Slidell.

— D'avoir le corps d'Ingram dans la roulotte ne signifie pas forcément que Millikin le connaissait, ai-je hasardé. Ni même qu'il soit mort à cet endroit.

Rinaldi a acquiescé, et Slidell a poursuivi :

— Eddie, quelles sont les conclusions des gars des incendies criminels ?

— On est certains d'un geste délibéré, à la fois pour la roulotte et pour la voiture. Dans les deux cas, ils ont trouvé des traces d'accélérant. Tu veux lire leur rapport ?

— Non. Qu'est-ce que tu as trouvé sur Ingram ?

— Pas grand-chose. (Rinaldi a parcouru ses notes.) Le cabinet d'Ingram a été fermé il y a trois ans pour manquement aux règlements de santé publique. Il s'était fait épingler lors d'une inspection de routine.

— L'État lui a retiré son droit d'exercer ?

— Pas exactement… Il a dû s'acquitter d'une amende et a reçu un rappel à l'ordre. Mais les médias s'en sont donnés à cœur joie pendant plusieurs jours en sautant sur cette affaire de conditions d'hygiène déplorables…

— Plus c'est sordide, plus les cotes d'écoute explosent, a commenté Slidell.

— Vous m'aviez posé une question sur le poids d'Ingram, a dit Rinaldi en me tendant une photo qu'il venait de retirer du dossier.

L'homme ressemblait à une orangeraie à lui tout seul. Ses cheveux, ses cils, ses sourcils étaient couleur carotte. Sa peau, constellée de taches de rousseur, avait pris une belle teinte rose fuschia à cause du soleil. Il était assis dans un fauteuil en cuir dans lequel il semblait gigantesque, son ventre proéminent pendait par-dessus sa ceinture, l'obligeant à écarter ses grosses cuisses. Il tenait un livre à la main pour créer une espèce de diversion de son corps éléphantesque. Ou alors, il lisait vraiment.

— Ingram était imposant, ai-je dit.

— Trois cent vingt livres, a précisé Rinaldi en reprenant la photo.

— Sa femme avait-elle un motif ? a demandé Slidell. Une assurance-vie ?

— Non, elle ne reçoit rien. Et sans les revenus de son défunt mari, elle devra vendre leur maison. Ingram était endetté jusqu'au cou.

— Parle-moi de Wong.

— Un acupuncteur. Il partageait son cabinet sur East Boulevard avec deux massothérapeutes et un salon de coiffure.

— Personne n'a signalé sa disparition ?

— Il n'avait pas disparu depuis si longtemps. Un massothérapeute l'a vu quitter le cabinet avant-hier aux alentours de midi. Il m'a raconté que Wong regroupait ses rendez-vous pour ne pas travailler tous les jours.

— Une vie familiale à préserver ?

— Wong était célibataire et vivait en banlieue, attends… (Rinaldi a feuilleté son carnet) à Dilworth… en colocation avec un certain… Derrek Hull. Hull vend de l'équipement médical et a assuré être en Floride ces cinq derniers jours. Il a une liste de clients qu'il a rencontrés qui peuvent l'attester. J'ai discuté avec son patron qui a confirmé.

— Aucun problème de mauvaise entente entre Hull et Wong?

— Non, j'ai vérifié les appels au 911 concernant leur adresse. Aucune plainte pour tapage nocturne, ce genre de trucs. Rien du tout. Même chose pour l'enquête de voisinage. Personne ne se souvient les avoir entendus se crier dessus ou se bagarrer.

Je pensais que pousser l'enquête aussi loin était prématuré tant qu'on n'avait pas clairement établi l'identification de Wong, mais je me suis bien gardée de leur faire part de mon opinion.

Une minute plus tard, bonne nouvelle. Alors que Slidell était parti à la machine à café, le téléphone de Rinaldi a sonné. C'était Larabee. Après avoir étudié le dossier dentaire, il apportait sa confirmation officielle : c'était bien Wong.

Rinaldi a prévenu Slidell dès son retour dans le bureau. Skinny m'a jeté un regard du genre «je vous l'avais bien dit». Enfin, il a surtout jeté un regard sur l'emballage du Bounty qu'il était en train de défaire.

La bouche pleine de noix de coco et de chocolat, il a demandé :

— Est-ce qu'un de ces énergumènes a un casier?

— Non, lui a répondu Rinaldi.

Il y a eu une sorte de pause.

Autour de nous s'élevaient des bruits de voix masculines, quelques rires, des sonneries stridentes de téléphone. Slidell a plié son emballage de barre chocolatée, a ouvert la bouche pour sonder une molaire avec un coin du papier qu'il avait plié.

— Si tu continuais à creuser sur Wong pendant que je vais cuisiner le bon docteur? a suggéré Slidell à son coéquipier, tout en arrosant de café sa dent encombrée.

— Ça me paraît bien.

Puis, les deux détectives m'ont observée attentivement. J'ai senti une boule se former dans mon ventre et mes mâchoires se serrer.

Rinaldi a haussé les épaules.

— Après tout, c'est elle qui a trouvé le lien avec Wong.

Slidell m'a dévisagée si longuement que j'étais persuadée qu'il allait m'ordonner de dégager. Puis il a reposé sa tasse violemment et le café s'est répandu sur son bureau. Sans prendre la peine de nettoyer, il a téléphoné pour exiger sur-le-champ une salle d'interrogatoire, et qu'on y amène Millikin.

Il m'a jeté un regard tout en essuyant vaguement le liquide brun.

— OK. Vous vous posez les fesses dans un coin et vous la fermez.

J'ai suivi Slidell au rez-de-chaussée jusqu'à une minuscule pièce contenant deux chaises pliantes, une table en métal, un micro et un téléphone. Le sol était abîmé et d'aspect sinistre, les murs en blocs de béton avaient été repeints en un jaune pisseux. Au centre, un miroir sans tain.

Slidell m'a fait le geste de m'asseoir et est sorti. Dès que la porte s'est refermée, je me suis détendue et j'ai posé mon sac sur la table en fer.

Quelques secondes plus tard, j'ai entendu le grésillement d'un haut-parleur, une porte grincer, des bruits de pas, une chaise racler le plancher. Les lumières se sont allumées.

Millikin était assis à une table identique à la mienne et, derrière lui, il y avait un mur semblable à celui qui m'entourait. C'était un gars très maigre, avec un chandail couleur prune, une chemise à carreaux et un jean *baggy*. Des cheveux bruns et fins. De larges cernes foncés sous les yeux.

Slidell s'est installé en face de lui, avec la tête du gars qui avale des petits chats pour déjeuner. Il n'avait pas encore ouvert la chemise cartonnée qu'il avait apportée.

— Pourquoi je suis ici ? Un homme est mort chez moi. J'ai tout perdu dans l'incendie. Je devrais plutôt être hospitalisé pour stress post-traumatique.

— Une vraie honte… Comment ça s'est passé ?

— Que voulez-vous que je vous dise ? J'étais à l'étranger. Je n'ai donné la clé de ma roulotte à personne. Je n'ai aucune idée de la raison de la présence chez moi du Dr Ingram, ni comment il a pu entrer.

— Et vous croyez que je vais avaler ça ?

— C'est la vérité !

— Pourquoi la petite virée au Mexique ?

— J'avais besoin d'une pause.

— Alors vous levez les pattes comme ça, sans même un *adios* à vos patients ?

Millikin a saisi les rebords de la table et a scruté ses mains.

— Parlez-moi d'Ingram, a déclaré Slidell en sautant la case « bon flic ».

— Je l'ai soigné. Nous n'étions pas proches.

— Expliquez-moi pourquoi un dentiste de Gastonia viendrait consulter un médecin dans une clinique pour démunis de Charlotte ?

— Je ne suis pas en droit de vous divulguer cette information.

— Vous allez me servir cette cassette de déontologie médicale ?

— Ce n'est pas une cassette du tout. C'est la loi. Et ça fait partie de l'éthique d'un médecin.

— Ouais, ouais… (Slidell a ouvert la chemise cartonnée d'une pichenette et a examiné longuement un document. Je savais que c'était une manœuvre de déstabilisation.) Parlez-moi de Mark Wong.

Le visage de Millikin a blêmi et les jointures de ses doigts crispés ont blanchi. J'ai remarqué qu'ils tremblaient. Et j'ai remarqué autre chose, accentuée par l'extrême pâleur de son visage.

Ce détail que je venais juste d'observer de l'autre côté de la vitre est venu percuter une autre image dans mon cerveau. Une image récente. *AZ*.

— *Jesus Christ…*, ai-je marmonné.

Je suis sortie comme une folle du local pour aller frapper à la porte de la pièce adjacente. Comme je m'y attendais, Slidell était fort mécontent de mon intrusion. Avant qu'il se mette à râler, je l'ai attiré dans le couloir et ai refermé la salle d'interrogatoire.

— Millikin est malade du sida.

— Qu'est-ce que diable vous racon…

— La lésion sur son nez.

— Il a une tache violette, et alors ?

— Sarcome de Kaposi. Millikin a le sida.

Slidell m'a dévisagée comme si j'avais perdu les pédales.

— Même sous les rayons infrarouges, la note dans la poche de Wong n'était pas lisible en entier. *AZ*, c'était le début d'AZT, un médicament antirétroviral utilisé pour le traitement de l'infection par le VIH. L'AZT n'est pas encore homologué aux États-Unis.

Ça a fait le tour de son cerveau.

— On peut s'en procurer au Mexique ?

— Oui, ai-je répondu en hochant la tête plusieurs fois de suite.

— Millikin traitait Ingram et Wong contre le sida. Voilà pourquoi Ingram a déguerpi de Gastonia jusqu'à Charlotte.

— Ça se tient.

— Millikin faisait le trafic d'AZT en s'en procurant au Mexique. Vous pensez que ce salaud se servait de sa clinique comme couverture ?

— Son mode de vie contredit l'hypothèse qu'il faisait ça pour s'enrichir. *S'il* le faisait vraiment…

Sans prévenir, Slidell a pivoté sur ses talons, s'est engouffré dans la salle d'interrogatoire. Le temps que je revienne à mon poste d'observation, il était déjà en train de s'acharner sur le médecin.

— … sait que vous êtes parti au sud de la frontière pour acheter de l'AZT. Combien exigiez-vous de ces pauvres perdus ? Une petite marge de 300 % ? 400 % ? 500 ? Ou suis-je trop modeste ?

Millikin ne répondait rien.

— Vous rameniez le stock pour vous, alors ?

— Il ne s'agit pas de ça, a murmuré le docteur.

— Ah ouais ? De quoi s'agit-il, alors ?

— Ces hommes vivent dans la honte. Personne n'accepte de les soigner. (Sa pomme d'Adam montait et descendait, ses pupilles se dilataient.) Je voulais juste les aider.

Les paroles prononcées ensuite par Millikin allaient singulièrement accélérer mon rythme cardiaque.

Chapitre 9

— Oui, je soignais le Dr Ingram et M. Wong. Comme je vous l'ai dit, certains aspects de leur dossier médical doivent rester confidentiels.

Slidell se préparait à exploser, mais Millikin a levé la main.

— Ce que je peux vous confier, c'est que je soigne également un patient qui déteste ces deux hommes.

— Pourquoi ?

— Il est persuadé que ses… (le docteur cherchait ses mots) problèmes sont dus à ses interactions avec le Dr Ingram et M. Wong.

— Quels problèmes ?

— Je ne peux pas vous le dire.

— Quel est son nom ?

— Je ne peux pas vous le dire.

Slidell avait l'air prêt à se jeter sur Millikin pour l'étrangler. Au lieu de ça, il s'est penché en arrière, a croisé ses bras et s'est mis à parler d'une voix glaciale.

— Vous savez que je finirai bien par l'apprendre.

— Oui, mais pas par moi.

— Je peux vous rendre la vie impossible.

— Vous le pouvez.

— Ce patient… était-il assez déterminé pour passer à l'acte et tuer ?

— Je ne suis pas psychologue.

Slidell a pris une profonde inspiration, puis a poussé un long soupir en levant les yeux au ciel. Il s'est penché en avant, coudes plantés sur la table.

— Je peux vous aider, doc. Mais pour ça, va falloir me donner quelque chose...

Millikin a soutenu le regard du détective, puis sa conscience l'a emporté.

— Ce monsieur était également furieux contre un troisième homme. Pour des raisons identiques.

— Un patient aussi ?

— Non.

— Dans ce cas, me donner son nom n'est pas une entorse à votre code déontologique ?

— Nero Height. Il se fait appeler Nehi.

Slidell l'a immédiatement noté dans le dossier.

— C'est quoi, son histoire ?

— Juste un jeune en perdition qui traîne dans le quartier. Il revend de la drogue et il se prostitue parfois.

— Quel genre de drogue ?

— Du crack, de l'héro, du speed. Les trucs habituels.

— Il vit où ?

— Je n'en ai aucune idée.

Slidell a reposé son stylo et l'a fixé du regard.

Sauf que cette fois, Millikin n'a pas baissé les yeux.

**

Une demi-heure plus tard, j'étais de retour dans mon labo à l'UNCC. Slidell m'avait congédiée, et il avait accepté, à contrecœur, de me tenir informée. Je n'avais pas cru une seconde qu'il tiendrait sa promesse.

Je trouvais vraiment difficile de me concentrer sur mon mort âgé de plus de mille ans, parce que j'avais été trop transportée par les événements des deux derniers jours. Les incendies de l'Airstream et de la Corolla. Les blessures par balle dans les crânes d'Ingram et de Wong. Le sida de Millikin. Son voyage au Mexique pour acheter de l'AZT. Son histoire du patient en colère. Nehi Height et sa triste vie. Peu après 19 heures, j'ai décidé de plier bagage.

En rentrant chez moi, j'ai fait une halte au supermarché Reid, car ils ont toujours des produits frais. J'y ai acheté de la bavette de bœuf marinée, des patates douces et des asperges, les plats préférés de Pete. Prise d'un sentiment de culpabilité, j'ai attrapé près des caisses un épicéa miniature orné de gros rubans rouges noués de manière très chic et garni de sucres d'orge. Noël était dans moins d'une semaine et notre maison n'arborait encore aucune de ces décorations festives qui le caractérisent.

Étonnamment, Pete était rentré avant moi. L'affaire dont il s'occupait était réglée. Il avait placé un père Noël en plastique sur le manteau de la cheminée et accroché des branches de gui tout autour de la porte d'arche donnant sur la salle à manger. Nous avons été pris d'un fou rire. J'ai réalisé que cela faisait un bail que je n'avais pas suivi la tradition du 25 décembre.

Nous nous sommes mutuellement promis de préserver notre dîner de toute intrusion du boulot. Tout en cuisinant, nous échafaudions des projets pour la période des fêtes, avec Harry qui devait nous présenter son nouveau petit copain. Pete était persuadé qu'il s'agissait d'Arturo ; moi, j'aurais parié sur Alejandro. Finalement, on s'est dit que ça n'avait pas tant d'importance vu que le pauvre garçon serait largué avant la fin de l'année.

Les assiettes avaient à peine atterri sur la table que j'ai lâché le morceau et raconté ma virée au quartier général de la police. Pete m'a questionné sur Slidell et je lui ai répondu que Skinny et moi, c'était à la vie à la mort, et que nous allions nous enfuir ensemble. Il a mimé le mari au cœur brisé et à la mine dévastée. Puis il a voulu en savoir davantage sur l'affaire. J'ai évoqué les découvertes de la journée et je croyais que Pete commenterait le meurtre de Wong, mais non.

— Millikin a raison. Les gens porteurs du sida subissent la double peine. Non seulement ils sont malades, mais en plus ils sont ostracisés.

J'allais abonder dans son sens, mais Pete n'avait pas terminé.

— Un diagnostic du VIH, c'est une condamnation à mort. Il n'y a pas de structure d'accueil, pas de traitement efficace, et la société tourne le dos aux malades. Pourquoi ? Parce que l'opinion publique y voit une maladie spécifique aux gais. Pour beaucoup, la lie de l'humanité que représentent pour eux les homosexuels...

— Et les toxicomanes…

— … ne mérite pas une attention particulière. La plupart des gens préfèrent que ces malheureux crèvent dans leur coin et, si possible, en silence.

— Pas tout le monde, ai-je répliqué, surprise par tant de véhémence.

— Certes. Mais n'oublie pas de considérer cet aspect: il y a des personnes pour croire que le sida est tout ce que méritent les homosexuels et qu'ils ont déclenché l'épidémie. Que la maladie s'est propagée à cause de leur liberté sexuelle, des orgies supposées de la communauté gaie. Un petit génie a même proposé qu'on fasse un tatouage à tous ceux qui étaient infectés.

— C'est dégueulasse.

— Tu imagines comment on doit se sentir rejeté? Plus personne ne voudra t'embrasser ou te laisser tenir un bébé dans les bras.

— Ce doit être épouvantable.

— La tragédie, c'est que nous ignorons l'origine de cette maladie.

— Tu as déjà entendu parler d'un médecin britannique appelé John Snow?

— Il est parent de Chrissy Snow?

Pete voulait faire le malin en citant l'héroïne blonde d'une *sitcom* débile, *Three's Company.* Je n'ai même pas relevé.

— Dans les années 1850, les Londoniens ont été touchés par une effroyable épidémie de choléra et personne ne comprenait pourquoi. Snow a enquêté et a découvert que la plupart des malades avaient bu de l'eau provenant du même puits à Londres. Il n'avait pas compris les mécanismes sous-jacents de la maladie, mais il avait compris le rôle de la distribution d'eau dans la dissémination du choléra.

— Et alors?

— Il avait fait enlever le bras de la pompe à eau contaminée.

— Et cela a enrayé l'épidémie?

— Absolument.

— Où veux-tu en venir?

— Il faudrait enlever le bras de la pompe qui alimente le sida.

Tandis que nous lavions la vaisselle, l'avocat Pete a mis en avant les points essentiels d'une théorie qui commençait à se bâtir dans mon esprit.

— Wong et Ingram étaient tous deux des patients de Millikin. Tu assumes qu'il les soignait tous les deux contre le sida ?

— C'est fort probable.

— Wong est acupuncteur, une technique qui implique l'emploi d'aiguilles. Ingram est dentiste, et on sait qu'il s'est fait coincer sur des manquements à l'hygiène la plus élémentaire. Les dentistes utilisent aussi des aiguilles et sont en contact avec le sang.

— Exact.

— Millikin soigne des personnes atteintes du VIH. Peut-être que le fameux patient en colère dont il refuse de donner le nom est *aussi* malade du sida. Peut-être cet homme est-il persuadé que Wong ou Ingram l'a infecté ?

— Par conséquent, le motif des meurtres serait la vengeance ?

Une pause.

— Tu m'as bien dit que le jeune Nehi Height faisait le trottoir ?

J'ai hoché la tête. On a tout de suite pigé ce que ça impliquait.

— Il faudrait peut-être le mettre en garde, a suggéré Pete.

— La police essaie de découvrir où il vit.

On a terminé notre verre de vin et on a un peu regardé la télé avant d'aller nous coucher. Mais on ne s'est pas endormis tout de suite.

Cinq jours ont passé et aucune nouvelle, ni de Slidell ni de Rinaldi. Même chose pour Larabee.

À l'aube du sixième jour, alors que je me préparais pour aller à l'université, le téléphone a sonné. C'est moi qui ai décroché.

— Le nom du gars, c'est Terry Flynn.

Ça m'a pris quelques secondes pour comprendre.

— C'est le patient dont Millikin refusait de divulguer le nom ?

— Ouais. (Slidell a toussé, raclé sa gorge et craché. J'espérais que c'était dans un mouchoir...) Flynn est banquier, ce qui veut dire qu'il appartient à la moitié de la population de cette ville. Il vit dans le quartier d'Eastover, ce qui veut dire qu'il a très bien réussi dans son travail.

J'entendais du brouhaha. Des bruits de voix, des grincements de tiroirs.

— Vous êtes où ?

— Dans le bureau de Millikin. Je suis en train d'examiner ses dossiers. C'est assez ennuyant comme lecture, sauf si on est intéressé par les problèmes de merde et de diarrhée.

J'avais toutes les raisons de croire qu'il faisait de l'humour sans s'en rendre compte.

— Vous avez réussi à obtenir un mandat ?

— Non, j'agis comme un voyou. J'ai pensé qu'un peu d'esprit d'initiative épaterait les jurés au tribunal.

J'ai fait appel à toute ma volonté pour ravaler une réplique cinglante.

— Les techniciens en scènes de crime ont trouvé toute une cargaison d'AZT dans la cabane derrière la roulotte du bon docteur. Millikin le vendait à ses patients pour moins que rien, à l'exception d'un client chanceux.

— Terry Flynn.

— Bingo ! Le banquier payait le maximum.

— Où se trouve Millikin ?

— On a dû le virer de chez nous.

— L'avez-vous confronté à toutes ces informations ?

— Ouais. Il a reconnu la plupart des faits. Et aussi qu'il pompait un peu d'argent dans les caisses de la clinique pour financer ses voyages au Mexique. Mais en gros, sa version tient la route.

J'ai dû attendre qu'une autre toux sonore soit terminée. Je lui ai ensuite fait part de ma théorie et de celle de Pete.

Autre long moment de brouhaha.

— Je vais aller faire un brin de causette avec ce frais chié de Flynn. Ce serait peut-être bien que vous veniez avec moi.

J'étais abasourdie.

— Où est Rinaldi ?

— La sœur de Height habite les Southside Homes. Nashawna. (Il avait prononcé son prénom en allongeant la deuxième syllabe plus qu'il n'était nécessaire.) Eddie est à la recherche de Nehi, et il veut prévenir le petit si jamais il se montre.

— Question stupide : pourquoi vous me proposez de vous accompagner ?

Slidell s'est raclé la gorge.

— Pardon ?

— Ben… Vous avez découvert la note de Wong. Et vous avez compris pour le cancer des homos qu'a attrapé Millikin.

J'ai laissé passer la dernière phrase, en me promettant de lui faire un topo plus tard.

Il n'avait pas répondu à ma question.

— Et puis au diable, pourquoi pas ? Je passe vous prendre oui ou non ?

— Bien sûr.

Je lui ai dicté mon adresse. Et puis au diable, pourquoi pas ?

**

Il faisait froid et le ciel gris annonçait de la pluie. La Ford Crown Victoria de Slidell ressemblait à une espèce de dépotoir sur roues. Le chauffage fonctionnait à plein régime dans l'habitacle saturé d'odeurs nauséabondes. Des restes de nourriture, des relents de sueur. Une eau de Cologne bon marché. Et, comble de bonheur, ça puait la cigarette.

Le trajet n'a duré que dix minutes, mais il m'avait paru interminable.

La maison de Flynn était située sur Colville Road dans le quartier le plus cossu de Charlotte : Eastover. De vastes demeures entourées de vastes pelouses impeccables. Des allées circulaires privées. Le domicile de Flynn était plus illuminé qu'un bateau de croisière.

Slide a roulé jusqu'en haut de l'allée. Nous sommes descendus du véhicule juste pour remonter les marches d'une immense véranda. Une luge près de la porte vous souhaitait un « Joyeux Noël à tous ! » grâce à une guirlande posée dessus.

Slidell a appuyé avec son pouce sur la sonnette. Un carillon a retenti, à peine plus long que la version complète de *L'Anneau du Nibelung* de Wagner.

Personne ne nous a répondu. Aucune voix grésillante dans l'interphone non plus.

Slidell a sonné à nouveau.

Toujours pas de réponse.

Il a recommencé la même stratégie qu'avec le bouton d'appel de l'ascenseur, à savoir de violents coups de poing sur la sonnette.

Toujours rien.

Une fenêtre à notre droite réfléchissait la lumière sur le pavé uni, à nos pieds. Je me suis approchée et j'ai scruté à travers la fenêtre et les stores en lattes de bois.

La pièce était une bibliothèque magnifique aux murs remplis de livres du haut jusqu'en bas. La décoration était assez masculine : bureau en acajou sculpté, des fauteuils et des sofas aux formes strictes. Un globe. Des photos de sportifs encadrées sur le manteau en pierre de la cheminée.

Derrière moi, Slidell a juré comme un charretier. Il s'était pris les pieds dans la luge. Celle-ci avait heurté le mur avant de valser sur les marches. La partie « à tous ! » de la guirlande avait fini dans un buisson.

Je me suis abstenue de tout commentaire.

Nous retournions à la voiture lorsque la radio a crépité. Slidell a foncé vers la Crown Vic. Au moment où j'ai grimpé à ses côtés, je l'ai vu raccrocher le micro, rouge comme une tomate.

— Que se passe-t-il ?

Au lieu de me répondre, il a démarré sur les chapeaux de roues. Nous avons fait demi-tour si brutalement que ma tête est partie en avant. Il a dévalé l'allée, puis a bifurqué à gauche en mettant la pédale au fond. Je me suis cramponnée à deux mains au tableau de bord.

— C'est quoi, ces conneries-là ?

— Une patrouille a repéré la BMW de Flynn stationnée sur Baltimore Avenue.

— Et ?

— Nashawna Height habite en face.

Chapitre 10

Les Southside Homes avaient été conçus comme des logements sociaux d'un nouveau genre, avec peut-être l'idée de faire croire à leurs habitants qu'ils vivaient en banlieue. Les maisons individuelles et les duplex possédaient chacun une petite galerie et une petite pelouse. Çà et là, on apercevait des guirlandes lumineuses décorant les modestes fenêtres. Certaines unités étaient délimitées par des arbustes, d'autres par des allées sales laissées à l'abandon. On n'était pas à Chestnut Hill, ça, c'était sûr, mais ce n'était pas non plus l'architecture morne et sans attrait que le gouvernement réservait d'ordinaire aux plus démunis.

Des bennes à ordures étaient installées à intervalles réguliers tout le long de Baltimore Avenue. En passant, j'ai vu un chat qui reniflait des déchets tombés de la benne, ou bien qu'il avait aidé à faire tomber. La pauvre bête était en piteux état. Sous sa fourrure sale et emmêlée, on devinait un corps d'une maigreur affligeante.

La Pontiac Bonneville de Rinaldi était garée devant l'unité 8A, pas très loin du carrefour avec Griffith Street. Il était assis à l'intérieur de son véhicule. Slidell s'est garé juste derrière lui, pare-chocs contre pare-chocs. Nous sommes descendus de voiture.

— Où est Flynn?

— Il a démarré en trombe dès que je suis arrivé.

— Tu as discuté avec la sœur?

— Nashawna. Oui, mais elle n'est pas très ouverte au dialogue.

— Tu lui as expliqué que Nehi était en danger ?

Slidell surveillait du coin de l'œil l'habitation 8A. J'étais persuadée que Nashawna faisait de même de derrière les rideaux bleus des fenêtres défraîchies.

— Je lui ai dit que je venais pour l'aider.

— T'as mentionné que t'étais une police ?

— Pas la peine. La dame connaît la chanson.

— Elle a probablement pensé que vous veniez arrêter son frère, ai-je suggéré.

Les deux détectives se sont tournés vers moi.

— Il y a une patrouille qui sillonne le quartier à la recherche de Flynn, a continué Rinaldi.

— Et si j'allais causer un peu avec Nashawna ? a dit Slidell.

Il avait pris sa radio portative avec lui, et sans attendre la bénédiction de son coéquipier, il s'est dirigé à grandes enjambées vers la porte du 8A. Dans sa main, le petit émetteur Motorola ressemblait à une brique.

Je l'ai suivi des yeux. Il a grimpé les marches du perron, sonné, attendu. Il a ouvert la porte moustiquaire et frappé à l'autre porte. Une série de coups brefs et puissants dont l'écho était porté par le vent hivernal.

J'ai remarqué un barbecue Weber dans le petit jardin. À côté, un pot en céramique reposait sur un trépied. Une clôture pas très haute faite de piquets les protégeait tous les deux d'on ne sait quoi.

Bam. Bam. Bam.

Deux enfants s'évertuaient à faire décoller un cerf-volant sur la grande pelouse commune. Ils couraient entre les maisons en criant. Une vieille dame promenait son chien, un pit-bull qui paraissait encore plus vieux qu'elle. Deux gars se disputaient, trop loin de moi pour que je puisse connaître la teneur de leur différend.

J'avais froid aux mains. J'aurais dû prendre une paire de gants. J'ai glissé mes poings au fond de mes poches.

Au final, Slidell a cessé de cogner à la porte. Il a marqué une pause, les bras le long du corps. Il a incliné la tête et j'ai deviné qu'il devait s'entretenir avec Nashawna à travers une fente quelconque.

Puis il a attrapé quelque chose à l'intérieur de son paletot. Soudain, il a pivoté sur lui-même et est revenu vers nous.

— Christ, on a affaire à une experte.

— Qu'est-ce qu'elle t'a dit ? lui a demandé Rinaldi.

— Que Nehi et elle ne sont pas très proches. Qu'elle ne l'a pas vu. Que je fiche le camp.

— Qu'est-ce que t'en penses ?

— Je pense que le petit doit cacher sa dope chez elle, sous le matelas.

— On fait quoi maintenant ?

— Le central est au courant de la situation avec Flynn ? a-t-il questionné en scrutant la rue d'un bout à l'autre, sans nous regarder.

— Ouais.

— Dis-leur de mettre la main sur cette ordure ! Moi, je vais déposer le doc, puis je retournerai chez Flynn.

Je n'ai pas protesté vu que je n'étais pas habillée pour une chasse à l'homme en plein hiver, et que je commençais sérieusement à me geler les orteils.

Nous avons emprunté l'autoroute I-77 en direction du sud, puis la John Belk Freeway et nous approchions de la bretelle de sortie Fourth Street quand la radio a crachoté un truc qui a retenu l'attention de Slidell. Il a décroché le micro et l'a ouvert. Ainsi, j'entendais la conversation des deux côtés. La voiture de Flynn, une BMW noire aux vitres fumées, immatriculée NNX-43 en Caroline du Nord, avait été repérée sur Tryon Street fonçant vers le sud en direction de Griffith.

— Dis-leur de ne pas la lâcher.

— La patrouille a perdu le contact visuel.

— Enfant de chienne !

On a effectué un demi-tour qui m'a envoyée valser contre la portière passager. Slidell a activé gyrophares et sirènes. Il a foncé à travers Fourth Street jusqu'à Third Street. Nous roulions par ce même chemin que nous venions d'emprunter, mais en sens inverse.

Le central a rappelé.

— Quoi ? a-t-il aboyé.

— Une Nashawna Height vient de faire le 911 en te réclamant.

— Qu'est-ce qu'elle a dit ?

— Un homme est posté devant chez elle.

— À quoi il ressemble ?

Pause.

— C'est un Blanc.

— *Jesus !* Les gens sont cons ou ils le font exprès ? Jeune ? Vieux ? Grand ? Petit ?

— Elle dit que c'est un homme blanc, grand et maigre.

Le grognement de Slidell m'a confirmé que c'était là la description de Terry Flynn.

— Height téléphone de chez elle ?

— Non, de chez son voisin.

— Dis-lui que j'arrive dans moins de cinq minutes. Garde-la en ligne.

— Je vais essayer. Elle est complètement paniquée.

Mon cœur s'emballait.

Le central a repris la conversation.

— Height dit qu'elle surveille le gars depuis la fenêtre de la cuisine du voisin. Elle dit qu'il s'avance vers sa maison.

— Son frère est avec elle ?

Courte pause.

— Non, son frère est dans sa maison à elle.

— T'as envoyé une voiture là-bas ?

— Oui. Ne quitte pas.

Longue pause.

— Height pense que le gars est armé.

— Dis-lui de ne pas bouger d'où elle est. J'arrive dans trois minutes, max.

Slidell a passé tout droit à un arrêt à la sortie Remount Road. Les automobilistes ont freiné à mort en klaxonnant.

La voix du policier au central est revenue en grésillant.

— Height dit qu'elle sort pour aider son frère.

— Ordonne-lui de ne pas bouger. Je suis presque rendu.

Mon cœur battait désormais aussi vite que roulait la Crown Vic. Je savais que nous ne pourrions pas rejoindre Nashawna ou Nehi avant que Flynn n'atteigne leur maison.

Pas de réponse.

— Qu'est-ce qui se passe ? a crié Slidell.

— Je l'ai perdue.

— Comment ça, perdue ?

— Elle a raccroché.

Sur Baltimore Avenue, Slidell a pris un virage à droite sur les chapeaux de roues, puis a écrasé la pédale d'accélérateur.

Une camionnette blanche a quitté son stationnement juste devant nous. Slidell a à peine ralenti pour la contourner, puis s'est remis à rouler à toute vitesse. J'ai vu dans le rétroviseur le conducteur de la camionnette nous gratifier d'un doigt d'honneur.

— Où est Rinaldi?

— En chemin.

Quelques secondes plus tard, les pneus crissaient derrière la BMW de Flynn. Slidell a garé sa voiture d'un coup sec qui m'a projetée en avant. Il était sorti avant même que je me redresse.

— Vous bougez pas votre cul de là! a-t-il hurlé en pointant vers moi un index rageur.

Puis il s'est avancé vers le 8A, son arme sortie mais plaquée contre sa cuisse.

Mes articulations étaient blanches à force de serrer le tableau de bord. Je me suis renversée dans le siège auto, prenant conscience que je respirais de manière saccadée.

J'ai regardé autour de moi. Je voyais bien la Pontiac. Mais pas de Rinaldi. Pas de Flynn. Pas de Nehi.

Les enfants avaient déserté la grande pelouse commune. Le pit-bull de mémé avait disparu. Même chose pour les gars qui se disputaient. Tant mieux. Je sentais le danger envahir tous mes pores. L'adrénaline déferlait en moi pour compenser une angoisse de plus en plus présente.

J'ai baissé ma vitre. À l'exception de voitures au loin, le quartier était anormalement calme. Le sang battait à mes tempes, produisant une sorte de raffut que moi seule entendais.

Des dizaines de secondes se sont écoulées. Puis une minute entière. J'ai entendu un raclement au sol, quelque chose qui se brise. Je n'avais pas trop d'images en tête pour accompagner cette bande-son. Puis j'ai compris la scène. L'urne en céramique sur le trépied était tombée.

Je méditais là-dessus quand un coup de feu a déchiré l'air glacial. Un autre a suivi. Un troisième.

Une image a assailli mon esprit. Slidell pris dans une embuscade, perdant son sang sur l'herbe humide. Ou peut-être Rinaldi?

Un homme a hurlé. Un autre a hurlé en retour. Les voix provenaient de derrière le 8A.

Je ne pouvais distinguer ce qui se disait.

Je ne suis pas très soumise aux ordres qu'on me donne. Je ne l'ai jamais été. Je sais que j'aurais dû rester dans la voiture. Que je ne suis pas entraînée pour ce type d'exercice. Que je ne devrais pas prendre de risques.

Mais je brûlais de savoir ce qui se passait. Et ce n'était pas en restant terrée dans cette voiture que je le saurais.

J'ai respiré à fond. Calmement. Puis je me suis glissée hors de la Crown Vic. J'ai fait une rotation de 360 degrés, et je me suis déplacée aussi discrètement que possible en diagonale, vers l'espace entre l'habitation 8A et ses voisins.

Dès que j'ai contourné la maison, je les ai vus. Tous. Slidell. Nashawna. Nehi. Flynn. J'imaginais que Rinaldi n'était pas bien loin, mais lui, je ne le voyais pas. Tous étaient figés en un tableau horrifique.

Flynn pointait son arme sur Nehi, le canon appuyé contre sa gorge, l'obligeant à relever le menton haut, selon un angle visiblement très peu confortable. Ils se tenaient sur le perron à l'arrière de la maison. La porte avait été arrachée de ses gonds. Vu les traces de boue, j'ai compris que Flynn avait dû l'ouvrir à coup de pied. Les trois impacts de balle expliquaient les trois coups de feu que j'avais entendus.

Sa sœur était derrière l'habitation de ses voisins, ses doigts plaqués sur sa bouche, à moitié accroupie derrière le barbecue. Slidell était à ses côtés, et tenait son arme à deux mains en visant Flynn.

Le corps de Flynn était d'une maigreur sidérante. Il n'avait, que la peau — couverte de bleus — sur les os. Son visage décharné n'était guère mieux. Des joues creuses, des yeux enfoncés dans les orbites, et un nez…, une sorte de bec dessiné par le cartilage et l'os sous-cutané.

— Tu ne m'as pas prévenu, espèce de petite merde! a grogné Flynn d'une voix tremblante de rage.

— Te prévenir de quoi, *man*?

Les mots de Nehi se détachaient avec peine à cause de la pression sur sa trachée artère, et l'inclinaison douloureuse de sa mâchoire.

— Tu m'as tué, je te tue. Œil pour œil, dent pour dent, *man*. Justice! La Bible a dit qu'il fallait rendre justice.

— *Fuck!* Mais de quoi tu parles?

Nehi était minuscule avec les yeux terrifiés d'un chien battu.

— Tu as signé mon arrêt de mort, espèce de bâtard empoisonné !

— Tu parles de la maladie des gais ? J'ai pas cette cochonnerie-là, moi, *man* !

J'ai entendu les pneus d'une voiture crisser, et le grésillement d'une radio sur Baltimore Avenue.

— C'est trop injuste. Tu vends de l'héroïne et du crack. Tu vends ton cul. T'es qu'un déchet. Moi, j'avais tant de choses à vivre, et tu as tout foutu en l'air.

— J'ai dit : posez votre arme ! a crié Slidell.

Je savais qu'il ne pouvait pas tirer de peur de tuer Nehi.

Flynn a enfoncé davantage le canon dans la chair du jeune homme. Il a resserré la pression autour de la crosse. Bien que Flynn soit bien plus grand que sa proie, il était si penché vers lui que leurs tailles paraissaient identiques.

Des pas lourds martelaient le sol dans notre direction. J'ai compté : quatre personnes.

— Je vous le dis encore une fois, a aboyé Slidell. Posez votre arme !

Nehi était un bagarreur. Un survivant. Et qui avait peur de mourir. Ce qui s'est produit ensuite est le résultat de ce cocktail puissant.

Flynn a été distrait une fraction de seconde par les pas qui couraient vers nous. Nehi a pigé que pareille occasion ne se représenterait pas. Il a entouré la jambe de son agresseur avec la sienne et a appuyé de tout son poids contre sa poitrine pour le déstabiliser. Flynn est tombé au sol avec le bruit mat d'une vieille bûche craquant dans la cheminée. L'arme a volé en l'air.

— Height ! Reculez !

Ignorant la mise en garde de Slidell, Nehi s'est mis à califourchon sur Flynn et a plaqué ses poignets contre terre. C'était un combat inégal. D'un côté, un adolescent habitué à vivre dans la rue, et de l'autre, un homme mûr mais malade. Quoiqu'il ait tenté de résister, Flynn était cloué au sol.

Une chorégraphie s'est ensuite déroulée de manière presque parfaite. Slidell a fondu sur eux. Rinaldi a surgi de derrière l'équipe de policiers, arme pointée sur Flynn. Deux agents en uniforme qui avaient contourné la maison ont sorti leurs armes. Nehi s'est redressé et a sauté de côté. Rinaldi a ramassé le revolver de Flynn d'un mouvement agile. Tout cela avait duré moins de quelques secondes.

Derrière le barbecue, Nashawna s'était hissée péniblement sur ses jambes. Je me suis précipitée vers elle en entourant ses épaules de mon bras. Elle pleurait, tremblant de tous ses membres.

— Il va bien, l'ai-je rassurée. Tout va bien.

— Cet homme est fou. Nehi n'a pas le sida. Je le sais. Sa copine l'a obligé à faire un test de dépistage.

Par-dessus son épaule, j'ai vu que Flynn se relevait. Un des agents en uniforme l'a menotté en lui énonçant ses droits. Puis il a été escorté par deux policiers. Il paraissait si fragile, chancelant. Pathétique.

J'ai voulu avoir de la compassion pour cet homme, mais je n'y parvenais pas. Il avait assassiné deux personnes et tenté d'en tuer une troisième. Je pouvais pardonner sa colère, sa détresse, son désespoir. Je ne pouvais pas pardonner son désir de vengeance.

Et je ne pouvais lui pardonner la haute estime qu'il avait de lui-même par rapport à Nehi Height. Comme si sa vie à lui avait plus de valeur que la vie d'un Noir, drogué et prostitué.

Terry Flynn n'était qu'un trou de cul arrogant.

— Merci, a dit Nashawna.

— Remerciez-les plutôt, eux, ai-je répondu en montrant Slidell et Rinaldi, et aussi les policiers qui embarquaient Flynn à l'arrière de leur véhicule.

Nashawna a eu un léger haussement d'épaules.

Slidell parlait à Nehi sur un ton cassant, un peu hautain.

Tu es arrogant, Skinny Slidell, ai-je pensé. Mais tu es loin d'être un trou de cul.

Des flocons de neige ont tourbillonné autour de nous. Ils fondaient dès qu'ils touchaient le gazon.

Nashawna a dit quelque chose que je n'ai pas entendu.

— Pardon?

— Joyeux Noël, a-t-elle répété doucement.

J'avais oublié.

On était le 24 décembre.

Chapitre 11

Des années plus tard…

Quelque chose a effleuré mon épaule. Quelque chose avec la douceur d'une toile d'araignée.

J'ai rouvert les yeux.

Une silhouette opaque se dressait devant les écrans, masquant la lueur bleu-vert produite par les différents appareils.

— Comment tu vas?

Une voix douce, emplie de compassion. Un délicat murmure.

— Ça va…, ai-je menti.

Andrew Ryan m'a souri. Un sourire de soutien, d'encouragement.

J'ai essayé de lui rendre son sourire. Je n'ai réussi qu'à esquisser une pauvre grimace empreinte de mélancolie.

— Tu veux faire une pause?

J'ai secoué la tête.

— Comment va-t-il?

J'ai à nouveau secoué la tête, plus lentement. J'avais peur que ma voix me trahisse, alors je n'osais pas trop parler.

— Tu veux un peu de compagnie?

— Bien sûr.

Ryan a disparu, avant de revenir du couloir avec un autre fauteuil. Il s'est assis puis m'a tendu la main. Je l'ai prise. Je l'ai tenue bien serrée, submergée par un mélange d'émotions.

Le temps a passé.

Les écrans des moniteurs affichaient leurs pics et leurs vallées blêmes. Ils faisaient entendre leurs bips réguliers.

Et puis ils ont crié, et les lignes sont devenues plates.

Ryan a plongé son regard bleu dans le mien. Totalement. Intensément.

L'adrénaline envahissait chaque cellule de mon corps.

Non !

La porte s'est ouverte à la volée et l'infirmière V. Sule a pénétré dans la pièce en poussant un chariot en acier inoxydable, avec des tiroirs rouge vif. Sur le dessus se trouvait un défibrillateur et ce qui ressemblait à une boîte d'outils.

D'autres soignants sont entrés en courant, chacun arborant une blouse de couleur différente selon leur mission. Visages fermés, ils avaient tous l'air très concentrés.

Je me suis levée et j'ai senti — davantage que je n'ai vu — Ryan faire de même. J'avais les yeux fixés sur l'homme allongé sur le lit.

L'infirmière V. Sule a retiré le drap désormais aussi immobile que la mer après une violente tempête. Elle a défait d'un coup sec la blouse du patient, en même temps qu'elle me jetait un bref regard. Elle a placé ses paumes l'une sur l'autre sur la poitrine ainsi mise à nue. Réanimation cardiopulmonaire.

— S'il vous plaît…

Elle a incliné sa tête vers la porte, ses bras, tels des pistons, déjà en action.

Ryan et moi nous sommes rapidement faufilés à l'extérieur de la chambre. Debout dans le couloir, sans savoir quoi dire, ni faire.

J'étais désemparée. Je me suis inconsciemment avancée vers la fenêtre pour contempler Charlotte onze étages plus bas. Les premières lueurs de l'aube embrasaient déjà l'horizon. Les gratte-ciel de la ville se découpaient dans la lueur naissante, si différents de leur version en tons de gris en plein jour.

Une avalanche de souvenirs a déferlé dans mon cerveau, certains anciens, certains récents. Sa voix au téléphone. Sa silhouette courbée au-dessus d'une fosse peu profonde. Ses yeux posés sur un nouveau-né d'une blancheur fantomatique. Ses mains effleurant un corps momifié.

La culpabilité venait s'ajouter à tout cela. Une sœur à lui arrivait de Fort Worth. Mais qu'est-ce que je connaissais d'autre de sa vie privée ? Il n'avait pas eu d'enfants. Avait-il d'ailleurs jamais été marié ? Quelques compagnes, mais je ne me rappelais pas leurs noms.

J'ai revu son geste d'au revoir la veille au soir. Un geste désinvolte. Il ignorait alors que ce serait sa dernière journée sur terre.

Je vivais la soudaineté de la situation comme un vertige. La prise de conscience qu'il n'y aurait pas d'ultime message d'adieu. Les mots que nous n'avions pas pu nous dire resteraient pour toujours de l'ordre du non-dit.

Cela ne pouvait pas être réel.

Des bruits de chaussures cliquetant sur le plancher ont résonné. Ce n'était pas le pas feutré du personnel hospitalier.

Je me suis retournée.

Deux hommes s'avançaient à la hâte dans notre direction. L'un était tout de noir habillé, à l'exception d'un petit rectangle de tissu blanc au niveau du cou. L'autre portait une veste à carreaux sur une chemise couleur abricot — avec en prime quelques taches de graisse — et un pantalon en polyester.

Le regard de chien battu de Slidell a croisé le mien. Nous nous sommes regardés dans les yeux un long moment. Puis il a dévié son regard vers Ryan.

Le prêtre, lui, s'était assis, ses doigts entrelacés posés sur ses genoux. Il a fermé les paupières.

C'était réel.

Tim Larabee était en train de mourir.

J'ai senti les larmes monter, mais je les ai refoulées.

Derrière Ryan et Slidell, à travers la porte ouverte, j'ai vu une infirmière glisser un fin matelas en plastique sous le dos de Larabee, tandis que V. Sule déchirait des sacs en papier d'où elle retirait des coussinets pour les placer sur la poitrine du patient. Lorsqu'elles ont eu fini, les deux femmes ont surveillé l'écran du défibrillateur. Les lèvres de V. Sule ont formé un seul mot : dégagez. Toutes les personnes autour du lit se sont reculées.

Le corps de Larabee s'est arc-bouté. Une nouvelle fois.

Puis il n'a plus bougé. L'infirmière en bleu a posé deux doigts contre sa carotide. Elle a vérifié son pouls au niveau du poignet. Elle a contrôlé les écrans. Elle a secoué la tête.

L'infirmière V. Sule a entamé une autre série de massages cardiaques.

Ryan et Slidell discutaient en chuchotant, leurs visages tout près l'un de l'autre. J'ai dégluti, inspiré une grande bouffée d'air et marché vers eux.

— … était sur le crystal meth. L'enfant de chienne…

Slidell s'est brusquement interrompu en m'apercevant.

— Larabee était sorti pour un dernier jogging, c'est ça? ai-je demandé d'une voix qui bizarrement ne tremblait pas.

Slidell a hoché la tête. Le chagrin que je lisais sur son visage lui donnait l'air bien plus vieux qu'il était en réalité. C'était de l'épuisement. Je savais qu'il avait passé la nuit à traquer l'agresseur de Larabee.

— Il a été attaqué par hasard?

— Mauvais endroit, mauvais moment.

Combien de fois, avec Larabee, avions-nous discuté de la fragilité de la vie? Il utilisait une expression pour désigner le caractère imprévisible de la fin de l'existence: l'hypothèse numérique aiguë. Son numéro avait été tiré.

Un geste d'au revoir désinvolte. Un jogging tard dans la nuit au cœur de Freedom Park.

Derrière les hommes, je voyais l'infirmière en vert injecter un médicament par voie intraveineuse. Le corps de Larabee a réagi. Deux fois. Une infirmière en bleu a pris son pouls à nouveau. Le personnel s'est écarté du lit. Un homme en blanc prenait des notes.

— Qui a fait ça? a demandé Ryan qui se mettait en mode flic.

Aucune émotion ne perçait dans sa voix.

Même chose pour Slidell.

— Un itinérant dénommé Garret Hearst. Une belle petite ordure.

— C'est-à-dire? ai-je dit.

Je voulais savoir.

— Hearst est un junkie avec deux neurones à la place du cerveau. (Slidell semblait fou de rage.) Qui diable s'en prendrait à un joggeur? Qu'est-ce qu'il croyait? Que les gars qui font du sport traînent un portefeuille plein à craquer dans leur short?

— Tu es certain que c'est lui qui a tiré? a insisté Ryan.

— La vidéosurveillance montre qu'il était dans le parc à peu près au moment où un témoin a entendu les coups de feu. En plus, ce crétin a abandonné son arme sur place. Ses empreintes sont partout dessus. La balistique établira la correspondance.

Il parlait des balles qui avaient déchiré l'abdomen de Larabee.

— Ça s'est déroulé à quelle heure ?

J'avais besoin de savoir.

— 23 h 15.

— Le promeneur avec son chien l'a découvert juste après minuit, c'est ça ?

— Ouais.

Un silence de plomb s'est abattu sur nous. Nous pensions tous les trois à la même chose. À cette image épouvantable, Larabee se vidant de son sang. Horrifiés à l'idée qu'il aurait pu être sauvé si quelqu'un était passé par là plus tôt…

— Où est Hearst ?

— En cellule.

L'infirmière V. Sule refaisait un massage cardiaque à Larabee. J'avais fait le calcul. Deux minutes de réanimation cardiopulmonaire, puis vérification des fonctions vitales, suivi de l'utilisation du défibrillateur. J'ai regardé ma montre. Il s'était écoulé une demi-heure depuis que l'électrocardiogramme était plat. Je me suis demandé combien de temps encore allaient durer leurs efforts pour tenter de le réanimer.

— Est-ce que tu as interrogé le jeune ? s'est enquis Ryan.

— Il était trop défoncé pour se souvenir de son propre nom…

Et tout aussi soudainement que cela avait commencé, le ballet lugubre à l'intérieur de la chambre a brusquement cessé. Plus personne ne bougeait.

Je me suis retournée. Larabee reposait, l'âme en paix, tranquille. Comme tous ces morts — pleurés ou non par leurs proches — dont il avait eu la charge toute sa vie durant.

L'homme à la blouse blanche a regardé la pendule murale. Il a donné l'heure du décès à haute voix et l'a consignée par écrit.

Le prêtre s'est levé pour entrer dans la chambre.

L'infirmière V. Sule a contourné le lit et a remonté le drap sur le visage de Larabee.

Adieu, mon vieil ami.

C'est alors que je me suis mise à sangloter sans pouvoir m'arrêter.

Voyant ma souffrance, Slidell est venu m'entourer de ses gros bras et m'a serrée tout contre lui. Nos joues se sont touchées et, à ma grande surprise, les siennes étaient aussi mouillées que les miennes.

Je vacillais maladroitement sur mes jambes flageolantes, j'étais à la limite de la perte d'équilibre. Pourtant, je venais de me rendre compte d'un truc incroyable. Durant toutes ces années — à traverser ensemble nos échecs et nos succès, nos chagrins et nos joies, des morts bouleversantes et des sauvetages éprouvants — Skinny et moi ne nous étions jamais fait l'accolade.

Je me suis appuyée sur sa poitrine et j'ai versé toutes les larmes de mon corps contre sa chemise couleur abricot.

Note de l'auteur

Une nouvelle sur les débuts de Tempe dans le métier. Cela ressemblait à une gageure, et pourtant !

Lorsque j'ai commencé à écrire la première aventure de Tempe dans le labo du MCME, cela m'a rappelé mes propres débuts en médecine légale. Au début des années 1980, je travaillais à l'Université de Caroline du Nord, section Charlotte, en me spécialisant en bioarchéologie. Cette discipline concerne les morts anciens. Un jour, un détective de la Section des homicides de Charlotte-Mecklenburg m'a demandé d'examiner des os découverts sous une maison. À l'époque, je donnais des cours sur l'évolution humaine et la biologie du squelette, mais je n'avais jamais travaillé avec les forces de l'ordre sur des affaires criminelles. Cela avait un petit côté excitant... J'ai accepté de procéder à l'analyse.

Les restes étaient ceux d'un chien. Affaire classée.

De temps à autre, la police me sollicitait en m'apportant des éléments de squelette à évaluer, et je le faisais. Et puis, un jour, j'ai reçu un coup de fil qui allait changer ma vie à jamais. Le détective m'a parlé d'une petite fille disparue. Elle avait cinq ans et s'appelait Neely Smith. Il voulait que je vienne avec lui sur la scène de crime. Il voulait que j'étudie de petits os pour savoir s'ils pouvaient être humains. S'il se pouvait que ce soit ceux de Neely.

C'était bien les siens. Son assassinat m'a traumatisée. La pauvre enfant avait l'âge d'une de mes filles. Je voulais que justice soit faite. Je ne l'ai pas obtenue. Le premier suspect, un type qui avait lâché l'école en secondaire deux, n'a jamais été inculpé pour ce crime-là. Actuellement, il purge une peine de prison à vie pour huit agressions sexuelles contre des enfants et le meurtre d'une fillette de dix ans qui habitait à une rue du domicile de Neely.

Le fait que cette affaire n'ait jamais pu être classée avait été une grande frustration pour moi. J'étais déterminée à faire tout mon possible, avec les compétences acquises, pour que de tels crimes soient résolus et punis. Après avoir repris des études et obtenu la certification de l'American Board of Forensic Anthropology, j'ai commencé mon travail de consultante auprès de la police criminelle, des coroners et des médecins légistes. Identification. Circonstances du décès. Calcul de l'intervalle *post mortem*. Bref, tout ce qui pouvait apporter des réponses aux familles et permettre d'arrêter le coupable.

Dans les villes où des enfants ont été assassinés, les gens se souviennent des noms des victimes pendant des années. Charlotte, Caroline du Nord ; Soham, Angleterre ; Praia da Luz, Portugal. Tous sont horrifiés par la violence contre le plus faible. Contre l'innocent. Contre l'être sans défense.

Un fait triste, mais malheureusement courant, est qu'à la différence d'un roman, dans la vraie vie, le tueur n'est pas systématiquement arrêté. Dans l'affaire Neely, ses os avaient été identifiés, mais on n'avait pas pu inculper son meurtrier. Je garde au fond de ma mémoire les prénoms de ces enfants à qui la même chose est arrivée. Et je suis accablée par l'idée qu'il y aura toujours des meurtres, et que certains ne seront jamais résolus.

Alors que l'affaire Neely a été le déclencheur de ma vocation pour l'anthropologie judiciaire, la majorité des cas sur lesquels j'enquête ne concerne pas les enfants. Les victimes dans *De cendre et d'os* sont des hommes adultes. Leurs meurtres se déroulent dans les années 1980, une époque où le pays a dû affronter un autre type de tueur : l'épidémie du VIH-sida. Pour les professionnels qui, comme moi, travaillaient avec des morts, le sida et le VIH posaient un problème nouveau et nous exposaient à un danger réel.

Le virus de l'immunodéficience humaine (VIH), rétrovirus infectant l'humain, est responsable du syndrome d'immunodéficience acquise (sida). Au début des années 1980, on savait très peu de choses à ce sujet. On pensait au départ que la maladie n'affectait que les gais. Peu de mesures de prévention avaient été mises en place par les services de santé publique. La communauté médicale avait été très lente à évaluer le danger généralisé et avait peu réagi pour mettre en garde la population. Lorsqu'il est apparu que la nature mortelle du sida risquait de déclencher une vaste épidémie, des mesures radicales ont enfin été prises.

Les médecins légistes, les anthropologues judiciaires, les techniciens de laboratoire ont été sommés de porter des masques spéciaux, des tabliers, des lunettes de protection et des gants. Nous devions éviter les contacts non protégés avec les fluides corporels des cadavres. Nous devions suivre de nouvelles procédures concernant l'utilisation des lames et des aiguilles, et de ce qu'on en faisait après usage.

L'amélioration d'une méthodologie médicale a ralenti la propagation de la maladie. Même chose pour l'information aux populations à risque et l'arrivée sur le marché de médicaments plus efficaces.

Bien que beaucoup de progrès aient été faits en la matière, nous n'avons toujours pas « enlevé le bras de la pompe qui alimente le sida », comme le résume Tempe à Pete dans *De cendre et d'os*. Selon les statistiques des Centers for Disease Control and Prevention, environ 1,2 million de personnes vivent avec le virus du sida aux États-Unis et cinquante mille sont infectées chaque année. Dont seulement 87 % sont diagnostiquées.

En 1985, un petit groupe de gens ont conçu un projet pour entretenir la mémoire de ceux qui étaient morts du sida. Il est connu sous le nom de « Names Project AIDS Memorial Quilt ». La courtepointe est composée de rectangles d'environ 1 m × 2 m, chacun comportant le nom d'un défunt.

La première fois que j'ai vu cette courtepointe, c'était au début des années 1990, à l'occasion d'une visite à ma fille à Washington D.C. La pièce s'étendait du Capitole jusqu'à l'obélisque du Washington Monument. C'était l'occasion de réfléchir et de discuter, et surtout de s'informer sur la maladie.

Quand j'ai revu la courtepointe en 1996, les rectangles représentaient plus de huit mille personnes. La pièce couvrait l'ensemble du National Mall, la célèbre esplanade de

Washington. Aujourd'hui, la courtepointe est composée de plus de quarante-huit mille panneaux contenant les noms de gens originaires des cinquante États américains et de quarante-trois pays étrangers. Si on l'étalait d'un bout à l'autre, elle s'étendrait sur plusieurs dizaines de kilomètres.

Ce qui m'a poussée à écrire *De cendre et d'os* est lié à cet ensemble d'émotions qu'a suscité la maladie. L'angoisse quotidienne de celles et ceux porteurs du VIH. Leur peur constante que ne se développe la maladie. Leur inquiétude de contaminer autrui. Bien pire, je pense à ceux chez qui le sida est déjà déclaré lorsqu'on les diagnostique. La nouvelle désespérante qu'implique cette maladie mortelle, d'autant que la fin ne sera pas une partie de plaisir. Tous ces sentiments, j'ai voulu les réunir dans ma nouvelle, en montrant comment ils pouvaient conduire quelqu'un au meurtre.

Souvent, je songe à ma propre courtepointe. Les os sur lesquels je n'ai pas réussi à mettre de nom. Les victimes de violence pour qui on n'a pas retrouvé le coupable. Les coupables connus, mais non inculpés.

J'essaie en général de séparer travail et vie privée. J'essaie de laisser les morts à la morgue. Pourtant, en certaines occasions, quand je baisse la garde, me reviennent en mémoire les affaires non classées…

Je tire une grande satisfaction dans le constat que la plupart des inconnus ont été rendus à leur famille. Que la plupart des meurtriers sont attrapés et condamnés. Je crois en la puissance de la science. Pour combattre la maladie. Pour résoudre des affaires criminelles. Je continuerai à mettre mes compétences au service de l'anthropologie judiciaire afin que triomphe la justice.

Pour plus d'information sur le Names Project AIDS Memorial Quilt, vous pouvez vous rendre sur le site aidsquilt.org/about/the-aids-memorial-quilt

Remerciements

Je dois énormément à Roger Thompson, l'ancien directeur de la police scientifique de la Section des homicides de Charlotte-Mecklenburg.

À nous deux, nous avons pu reconstituer comment se déroulaient les choses « dans le bon vieux temps ». Qu'il soit ici chaleureusement remercié.

Remerciements pour l'ensemble du recueil
Petite collection d'os

Écrire est un sport d'équipe. J'ai reçu l'aide et le soutien de tant de personnes pour ce livre. Comme toujours, j'ai donc une dette immense envers celles et ceux qui m'ont apporté leurs connaissances et m'ont fait partager leurs expériences, contribuant ainsi aux quatre nouvelles de *Petite collection d'os*.

En premier lieu, je tiens surtout à remercier Kerry Reichs, ma fille et collègue auteur. Ses idées et sa sagacité me sont précieuses : du pur génie.

J'exprime ma sincère gratitude à mon agente, Jennifer Rudolph-Walsh, et à ses éditrices aussi minutieuses que douées, Jennifer Hershey et Susan Sandon.

Mes remerciements vont également à toutes celles et tous ceux qui travaillent pour moi dans l'industrie du livre. Chez Random House, aux États-Unis : Gina Centrello, Kim Hovey, Scott Shannon, Susan Corcoran, Cindy Murray, Kristin Fassler, Cynthia Lasky et Anne Speyer. De l'autre côté de l'Atlantique : Rob Waddington, Aslan Byrne, Glenn O'Neill et Georgina Hawtrey Woore. Chez Simon & Schuster, au nord du 49e parallèle : Kevin Hanson. Chez William Morris Endeavor Entertainment : Katie Giarla, Elizabeth Goodstein, Tracy Fisher et Raffaella De Angelis.

Pour son soutien indéfectible, je remercie également mon infatigable aide de camp, Melissa Fish.

À mes lectrices et lecteurs, je vous suis si reconnaissante de prendre sur votre sommeil, de remplir vos étagères (et de les photographier !) avec la collection des aventures de

Tempe, et de l'emmener partout avec vous. J'adore lorsque vous, mes fidèles lectrices et lecteurs, faites l'effort de me rendre visite lors de séances de signatures, ou que vous allez visiter mon site web (kathyreichs.com), que vous partagez vos histoires sur Facebook (kathyreichsbooks), que vous me suivez sur Twitter (@KathyReichs) et sur Pinterest (kathyreichs), et me taguez sur vos photos publiées sur Instagram (kathyreichs). Grâce à vous, je continue à faire ce que j'aime. Mille mercis !

Table des matières

MARQUIS

Québec, Canada

Imprimé au Canada